10 SECRETOS
PARA EL
ÉXITO EN LA WEB

Bryan Pfaffenberger y David Wall

10 SECRETOS PARA EL ÉXITO EN LA WEB

PARANINFO

1997

Traducido por:
ALFA SERVICIOS EDITORIALES

© Editorial Paraninfo, S.A.
ITP An International Thomson Publishing Company
Magallanes, 25 - 28015 Madrid
Teléfono: 4463350 - Fax: 4456218

© de la traducción española Editorial Paraninfo
ITP An International Thomson Publishing Company

© 1996, by Ventana Comunications Group, A Division
of International Thomson Publishing.

Título original:
The 10 Secrets for Web Success: What it takes to
do your site right de Bryan Pfaffenberger and David Wall.

Diseño de cubierta:
© Montytexto, S.L.

Impreso en España
Printed in Spain

ISBN: 1-56604-370-0 (edición EE.UU.)
ISBN: 84-283-2358-5 (edición española)

Depósito Legal: M-2627-1997

Magallanes, 25 - 28015 MADRID   (012/54/99)

PEÑALARA. Carretera de Villaviciosa de Odón a Pinto, km. 15,180. Fuenlabrada (Madrid)

Acerca de los autores

Bryan Pfaffenberger, uno de los principales expertos en Internet del país, es autor de más de 40 libros sobre ordenadores personales, que incluyen entre otros *Internet in Plain English, Publish It on the Web* y *The World Wide Web Bible*. Actualmente, es profesor adjunto en la división de tecnología, cultura y comunicación de la universidad de Virginia, en el Charlottes-ville's School of Engineering and Applied Science.

David Wall, periodista autónomo con experiencia en entrevistas, ha escrito artículos de fondo para el *Washington Post* y noticias para el *Wall Street Journal* y *Bloomburg Business News*. Autor de *Java for Non-Programmers*, ha colaborado en muchos libros acerca de la Web.

Reconocimientos

Un libro como este necesita la colaboración de muchas personas además de los autores. Desde aquellos que trabajaron en la sombra para crear el libro, hasta los que accedieron a ser entrevistados, y cuyas historias se recogen en estas páginas, supuso un esfuerzo colectivo.

En primer lugar, gracias a Karen Lillis, que tomó las fotografías que contiene este libro. Karen es una fotógrafa de primera clase y también una gran aficionada a los largos viajes por carretera. Sus fotos hablan por sí mismas. También es escritora y artista, cuyos trabajos han aparecido en publicaciones como *Art Papers, The Austin Chronicle, Entelechy, Fluff, Shelflife,* y *The Southerns Quarterly*. Denise Contisio, de Write Now World Processing, transcribió muchas de las entrevistas que se describen en el libro. El trabajo de Denise fue tedioso y en la sombra, pero lo hizo maravillosamente y muy rápido.

Los manuscritos preliminares fueron leídos por varias personas. Gracias a Adam Bernstein, Adam Bergman, Diana Yap y Sue Kulesher por sus comentarios críticos, y a Dan Ancona por su recopilación de información sobre realidad virtual.

Cuando se viaja por el país haciendo investigación para escribir un libro, nos vemos obligados a recurrir a la hospitalidad de los amigos. Kyung Lee y Moon Park hospedaron a Karen en San Francisco; la familia de Bergman acogió a David en las dos ocasiones que estuvo en el área de Nueva York; Kirk Yoshida hospedó a Karen en Austin; Ellen Maguire le proporcionó un sitio a Karen en Boston; y Cori Hayden pasearon a David y Karen por Santa Cruz. Chuck y Nancy Banks ofrecieron a David su cálida hospitalidad, y alguna cruel y buena comida mexicana, mientras permaneció en Austin.

Nuestro especial agradecimiento a Gerry Bergman, que orientó a David a través del laberinto de trenes y metros en su viaje a Nueva York para entrevistar al personal de la revista *Word*, y a Adam Bergman, quien proporcionó a David el calentador y la máquina de café que evitaron que se congelase mientras escribía.

El equipo de Ventana fue de una enorme ayuda en la creación de este libro. Trebnik lideró el equipo, mientras Lois Principe encarriló el libro como editor del proyecto. Lisa Bucki y Tim Mattson lo refinaron con sus devastadores cortes. Otras muchas personas en Ventana aportaron su especial talento, incluyendo a Lance Kozlowski y Patrick Berry (publicación de sobremesa), Chuck Hutchinson (edición de copia), y Kortney Trebnik (lectura de pruebas). Todos ellos hicieron un trabajo excelente.

También debemos un especial agradecimiento a Carole McClendon de Waterside Productions, quien nos representó en nuestras negociaciones con Ventana, y a la gente de Metronetics, Inc., que nos proporcionó un excelente servicio de acceso a Internet en la forma de Comet.net.

También queremos dar las gracias a la gente de Nueva York, Boston, Austin, Los Angeles y al área de San Francisco Bay, por convertir la creación de este libro en una gran experiencia.

Y, más especialmente, queremos dar las gracias a nuestra fuentes. Estas personas están definiendo el desarrollo de los medios del futuro:

- En W3.com: Andrew Conru y Stephan Pejouan. Desgraciadamente, esta entrevista no se incluyó en el borrador final del libro, pero la revelación de estos dos hombres fue de un valor incalculable.
- En *Word*: Liza Kurt, Tom Livaccari, Dan Pelson, Yoshi Sodeoka, Jaime Levy, Roxanna Mennella, Mo Gafney, Karthik Swaminathan y, especialmente, Carey Earle.
- En Yahoo: Cynthia Lohr, Tim Brady, Karen Edwards, Jerry Yang y David Filo.
- En Big Book: Mark Pesce.
- En Radio HK: Norman Hajjar y Steve Proffitt.
- En LVL Interactive: David Beach.
- En Internet Underground Music Archive: Brandee Selck, Rob Lord y Jeff Patterson.
- En World: Ron Britvich.
- En Deja News: Steve Madere y George Nickas.
- En Stock Master: Mark Torrance.

En el *American Reporter*: Joan Silverman en Boston, Andreas Harsono en Jakarta, Steve Herman en Tokio, Randall Boe en Washington y, especialmente, Joe Shea en Los Angeles.

Especial agradecimiento a nuestras familias por soportarnos en el largo y, a menudo tedioso, proceso de creación del libro.

David les da las gracias a Adam Bergman, Adam Bernstein, Beau Bonner, Karen Kaufman, Lori Lawson, Ellen Marcus y Diana Yap por su amistad.

Bryan Pfaffenberger (bp@virginia.edu)

David Wall (david@comet.net)

Charlottesville, Virginia.

Abril de 1.996.

Dedicatoria

A Suzanne, siempre.

—B.P.

A mi familia.

—D.W.

ÍNDICE

PARTE I
EN BUSCA DE LAS EXCELENCIAS DE WEB

Introducción

Una época en rápida transición es aquella que se encuentra en la frontera entre dos culturas y entre tecnologías en conflicto. Cada momento de su conocimiento supone un acto de traslación de cada una de estas culturas a la otra.

—Marshall McLuhan, *Understanding Media.*

Si somos una de los aproximadamente 24 millones de personas que han navegado por el World Wide Web, seguro que sabemos que los puntos de la Web varían en calidad, hay oro y oropel. En realidad, encontraremos más oropel que oro. Entre los millones de páginas que existen en la Web, la inmensa mayoría trata de asuntos mediocres, que apenas merecen una visita, a no ser que sean de nuestro interés personal o profesional.

Pero seguramente que nos hemos encontrado con aquellos lugares que valen la pena, los fabulosos puntos de la Web, los que calan en nuestra convicción de su potencia como medio de comunicación. Todo el mundo tiene una lista de aquellos puntos. Realmente, uno de los más fantásticos, Yahoo, es el resultado del intento de mantener una lista de los mejores. Pero ¿qué es lo que hace estos lugares tan irresistibles para que cada día acceda a ellos un montón de gente? ¿Cuál es la idea, la percepción, en realidad el arte, que se encuentra actualmente en los mejores puntos de la Web? ¿Qué supone la excelencia en la Web?

Las páginas que siguen recogen nuestro recorrido en busca de la respuesta a estas cuestiones, un viaje que nos coloca en la cumbre de los cañones de Manhattan, las calles del barranco multimedia, las dependencias y los sótanos del Silicon Valley. No buscábamos los últimos consejos y trucos de HTML, el más fantástico reciente visor en la Web, ni las estrategias de publicidad de nuestros puntos. Lo que perseguíamos era la mentalidad, la nueva forma de pensar, la nueva perspectiva de los medios, la visión que se encuentra tras los mejores lugares de la Web actual. Y pensamos que lo hemos encontrado.

Le hemos puesto el nombre de Tao de la Web.

Artistas de los nuevos medios

¿Cuál es la diferencia entre un punto que obtiene unos pocos accesos diariamente y uno que obtiene millones? Esta pregunta no es nada trivial, ya que gran exhibición significa grandes ingresos, y gran influencia.

Actualmente, de acuerdo con un estudio sobre el uso de Internet, uno de cada ocho norteamericanos adultos han navegado por la Web y alrededor de un 50% han comprado algo por medio de la línea. La Web significa grandes negocios, gran publicidad, gran arte, gran ciencia. Y está creciendo cada vez más. Probablemente estamos cansados de tanta estimación de crecimiento, pero no va de broma: el número de puntos de la Web se está doblando cada tres a cinco meses. Podemos considerarlo exagerado, o lo que queramos, pero lo que no podemos hacer es negar el hecho siguiente: estamos siendo testigos del nacimiento de un medio de comunicaciones totalmente nuevo, y es el que más ha crecido en toda la historia de la humanidad. ¿A quién beneficia? Y, ¿por qué?

Una cosa está clara: los medios millonarios no se traducen necesariamente en millones de accesos al Web. Este es un campo de juego; técnicamente, en principio, un colegial y Rupert Murdoch tienen el mismo coste de distribución: cero. Ponemos una página en la Web y la gente puede acudir o no (por supuesto, un interés corporativo puede hacer un gran gasto para anunciar sus puntos, pero los usuarios de la Web manifiestan que a menudo existe una relación inversa entre la calidad y la cantidad de dinero que se ha invertido para promocionarlos). La mayoría de los puntos de la red que están en el candelero, los que están obteniendo millones de accesos, tienen su origen en el esfuerzo de aficionados, la síntesis creadora de autores jóvenes que vieron con mayor profundidad las posibilidades de la Web. La fama de estos puntos ha venido de la mano de una versión electrónica de la "palabra directa", los mensajes e-mail, el correo de Usenet, listas de correo, etc. y no de abultados presupuestos de mercado. Las grandes compañías de medios de comunicación se están introduciendo en la Web, por descontado, pero están volviendo a menudo sus páginas hacia los jóvenes autores, para quienes el *Zeitgeist* de la Web es territorio familiar.

No es de extrañar que algunos, particularmente los jóvenes, hayan tenido una mayor visión de futuro que los demás. Cuando surge un nuevo medio de comunicación, todos los que estamos acostumbrados a los anteriores encontramos muy difícil de entender lo que supone éste. Nuestra reacción instintiva es pensar en el nuevo medio en términos del anterior. Como dice cordialmente el gurú de los medios Marshall McLuhan, "miramos al futuro a través de un espejo trasero". Por ejemplo, el primer espectáculo de TV consistió en un refrito de versiones de vaudeville, así como la primera red telefónica fue diseñada para sustituir a los mensajeros. Las primeras películas de acción se hicieron con cámaras estáticas que simulaban la experiencia de sentarse y contemplar un juego. Aquí es donde los jóvenes tienen una ventaja: ellos tienen menos que desaprender.

Pero hay más que juventud y desprogramación en la excelencia de la Web. Aquellos que captan rápidamente un nuevo medio son, en palabras de McLuhan, "los auténticos artistas de su tiempo". Son aquellas personas que son capaces de comprender el significado de un medio nuevo en su propio tiempo, mas allá de los demás. Son gente, como dice McLuhan, de "conocimiento integral", capaces de sintetizar con creatividad las diversas y variantes corrientes de la tecnología, la cultura y la comunicación. "Para comprender este conocimiento", razona McLuhan, "hemos tenido que mirar hacia otras culturas, y particularmente no las del Oeste, ya que esta forma de conocimiento está fundamentalmente reñida con nuestro ineficaz curriculum de hechos y lógica".

¿Quiénes son los artistas de los nuevos medios Web y cuál es su conocimiento, para que ellos vean lo que no podemos ver los demás?

En pos del conocimiento integral

Tomemos la sugerencia de McLuhan y miremos más allá de los límites de la cultura del Oeste como inspiración y guía.

En un suburbio de clase media de Tokyo, no lejos del estruendo de un tranvía elevado, un grupo de vecinos se agrupan en silencio bajo la bruma. Perfectamente sincronizados, comienzan lo que a un espectador le parecería desde arriba una danza coreográfica, una serie de movimientos lentos, cuidadosamente controlados, que parecen tan intemporales como bellos. Están practicando el Tai Chi Chuan.

El Tai Chi es un arte marcial, no obstante dulce, que se fundamenta en la antigua filosofía de Lao Tzu, una misteriosa saga china de la que se conoce muy poco. Observando que la conciencia revela un universo hecho de fuerzas en oposición, a las que denomina Yang y Yin, Lao Tzu recomienda El Camino (el Tao). El Yang, en sentido amplio, es agresivo, descarado, poderoso, imperativo; el Yin, por el contrario, es paciente, tranquilo, silencioso, sumiso. Vivir el Tao es encontrar la armonía y la paz en la unión y el equilibrio de las fuerzas opuestas. "Debemos dar", dijo Lao Tzu, "sin pedir, y encontrar valor, sin darnos importancia". Siempre estamos rodeados por el juego de fuerzas en conflicto, pero no debemos ir demasiado de un lado a otro; "amar demasiado", dijo Lao Tzu "es romper el corazón".

Los gráciles movimientos del Tai Chi expresan y celebran el Camino. En el paso de un hombre o una mujer, por ejemplo, vemos el vacío (Yin) y la substancialidad (Yang). Aquí, Tai Chi no es tanto un arte marcial como una forma de meditación, en la que el practicante se esfuerza para reconciliar cada nueva manifestación de esta antigua contradicción. Como rivales, el Yin y el Yang son infinitamente creativos; siempre encuentran nuevas formas de enzarzarse. Así, el practicante no se sorprende de que cada día traiga una nueva lucha, una nueva forma de fuerzas dirigidas en conflicto y contradicción, ella lo siente en su cuerpo. Y, mientras el practicante se mueve tan grácilmente, ella pondera inevitablemente las fuerzas en conflicto que se agitan en su vida, y descubre creativamente la forma de juntarlos y equilibrarlos.

Tai Chi señala el camino. El conocimiento integral pone en equilibrio dos fuerzas, dos mundos en conflicto.

Los dos mundos de los medios de comunicaciones

El conocimiento integral de los nuevos artistas de los medios, reside en su conciencia de las posibilidades de unión y del equilibrio, de enfrentar dos fuer-zas contrarias, específicamente los dos mundos tecnológicos separados anteriormente, que el ordenador está colocando juntos. Conocemos ambos mundos, el de la divulgación, representado por la televisión, y el mundo de las comunicaciones persona-persona, representado por el teléfono, pero los visionarios de la Web perciben cómo vienen juntos.

El conocido mundo de los medios de divulgación, televisión, radio, revistas, periódicos, editoriales, por encima de todo es un mundo de formación capital y sistemas tecnológicos centralizados. Es un mundo ruidoso, descarado, agresivo, el Yang. Resulta caro crear un contenido de divulgación de calidad y aún más caro crear y mantener la infraestructura tecnológica capaz de reproducirlo y distribuirlo. Un medio de divulgación es de uno para muchos, y cuanto mayor es la audiencia mayores beneficios obtiene.

No es extraño que los medios de divulgación estén obsesionados con la demografía: quieren saber quién está viendo, escuchando, leyendo, comprando, y les produce pánico la fragmentación de la audiencia, la amenaza de 500 canales por cable; sin una alta clasificación Nielsen ¿serán capaces de atraer a los anunciantes?

Igualmente obsesivo es su concepto del copyright. Si nos hemos gastado millones en el contenido de la divulgación, después de todo, no quisiéramos que alguien lo obtuviese gratuitamente, ¿verdad? Desde la actitud de los medios de divulgación, todo lo que es gratis es valor de precio. Finalmente, está la embriagadora llamada del poder; si somos los propietarios de los medios, tendremos una bonita manera de figurarnos la visión de la realidad que experimenta la gente, hasta el punto de estar en sintonía.

El conocido mundo de los medios de comunicaciones persona-persona, —servicio postal, teléfono—, es, si existe alguna, la imagen especular del mundo de la divulgación, su antítesis en cada una de sus formas; es el Yin. Estos medios son individuo-a-individuo en su mayoría. En la infraestructura de las comunicaciones se encuentra involucrado un enorme capital, pero está efectivamente amortizado: la factura ha sido pagada durante décadas de continuo desarrollo y extensión gradual, paso a paso, de manera que los costes por persona son insignificantes. Y ¿a quién le importa la fragmentación de la audiencia? La gran riqueza de la comunicación interpersonal reside en su variedad, millones de personas diciendo millones de cosas. No necesitamos el índice Nielsen, puesto que conocemos nuestra audiencia personalmente. Los riesgos son que no sabemos demasiado acerca del provecho que puede tener para alguien lo que nosotros estamos transmitiendo, pero *deseamos* compartirlo. Y ésto constituye una clave en el tema dominante de los medios de comunicación, que está permitiendo crear posibilidades para los individuos y las comunidades de evadirse de la opresión de las enormes e insensibles instituciones de nuestra sociedad.

Así es el mundo, tal como lo vemos la mayor parte de nosotros; dos fuerzas opuestas, dos formas completamente distintas de comunicación, el Yang (los medios de publicación de masas dominantes) y el Yin (el mundo accesible de las comunicaciones persona-persona).

Los visionarios de la Web contemplan algo apasionante y vital que emerge de su unión.

La tecnología de convergencia

La unión de estos dos mundos de medios de comunicación anteriormente separados ya se está produciendo gracias a las redes de ordenadores, específicamente a Internet.

Desconocida hasta hace poco por la mayor parte de nosotros, una nueva infraestructura de comunicaciones se ha ido abriendo paso por todo el mundo en las dos últimas décadas. No es tanto una red física de ordenadores como un elegante diseño conceptual y, por encima de todo, un conjunto de estándares, mediante los cuales todo tipo de ordenadores puede intercambiar datos entre sí, verdaderamente, controlarse mutuamente, aún a pesar de enormes diferencias. Cuando usamos Internet, el contenido de lo que recibimos, quizás una página de la Web o un mensaje de correo electrónico, bien podría haber viajado por el espacio exterior para que lo recibiéramos reflejado de un satélite. Podrá haber viajado por un cable submarino o sobre el mismo a través de microondas. Probablemente ha viajado a través de todos los cables físicos inventados hasta ahora, desde el viejo hilo telefónico hasta la super rápida fibra óptica. El secreto de esta multiconectividad es este notable conjunto de estándares de comunicaciones llamado protocolos TCP/IP.

Internet comenzó como una red experimental diseñada para enlazar las investigaciones universitarias contratadas por el Departamento de Defensa de los Estados Unidos, pero igual que ocurre con la mayor parte de los inventos, sorprendió a sus creadores. Originalmente utilizada para facilitar el intercambio de datos científicos, esta red, llamada ARPANET, no fue usada tal como habían previsto sus diseñadores: naturalmente, se intercambiaron algunos datos científicos, pero lo que preferían los usuarios era el correo electrónico (e-mail), que rápidamente destacó en las estadísticas de uso de ARPANET. Considerando la red como un teléfono electrónico, los usuarios de ARPANET se hicieron un primer concepto del sistema con el uso del modelo de comunicaciones persona a persona, que se presentaba como más familiar y apropiado.

Pero los usuarios de ARPANET comenzaron a jugar con otras posibilidades. Mediante la creación de listas de direcciones de correo electrónico, una persona podría enviar un mensaje a muchas otras, y así nacieron las listas de correo. Y con la creación de un programa que envía automáticamente una copia del mensaje de alguien a cada uno que figura en la lista de correo, muchas personas podrían enviar mensajes a muchas otras, y así nació el precursor de Usenet. A medida que Internet creció fuera de sus raíces en los centros de investigación universitaria, su flexibilidad en los gráficos de audiencia incrementó visiblemente: he aquí, por primera vez en la historia de la humanidad, una infraestructura de comunicaciones viable y amplia con capacidad de comunicación persona a persona, persona a muchas personas y muchas a muchas, y cualquier combinación de estas formas que se pueda concebir, también. En una lista de correo, por ejemplo, podemos enviar una respuesta a todo el grupo o, si preferimos "hablar" en privado, podemos hacerlo enviando un e-mail privado.

Y aquí es donde la convergencia comienza a aparecer en el cuadro. Lo mismo que un sistema telefónico, la infraestructura de Internet está en camino de amortización; por supuesto que aún no estamos en ello, pero llegará el día en que las conexiones de 10 megabits por segundo estarán al alcance de cualquier hogar suscrito a la TV por cable. No obstante, a diferencia del sistema telefónico, Internet no se reduce a un medio de comunicación persona-persona, uno a uno. También es un medio *público*, en el que los costes de distribución, en comparación con los de lanzamiento, pongamos que de una revista gráfica, se han hundido hasta casi desaparecer.

No es de extrañar que la Web se esté convirtiendo en el medio que pone de los nervios a los magnates.

A vueltas con las posibilidades de convergencia

Decir que Internet está llevando a cabo una convergencia de divulgación y tecnologías de comunicaciones persona a persona es una cosa. Hacerse una idea de lo que ésto significa y quién lo rige es completamente distinto. Cuando toda propiedad intelectual puede ser digitalizada y distribuida casi instantáneamente, ¿qué ocurre con el copyright y los royalties? Si aquellos 500 canales por cable se convierten en 50 millones de puntos de la Web, ¿qué pasará con los anuncios? ¿qué será del papel que juegan los medios de masas en la representación de identidades comunes? ¿cómo podemos comprar cosas, elegir consultorio, quejarnos del ayuntamiento, enterarnos de lo que sucede, aprender en quién confiar?

En la primera parte de este libro, "En pos de la excelencia de la Web: a vueltas con las posibilidades de convergencia", encontraremos a la gente que se ocupa de la creación de los más interesantes puntos y tecnologías en la Web. Preguntándose cómo estos maestros de la convergencia de los medios se están acercando a la unión de los que antes eran dispares, este libro busca los cimientos de la excelencia de la Web, los principios que subyacen en los logros de la Web que suscitan la admiración de la mayoría de nosotros. No es una cuestión de inteligente HTML, como comprobaremos, se trata de algo más profundo que se encuentra en las filosofías de transformación, y asombrosamente de un pensamiento de integración más que de un logro de código de computación.

Cada uno de los puntos de la Web que vamos a visitar refleja un acto de conciencia, como diría McLuhan, "un modo de traslación entre dos sistemas tecnológicos que están en medio de la convergencia". Esto no quiere decir que tengan que venir con la misma respuesta. Vamos a conocer algunas personas fascinantes que están, por distintos caminos, experimentando con tecnologías de medios de choque, probando los límites de un híbrido nuevo, inexplorado. Ellos son los pioneros, Magallanes, a vueltas con las posibilidades creativas de dos fuerzas opuestas.

Son los que están descubriendo el Tao de la Web.

Los 10 principios de la excelencia de publicación en la Web

¿Cuál es el pensamiento y la visión que está detrás de los mejores puntos actuales de la Web? De nuestro viaje a las casas y despachos de los maestros de la Web, hemos hecho abstracción de diez principios de la excelencia de publicación en la Web. Piedras de toque del desarrollo creativo, estos son los principios destacados por los propios maestros.

No busquemos aquí los trucos y consejos HTML, porque no es lo que ha hecho grande a estos puntos. Existe algo más profundo bajo los mismos, visión, conciencia integral, una idea lúcida de la convergencia y sus posibilidades. Centrándonos en estos principios, el Tao de la Web, aprenderemos a ver sus posibilidades en la misma forma que lo hacen los maestros.

La segunda parte de este libro trata de los siguientes principios:

- **Suministrar un contenido fascinante, gratis.** Aún en el caso de que estemos vendiendo alguna cosa en la Web, tenemos que dar algo, y tiene que ser bueno. Si estamos decididos a cobrar hasta el último byte de nuestra propiedad intelectual, no debemos hacerlo en la Web.

- **Dirigirse a nuestro público.** La Web no está para dirigirse a grandes sectores de la tarta demográfica; está para saber quiénes son sus usuarios, saber lo que desean, saber cómo lo buscan, y aún conocer el visor que están usando. Los usuarios de la Web son extractores de información. Creen que están en la punta de lanza de un nuevo orden de información. Para llegar a ellos, tenemos que ofrecerles no solamente un contenido valioso, sino prepararles para que se sientan parte de una revolución.

- **Fabricar comunidades de información.** Los escépticos pueden burlarse de las comunidades virtuales, pero los maestros de la Web lo saben muy bien. Los más grandes puntos de la Web reflejan, expresan y activan el espíritu de empresa comunitaria que hace que la Web sea tan fundamentalmente diferente de cualquier medio de comunicación anterior. Comenzamos a ganar un lugar en la publicación de la Web cuando empezamos a comprender que somos un catalizador, no un proveedor de contenido.

- **Ventaja del dominio público y contenido suministrado por el usuario.** Uno de los principios en que se basa la publicación en la Web es evitar la reinvención de la rueda, y en buena lógica, naturalmente, suministrar enlace con otros puntos. Pero los buenos puntos van más allá. Requieren y utilizan contribuciones activas y datos suministrados por los usuarios. Aprender que la Web es una calle de doble dirección, no un medio de presentación de un solo sentido, es un momento clave en el crecimiento de la conciencia de un maestro de la Web.

Romper con las barreras establecidas. Cuando convergen las tecnologías de los medios, como ya lo están haciendo actualmente en la Web, surgen nuevas posibilidades para desdibujar las barreras establecidas, para experimentar nuevas combinaciones del medio y para ensayar nuevos métodos de distribución. ¿Una estación de radio Web? Está "en el aire", sin una licencia FCC, ni falta que hace, dado que su forma de divulgación es computacional en lugar de atmosférica.

Suministrar mapas familiares para nuevos campos cibernéticos. Se trata de un medio nuevo y se puede decir que una nueva forma de espacio creado artificialmente. Es más, los viajes por el espacio de la Web más productivos son los que se llevan a cabo con éxito ayudándose de mapas familiares. Los maestros de la Web aprenden con voracidad los trucos de los diseñadores de las mejores revistas, los trucos del interfaz de los programas de ordenador de mayor venta y, como veremos, hasta el "interfaz de usuario" de Disneylandia.

Centrarse en nuestras propias capacidades y obtener ayuda para el resto. La publicación en la Web requiere vista para los gráficos, hábiles técnicas de asociación e inteligencia de mercado. Encontrar todas estas cualidades en una sola persona es muy difícil. Muchos de los puntos actuales con éxito proceden de colaboraciones; en Yahoo, por ejemplo, David Filo es el maestro acreditado de UNIX y Jerry Yang se ocupa del material humano.

Dar empuje a la envoltura tecnológica. Planear sobre el agua, coinciden los maestros de la Web, es morir, o casi. Lo que va a atraer gente a nuestro punto en el futuro, no se trata de una serie de enlaces caóticos; se trata de una experiencia tan nueva, y tan técnicamente fresca, que transforma nuestra visión de las posibilidades del medio. El nombre del juego es compromiso y, a menos que podamos hacer que vaya a ser deliberadamente antitecnológico, va a necesitar algo más interesante que la era HTML del 94.

Vivir el medio. Para los actuales mayores maestros de la Web, éste no es un medio de ordenador. Se trata de una forma de estar, un nuevo punto de vista del mundo, una cruzada contra el pensamiento establecido y estúpidas restricciones. Supone además una piedra de toque de la transformación personal, llevando a la gente, de grado o por fuerza, desde la seguridad de sus anteriores carreras e incuestionables pasos, hacia un nuevo mundo, confuso, pero enormemente emocionante. Lo que alienta a los actuales maestros de la Web y sus nuevas tecnologías es la convicción de que lo que ellos están haciendo *importa*.

¿Qué compendia el Tao de la Web? Tener la satisfacción de tender un puente entre dos mundos: el de la publicación y el de las comunicaciones. En los capítulos que siguen aprenderemos a valorar los avances de los maestros, a comprender los nuevos mundos que están creando y, por último, a unirnos a ellos en su periplo.

PARTE

En busca de las excelencias de Web

Moviéndonos entre las posibilidades de convergencia

Capítulo 1

Un vistazo a *Word*

Cuando se es Time, Inc., no se desea realmente escuchar que se va a realizar la publicación de la Web y va a cambiar completamente nuestro modelo de negocio.

—Carey Earle, cofundadora de *Word*.

Los tres pensaron que estaban en dificultades cuando lanzaron su idea a un alto ejecutivo en Delphi.

"¿Qué puede decirme sobre la Generación X?", dijo el ejecutivo. "Yo soy dueño de Fox".

Después, reunidos en torno a las cervezas, concluyeron: "Ese es exactamente el problema. El medio establecido no lo capta".

Aquellas tres personas, la ejecutiva publicitaria Carey Earle, el experto de mercado en CompuServe Tom Livaccari y el de Sun Microsystems, Dan Pelson, con la ayuda de un pez gordo de la revista *Esquire*, un gran proveedor de servicio de Internet en Nueva York y docenas de expertos en contenido, abandonaron sus empleos y crearon la revista *Word*, una publicación de la Web que obtiene alrededor de seis millones de accesos al mes y que consiguió recientemente el primer premio de la revista *Folio* a una publicación no impresa. Contemplada ampliamente como la mejor revista de la

Web, *Word* (http://www.word.com/) atrae a la gente entre veinte y treinta y tantos, aunque evita su estereotipo, normal en televisión, como gandules sin interés.

"Estamos convencidos de que nos encontramos sobre algo grande", dice Early. "Nadie miraba la publicación en la Web de una manera original".

¿Qué hace que *Word* sea tan fabuloso? Mayormente, es el contenido lo que determina el valor de cualquier punto de Web. Más allá de ello, este punto organiza su información de forma que, al mismo tiempo, ofrece un buen aspecto y lleva visitantes a su contenido. La revista, especialmente considerada en comparación con otras publicaciones en la red, demuestra que no se puede esperar tener éxito en la publicación de la Web con una forma poco original. No es posible trasladar nuestro periódico, revista o folleto publicitario, a la Web, y esperar que tenga éxito. El éxito de los que publican en la Web tiene que venir por el camino de la innovación.

"Los de veinte y algunos de treinta y tantos que trabajan en *Word* realmente 'captan' aquello, siempre que 'aquello' exista, y esperan que su audiencia sea igualmente receptiva", escribió Kirsten Alexander en GNN's *Web Review*. Alexander denominó a *Word* como "*desenfadado* sin intención".

En cuanto a la competencia con la vieja línea, *Word* ha cocido prácticamente todo ello en términos de contenido y diseño y ha atraído grandes publicitarios tan renombrados como Saab y Zima. El director creativo Jaime Levy resume cómo *Word* se pone por encima de los que juegan con grandes presupuestos, diciendo "no es posible comprar lo fabuloso".

La ubicación

"*Word* es una revista", dice Levy, "porque se divide en artículos". Tiene un índice de materias, una cabecera y algunas secciones donde encajan los artículos. "En esencia", dice ella, "*Word* es historias y ensayos".

Pero aquí termina toda fuerte similitud con las revistas impresas. Los artículos de *Word* comprenden más de lo que Levy llama "texto fláccido". La mayor parte de las historias consisten en experiencias multimedia, con música, gráficos, y alguna animación para dar apoyo a las palabras impresas, que ha preparado cuidadosamente un diseñador.

Mientras leemos un artículo de *Word*, nuestros oídos absorben la música, cuidadosamente adaptada al asunto del artículo, y nuestros ojos toman las palabras, la composición y los gráficos. Además, lo que se escribe en la mayoría de los artículos de *Word* es todo bueno, de modo que nuestra mente funciona interpretando la narrativa del texto.

Veterana del diseño en multimedia y la publicación en la red, Levy se inclina por el lenguaje del colorido y el trato directo. En un momento de una entrevista, describe al colectivo de diseñadores de la Web, muchos de los cuales son sus amigos, como "colectivo de putas baratas".

Ella se ha ganado su arrogancia artística. Levy diseñó el CD-ROM multimedia *Cyberpunk* de Billy Idol y publicó *Electronic Hollywood*, una revista multimedia en disquetes para usuarios de Macintosh. *Newsweek* la calificó en 1.995 como una de las 50 personas con más influencia en el cyberespacio.

Está obsesionada con el poder de la difusión y tiene fijación con el tiempo real. "Si yo quisiera poner en la Web una foto, pongamos que de mi trasero, inmediatamente... podría hacerlo", dice Levy. "Llevaría aproximadamente un minuto. Seguramente recibiría algún tipo de presión". Ha aparecido recientemente, con el resto de los principales de *Word* en el *Show de hoy* de la NBC y se mostró fascinada con las posibilidades de la televisión en vivo y la oportunidad que le proporcionó a ella de sacudirle los rulos a media América. Afortunadamente para *Word*, tuvo dominio para reprimirse.

"La clave para el éxito en la Web", dice ella, "consiste en disponer de dinero para exhibir nuestro establecimiento. Compañías como Honda, Sony y Viacom tienen estos recursos", apostilla, "y es por ello que sus puntos, que son de segunda o tercera clase en términos de contenido y diseño, atraen más atención. Icon CMT, la compañía madre de *Word* no es descomunal, sus ventas del último año fueron de unos 30 millones de dólares, pero es lo suficientemente grande para conseguir una gran atención".

"Y es por ello que alguien como yo, que no tiene que estar aquí, está en ICon", dice Levy.

Word está dividida en secciones, con historias esparcidas por las mismas. Place, por ejemplo, contiene historias de ciudades y viajes, mientras que Desire ofrece artículos dedicados al sexo y las relaciones. Conservando la tradición de represión sexual de la Web, Desire obtiene más entradas que ninguna otra sección, a pesar de un guión que hace rotación del orden en que aparecen los gráficos de la sección en la página local de *Word*.

En contra de lo que pueda parecer, hacer clic en una de las secciones gráficas de la página de presentación de *Word*, como muestra la figura 1.1, no conduce directamente a la sección página de presentación.

En su lugar, contemplamos primero una página que contiene un epigrama y unos titulares de la compañía que patrocina la sección (ver figura 1.2). Esta página de anuncio permanece en nuestra pantalla durante dos segundos aproximadamente y luego desaparece para dejar lugar a la sección página de presentación (figura 1.3). El efecto no es muy distinto del de los anuncios de televisión, una breve pero significativa interrupción en el flujo de información desde el servidor de Word hasta nuestro cerebro.

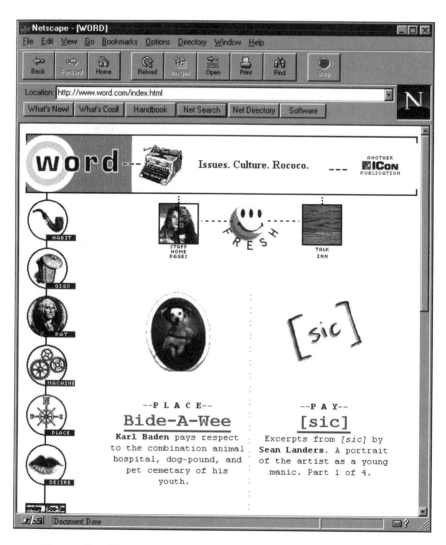

Figura 1.1. Página principal de Word. Roger Black, diseñador de la presentación de la revista impresa Esquire, aplicó a este trabajo los valores tradicionales de presentación de la revista.

Roger Black y la rejilla

El distintivo de presentación de *Word* se mueve alrededor de la rejilla, una plantilla diseñada por la leyenda de la revista impresa, Roger Black. Black, entre otras muchas cosas, se atribuye la fama de la presentación de la revista

Esquire. En colaboración con Pelson, aplicó a la Web los principios clásicos del diseño de revista.

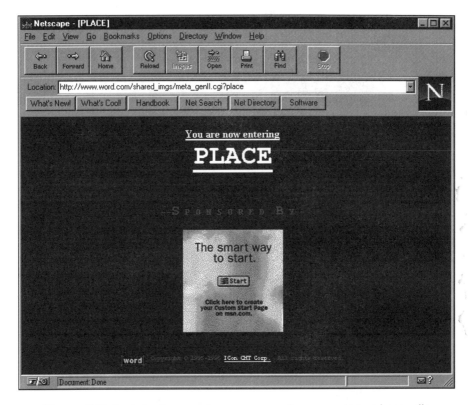

Figura 1.2. Pantalla de anuncio que aparece brevemente tras hacer clic para enlazar con un artículo o sección en Word.

El diseño basado en la rejilla, conjunto de reglas que se han aplicado ampliamente en el diseño de libros y revistas, se realiza dividiendo una página en cuadrados y rectángulos y encajando el texto, fotos y gráficos dentro de estas regiones. Este método es especialmente adecuado para la Web, donde el contenido de las cajas que crean las rejillas puede cambiar diariamente.

Podemos aprender más acerca del método de la rejilla en el texto clásico de Allen Hurlburt, *Publication Design: A Guide to Page Layout, Typography, Format and Style.* (*Diseño de publicación: Guía para la presentación de página, tipografía, formato y estilo.*) Hurlburt no menciona la Web, pero los conceptos están ahí.

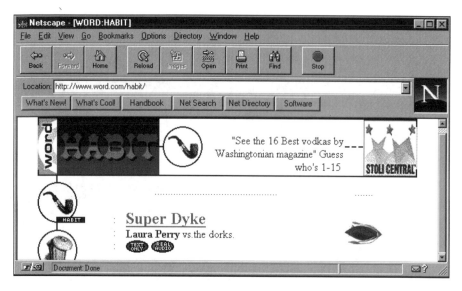

Figura 1.3. La sección pantalla de presentación para la sección Habit de Word.

Word no tiene establecida una relación fluida con Black, y la dirección de la revista le buscó básicamente para hacer el núcleo de su trabajo de diseño. Black estaba tratando de ganar experiencia en medios interactivos en el momento en que los fundadores de Word estaban tratando de decidir asomarse a la Web. Black se presentó prácticamente voluntario para diseñar una plantilla para la revista, juntando los principios clásicos del diseño de revista con las capacidades especiales de la Web.

"La rejilla nos permite introducir y cambiar historias con una razonable regularidad, sin confundir al lector", dice Pelson.

La tarea de progresar con la rejilla ha recaído en Levy y en la editora Marisa Bowe, en otro tiempo productora de película documental, que maneja el contenido no gráfico de Word.

¿Qué ha hecho Levy para mejorar el trabajo de Black? Los tres ojos bailando nos lo revela. Por si no fuera suficiente, la cabecera de Word ("Situaciones. Cultura. Nostalgia." O "Situaciones. Cultura. Luz solar". U otra media docena de cosas "Situaciones. Cultura. Eslóganes") dan en el clavo.

Dondequiera que dirijamos la vista, inmediatamente nos damos cuenta de que Word es una publicación inteligente. Abajo, en la izquierda de la página, los iconos nos conducen a las distintas secciones de la revista. La cabecera de Word ocupa la parte de arriba de la pantalla, y enlaza con los artículos más recientes, que se completan con gráficos que rellenan el centro.

Uno de los enlaces de la izquierda, el etiquetado como Dead Word, conduce a los archivos de los antiguos artículos de Word. En Dead Word (figura 1.4) veremos algo como un revoltijo de párrafos de anteriores historias de Word, listada cada una con su autor. Hacer clic en el título de una historia y aparecerá en nuestra pantalla. He aquí otra forma cn la que Word aprovecha la Web como medio de publicación, nunca seremos capaces de buscar tan fácilmente en los archivos de una revista impresa. No obstante, aquí no están todos los antiguos artículos de Word.

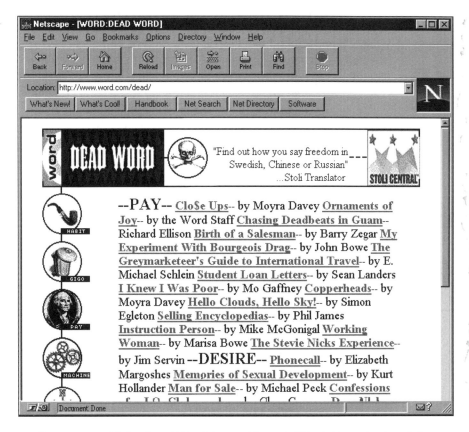

Figura 1.4. Página Dead Word, los archivos de Word. No todos los viejos artículos aparecen listados aquí, pero sí la mayor parte, haciendo de Dead Word una buena herramienta de búsqueda.

Justo debajo de la cabecera de la página de presentación de Word hay un rostro animado sonriendo, al que nos referiremos más adelante, y enlaces con dos opciones especiales de Word: The Cyber Nails Network y las páginas locales de los miembros de la plantilla.

The Cyber Nails Network, aunque actualmente está un poco apagado, puede muy bien representar la intención ética que impera en Word.

La red Cyber Nails

La red Cyber Nails (uñas cyber) se ha convertido en un fenómeno de culto en la Web. Como muchos fenómenos de culto, realmente debemos contemplarlo a nuestra manera (se encuentra en http://www.word.com/rox/index.html, y en la figura 1.5 se muestra una representación estática) y aún entonces no estaremos seguros de comprenderlo. Este sencillo programa muestra una serie de fotografías de la recepcionista de Word Roxanna Mennella con las uñas de los dedos de la mano decoradas. Además, incluye un archivo de audio con las opiniones de Roxanna sobre varias cuestiones.

A mediados de Diciembre de 1.995, Roxanna expresaba su sentir acerca de la importancia de las bebidas en la revolución, completado con estribillos populares. Roxanna sobre la historia de Rusia: "Entonces ocurrió la revolución rusa. Jo, aquella gente estaba loca. Están bien donde están, hace un frío que se congela uno, y ellos son igual, 'No vamos a vestirnos con abrigos de pieles de castor y gorros y cosas así. Vamos a quedarnos helados'. ¿Sabéis lo que hicieron? Decidieron atiborrarse de vodka hasta calentarse todos y entonces hicieron la revolución, por eso se volvieron todos locos. ¿Sabéis lo que quiero decir? Y una vez que estuvieron todos locos, dejaron las bebidas y se quedaron helados, y entonces se colgaron todos y permanecieron mucho tiempo en la nieve".

¿Se entiende? Creemos que sí.

"Recibimos muchos mensajes e-mail relativos a la red Cyber Nails", dice Earle. "Fue literalmente un planchazo. Hemos estado traumatizados de lo bien que se hizo".

La página de Roxanna representa una valiosa lección acerca de lo que significa Word. Los server pushes (empujes de servidor) aumentan el impacto de este punto, mientras que aportan muy poco para lo que quieren abarcar. Un server push es un guión de interfaz de puerta común, que suministra imágenes, una tras otra, a un visor.

El resultado puede ser una animación un poco primitiva, como en el caso de la sonrisa rotatoria de la página de presentación de Word, o una secuencia de imágenes para contemplar mientras se absorbe información de otro medio, como el archivo de audio que constituye la otra parte de la red Cyber Nails.

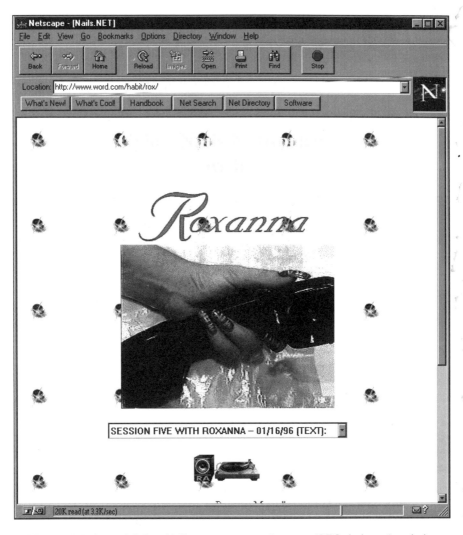

Figura 1.5. La red Cyber Nails presenta una imagen JPEG de las uñas de las manos de Roxanna Mennella decoradas y un archivo de audio de su charla.

La anatomía del artículo de Word

Como ejemplo de la combinación efectiva de múltiples medios de Word, consideremos "Yo sabía que era pobre", un artículo de Word acerca de la pobreza y cómo la gente piensa y habla de ella. El artículo, escrito por Mo Gaffney, diseñado por Yhosi Sodeoka y presentado con música por Karthik Swaminathan, formó parte de Word en Diciembre de 1.995.

Fotografía de *Yhosi Sodeoka*

La cabecera del artículo no tiene nada especial. Se trata de justamente un pequeño gráfico que contiene el título de la historia (en la cual, si hacemos clic, nos conduce a una página sobre el autor), un breve epigrama en letra grande, y un gráfico de una pequeña moneda que separa el epigrama del cuerpo de texto. En la figura 1.6 se reproduce una pequeña muestra del artículo.

Pero aún hay más: hacer clic sobre el icono boom-box situado encima del título gráfico, y la música de Swaminathan, codificada en formato de RealAudio, comenzará casi inmediatamente a salir por nuestros altavoces. Se trata de una pieza de guitarra y suena como si estuviera viniendo de una radio-reloj barata en la casa de una de las personas de las que trata Gaffney en su artículo. La malintencionada distorsión que caracteriza al Real-Audio, en definitiva, añade colorido a la música e incrementa su relevancia en la historia.

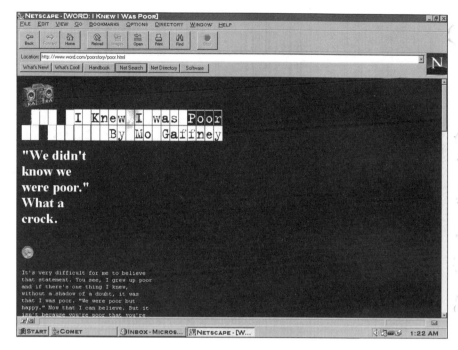

Figura 1.6. Cuerpo de Yo sabía que era pobre, un artículo típico de Word. Comprobemos el elegantísimo trabajo de diseño de Yoshi Sodeoka.

Si nos adentramos en el artículo de Gaffney, con la música sonando todavía en el fondo (el archivo de RealAudio contiene mucha más música de la que el más lento de los lectores necesita para completar el corto ensayo), el realce selectivo de las palabras y las frases importantes puede llegar a impresionarnos. La figura 1.7 muestra un ejemplo de este truco de diseño. Podemos pasar superficialmente sobre el artículo, leyendo sólo el texto grande o resaltado, y terminar comprendiendo, más o menos, el estilo de Gaffney.

Sodeoka confiesa, vía e-mail, que con esta técnica también buscaba un efecto artístico. "Trataba de expresar alguna emoción y ritmo haciéndolo", dice. Verdaderamente, los pasajes resaltados le dan cierto ritmo, actuando como altos, como "negrita" en una selección musical, entremezclados con el resto de las secciones más tranquilas.

Codificación de una historia de Word en HTML

Fijémonos en cómo usa Sodeoka HTML, el lenguaje de las páginas de la Web, para diseñar un artículo de Word. Usa el prefijo <PRE> de HTML, que entrega generalmente el texto en una fuente monoespaciada, para definir un párrafo del texto de Gaffney.

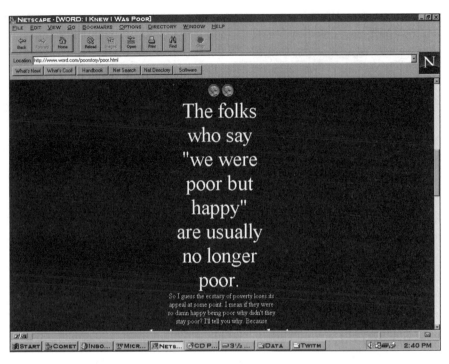

Figura 1.7. Pasajes resaltados de Yo sabía que era pobre. Las secciones de letra grande facilitan la exploración y establecen un ritmo de lectura agradable.

<pre> Me resulta difícil creer esa afirmación. Verá Vd., yo crecí pobre y si hay una cosa que conocía, sin la más mínima sombra de duda, era que yo era pobre. "Éramos pobres pero felices". Ahora que puedo creer. Pero no es por ser pobre por lo que se es feliz. Se debe leer "Éramos pobres", otra cosa, entonces "éramos felices".

</pre><FONT SIZE=+2><b>Porque no puedo imaginar una sola persona
que pudiera ser feliz por ser pobre. </B></font>
<pre>Excepto quizá algún niño rico que piense que es un rollo ser rico y crea que vivir alrededor de los cubos de la basura puede ser una aventura. Pero se puede apostar a que una vez que el/ella contraiga cualquier tipo de parásito de la basura se acabará la aventura.</pre><p>

Hemos traducido este listado para su comodidad. El código en inglés, interpretado por Netscape, aparece en la figura 1.8. El prefijo <PRE> garantiza que se acaban las líneas donde desea el diseñador, y cuando se visualiza en cualquier visor conocido aparece en una fuente Courier poco densa. El diseñador ha dispuesto los finales de línea de forma que, independientemente de la resolución de pantalla, aparece una región de fondo totalmente negro a la derecha del texto. El margen negro es mayor con altas resoluciones, quizá un mensaje para todos aquellos que disponen de recursos para adquirir monitores de alta resolución. ¿Qué es lo que tiene que decir Sodeoka acerca del uso del prefijo <PRE>? Escribe un mensaje e-mail, "Me gusta componer con un gran espacio en blanco. Creo que es más fácil de leer, especialmente en pantallas de ordenador. Detesto el diseño grande, cargado de texto". También manifiesta que el prefijo <PRE> le permitió trabajar con una segunda fuente monoespaciada, siempre que los lectores no usen los valores por defecto de sus visores.

Conclusión: no permitir que Netscape, los puristas de HTML, ni cualquier otro, nos manipulen. Conocer previamente cómo queremos que se vea nuestra página, y utilizar todos los trucos a nuestro alcance para conseguirlo. Todo es válido en este negocio. Los grandes artistas son aquellos que supieron romper con los convencionalismos de su tiempo.

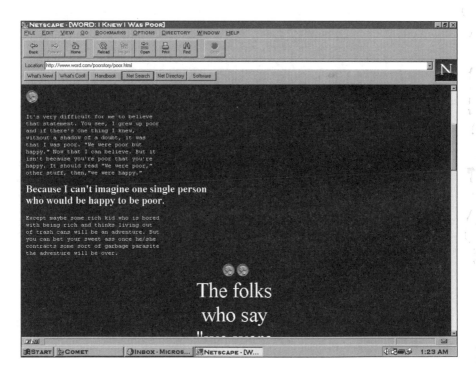

Figura 1.8. El uso cuidadoso del prefijo <PRE> facilita al diseñador Yoshi Sodeoka jugar con fuentes y márgenes.

Observemos también el uso repetido de las divisiones gráficas: una división antes de la primera sección, dos antes de la segunda, y así sucesivamente. Las divisiones aportan un sutil y atractivo recordatorio de lo que trata la historia, sin necesitar un montón de ancho de banda. La mayoría de los visores captarán la división de la imagen, de modo que solamente necesitemos cargar una vez.

Para compensar la evidentemente pobre capacidad tipográfica de los visores, Sodeoka ha introducido palabras, en forma de archivos de imagen de la red, en el texto. Fijémonos en la figura 1.9. Las palabras "million" y "billion" son archivos gráficos pegados entre el texto mediante el prefijo <IMG>. Observar que cuando Gaffney utiliza "billions" o "millions" en el texto, Sodeoka ha colocado una "s" de texto puro tras el gráfico correspondiente. Los archivos de gráficos insertados acarrean algunos problemas. Los lectores no pueden copiar el texto del artículo y pegarlo donde quieran, tan fácilmente como podrían hacerlo con texto no gráfico. Pero un artículo como éste, que no está diseñado para usarse como referencia, lo que gana en apariencia compensa la pérdida de flexibilidad.

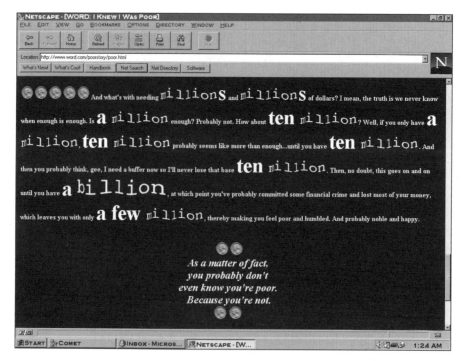

Figura 1.9. Obsérvese cómo utiliza los pequeños gráficos el diseñador (las palabras "million" y "billion") para trabajar con fuentes poco corrientes, dentro de esta historia de Word.

El proceso creativo que dio lugar al artículo tal como existe actualmente, como la fusión de texto, música y diseño, no fue realmente un esfuerzo de colaboración. Gaffney escribió el texto independientemente de Sodeoka y Swaminathan. Sodeoka diseñó el texto sin ninguna directriz de Gaffney, y la música de Swaminathan procedió de una biblioteca de clips de RealAudio que mantiene Word. Levy y el entonces editor Jonathan Van Meter coordinaron los componentes y los ordenaron en un todo coherente.

Gaffney, que dice preferir la estética de los medios impresos a la de los electrónicos, manifiesta que el aspecto del proyecto hubiera sido muy diferente si ella se hubiera involucrado en su composición. Escribe en un mensaje e-mail, "Yo no hubiera tenido la más ligera idea de cómo podía acabar de presentación y sonido. La última vez que vi la pieza, en cierto modo pensé que habían resaltado algunas cosas equivocadas (por el uso de grandes letras) y no comprendí lo que la música había supuesto para la misma". He aquí el lamento de todo escritor que ha entregado su trabajo a un editor y un diseñador de presentación.

Ella escribe que desde entonces se ha dado cuenta de que la combinación de texto, música y presentación, decidida por los editores, es correcta.

La gente de Word

El personal de Word trabaja en el Greybar Building, adyacente a la Grand Central Station de Nueva York. Ubicado en un conjunto de habitaciones de la décima planta, las oficinas de Word se asemejan a cualquier otro entorno de trabajo de gente creativa. Se podría confundir con una compañía publicitaria o un estudio de ingeniería. El personal viste como quiere, pero en general con mucho estilo.

Los ordenadores, Macs, Suns y máquinas de Windows, colocados sobre cada mesa, y los dispositivos periféricos, como escáneres, impresoras, etc. abundan.

Los servidores de Web de *Word*, no obstante, se encuentran en alguna parte de las dependencias de Icon, separados del personal de *Word*.

Las oficinas de *Word* son un hervidero. Los que allí trabajan se sienten involucrados en el qué y por qué, no en el cómo o cuándo. Con la ayuda de docenas de ingenieros en la casa, el cómo es transparente. El cuándo no tiene importancia, ya que la respuesta a cuándo siempre es la misma, inmediatamente. La publicación en Web es prácticamente instantánea, no existe prensa, transporte o tiempo para de correo. Si está hecho, está allí. El sentimiento del personal de *Word* respecto a "cuándo" se parece al de muchos de los nacidos tras un boom de natalidad.

"Queremos una satisfacción inmediata. Resultados inmediatos", dice el editor de *Word* Tim Livaccari. "Nuestra paciencia es limitada. Este es, para nosotros, el medio perfecto".

Los tres fundadores de *Word* encarnan lo demográfico de los fines de la revista.

Livaccari (siempre pone mucho énfasis en la segunda sílaba de su apellido) viste una camisa informal de algodón blanco, abrochada hasta el cuello y pantalones negros de algodón. Luce unas largas patillas, y mientras habla se reclina sobre el extremo del sofá beige donde se sienta, en el área de recepción de *Word*. Lo que más llama la atención de su aspecto son sus gafas, negras con dibujos ovalados. Livaccari, de 30 años, en otro tiempo agente de marketing de CompuServe, disfruta navegando y tiene una foto de tamaño póster colgada de la pared, frente a su mesa, en la cubierta de un yacht, durante una carrera, escorado bajo un fuerte viento.

Fotografía de *Tom Livaccari*

El vicepresidente de Icon de New Media, Pelson (sus colaboradores le llaman por su apellido, Pelson, aunque su nombre es Dan) luce una rubia barba de chivo y tiene tendencia a vestir más formalmente que el resto de los importantes de Word, aunque es porque necesita entrevistarse con posibles colaboradores, publicitarios y otros, menos en consonancia con la costumbre de no llevar corbata en el puesto de trabajo. Pelson, de 29 años, se unió a Icon procedente de Sun, donde su trabajo era convencer a las compañías para digitalizar la distribución de su información a principios de los 90, mucho antes de que Internet fuese bien conocida.

Fotografía de *Dan Pelson*

La directora de marketing de Icon, Carey Earle, de 29 años, con el pelo corto de color castaño, viste un jersey lavanda gris de cuello de cisne, pantalones negros, y un suéter negro de dos botones. Su voz en persona suena exactamente igual que por teléfono, lo que probablemente es la última prueba para un agente de relaciones públicas de una compañía. Su experiencia se reparte entre la publicidad y las relaciones públicas.

¿Cómo ha afectado personalmente a los fundadores la experiencia de la publicación de Word?

"Me siento liberada", dice Earle. "Hubo un período en que me preguntaba '¿tengo que dedicar el resto de mi vida a estos quehaceres (Young&Rubican)?' Me sentí muy debilitada. A mis clientes les gustaba el trabajo que estaba haciendo, pero yo me encontraba muy tensa. Pensaba en la ironía de que estaba en una industria creativa".

Se fue a trabajar al departamento de relaciones públicas de Grey Advertising, pero cuenta que se sentía exactamente igual.

"La gente de arriba tiene miedo a cambiar", dice Early. "Tienen las estrategias que desarrollaron hace seis años y tenían que echar a 20 personas".

Fotografía de *Carey Earle*

"Me siento mucho más positiva respecto al futuro", dice Early. "Creo que me sentía mucho más cínica cuando trabajaba para aquellas grandes compañías".

Pelson manifiesta que siente lo mismo, pero que se está adaptando a la transición entre la ante todo atmósfera técnica primitiva de Sun Microsystems y la creativa de Word. No había estado al frente de personas creativas antes de llegar a Word.

"Los ingenieros son muy parecidos a los artistas", dice Pelson. "Son caprichosos. Tienen egoísmos. Aquí la gente es mucho más emotiva, además.

Nunca he visto a un ingeniero pararse y llorar sobre algo que no va bien en código C". Cuenta que una vez tuvo a ocho artistas en su oficina, sollozando sobre un proyecto arruinado.

"Está siendo de vértigo", dice Livaccari. "Creamos una propiedad en el aire y, de repente, cada publicación….nos ha cubierto. Tratamos de endurecernos y seguir escalando. Estamos muy centrados en ello".

Réquiem por una revista del Cyber

Al principio, el plan para *Word* no era necesariamente establecerse en la Web. Los tres fundadores, originalmente Livaccari y Pelson y, más tarde, Earle, querían producir algo que atrajera tanto a los hombres como a las mujeres entre los veinte y treinta y tantos años. No les importaba mucho, como dice Pelson, que fuera una revista impresa, un show de televisión o un servicio en la red.

Escribieron un plan de negocio de cien páginas, exponiendo sus ideas sobre un servicio que podría atraer lo que ellos llamaban una *psicografía*, una clase de personas que compartieran un conjunto de gustos y sensibilidades, sin que importase la edad, sexo o pasado. Su objetivo psicográfico fue lo que los grandes medios llaman la "Generación X", aunque el equipo de *Word* odia tal denominación y la ha retirado de su revista.

"Se trata realmente de una psicografía que se siente harta de todo el paquete Gap", dice Early. "Es lo que parece la TV. Es como los Friends of the Gap (algo así como los amigos del vacío)".

En los grupos concretos y reuniones informales de amigos de los fundadores, "La gente se muestra realmente contrariada de que otros les digan lo que son", dice ella.

En determinados grupos las mujeres se mostraron especialmente contrariadas por la clase de material escrito referente a ellas. "Ellas cuentan, 'Aunque compre rímel, no quiero leer nada acerca del mismo'", dice Early.

Así, hicieron una prospección referente a la salida de su proyecto en los medios de Nueva York. Pelson, que por entonces había dejado su trabajo en Sun y dedicaba toda su atención al concepto de *Word*, compró una bicicleta y sirvió de mensajero del trío, ya que no disponían de fondos para contratar un servicio de mensajería.

Pelson se daría prisa en obtener información anticipada sobre la oportunidad en el área de recepción de una compañía de mensajeros en bici, volver a casa, ponerse traje y corbata y volver a la puerta principal del edificio para hacer la presentación.

Generalmente, suscitaban muy poco interés y rápidamente les mostraban la puerta cuando mencionaban que pretendían llamar la atención de hombres y mujeres con el mismo producto (algo imposible, decían los de la vieja línea) y que querían probar con la gente entre los veinte y treinta y tantos años con algo distinto a la fórmula Coupland/*Friends*/Gap. El obstáculo más desconcertante se presentó en la oficina de Jeff Jarvis, por entonces editor jefe del servicio en la red de Delphi, quien dijo que no se podía perder el dominio completo de Murdoch sobre la "Generación X". Fox era invencible, dijo Jarvis. Darlo por perdido.

Después de aquel encuentro, volvieron al apartamento de Livaccari en el bajo Manhattan e hicieron provisión de cerveza, café y "aquellas enormes tostadas", dice Earle. Volvieron a repasar su plan de negocio. Decidieron, tras un examen de conciencia, que su proyecto era el camino que había que seguir. El problema era que las casas de publicidad y difusión no lo iban a ver.

"El mensaje que estábamos obteniendo era que esa cosa de Internet no era un gran negocio", dice Early. Pero si aquello era verdad, pensaban, "¿Por qué un plan de negocios de tres desconocidos abre todas las puertas de la ciudad?, dice ella. "Cuando se es Time, Inc., no se desea realmente escuchar que se va a realizar la publicación Web y va a cambiar completamente nuestro modelo de negocio".

Así, se encontraron con Integration Consortium, a.k.a. Icon CMT, un consultor de sistemas y distribuidor de servicio de Internet de Nueva York regentado por varios amigos de Pelson. Se encontraron más como en casa entre los 60 ingenieros de la red de Icon que entre los editores a los que se habían aproximado anteriormente.

"Lo que necesitábamos era un socio tecnológico, no editorial", dice Livaccari. Los otros fundadores estuvieron de acuerdo. La comodidad con Icon procedía fundamentalmente de la disposición de los ingenieros para meterse con cosas nuevas e ignorar el status quo.

"La industria tecnológica se fundamenta en el cambio", dice Early. "Se supone que lo que hacemos es saldar lo anterior".

Icon financió los comienzos de *Word* a cambio de un acuerdo para suministrar contenido al creciente integrador y red de proveedor de servicio y punto de Internet. El lanzamiento de prensa de *Word* se realizó el 6 de Julio de 1.995, e inmediatamente la carrera por la venta de anuncios se produjo a gran velocidad. No resultó difícil atraer grandes patrocinadores. La novedad de los anuncios en la Web le abrió a *Word* suficientes puertas para afianzarse como una potencia de la red.

"Como resulta un nuevo medio, la gente está entusiasmada con él", dice Livaccari. Cuando salí a comprobarlo por mí mismo, hice una llamada telefónica y conseguí una cita. Ahora, la gente comprende (el medio) más y más, de manera que está cambiando".

Patrocinar una sección de *Word* cuesta 25.000 $ durante ocho semanas o 70.000 $ para 24 semanas. *Word* tiene actualmente dos agentes de ventas con plena dedicación y contrata con una agencia que vende anuncios a las compañías interesadas. "Se trata de un modelo tradicional de venta de anuncios", dice Livaccari.

La empresa, a seis meses de sus comienzos estaba en números rojos. Livaccari dice que espera que *Word* recupere los costes de salida con Icon a finales de 1.996.

La competencia

En contraste con *Word*, el volumen del resto de publicaciones de la red deja mucho que desear. Existen revistas impresas reempaquetadas, mediocridades reunidas por aficionados, o intentos de publicaciones reunidas por gente que no posee el concepto de aspecto único de la Web como medio de publicación.

El contenido, dice Pelson, forma el núcleo del éxito de cualquier aventura de publicación en la Web. Reformar la información de una revista impresa o de televisión no lo corta. "Tenemos un dicho", confiesa. " Si tu contenido apesta, apestará en la Web".

Consideremos el punto de la red MTV (http://www.mtv.com/), por ejemplo. Consiste en una gran cantidad de gráficos en lo alto de un estrafalario esquema de organización jerárquica. La página de entrada de MTV necesita a grosso modo una semana para traerla a 28.8 o menos kilobits por segundo (kbps), y el contenido abarca desde lo marginalmente útil (el plan de programación de MTV) hasta lo absolutamente estúpido (¡toca el punto caliente y nota que te quemas!).

Básicamente, MTV es un seudofamoso accesorio de actualidad para una red de televisión por cable. Permite charlar acerca de lo que representa MTV; después de todo está en la Web.

"¡Eres Viacom!", dice Early de MTV. "¿Por qué colocas esa majadería en la Web? Parece que formas parte del viejo canal".

Los puntos basados en el modelo MTV de la Web como extensión del contenido de otro medio, y Pathfinder de Time-Warner representa otro notable ejemplo, están condenados al fracaso, dice Early. Han fallado al no haber tenido en cuenta el hecho de que Web es un medio nuevo, con su propio conjunto de reglas. Los puntos como *Word*, que toman la Web en su justo término, tienen una mayor oportunidad de trabajo que los que caen en los métodos de los antiguos medios.

"Aún están tratando de aplicar el modelo antiguo", dice ella. "Se trata de un mundo totalmente diferente. La gente acude a la Red por motivos diferentes a los que se pone a ver la televisión".

Planes inmediatos del equipo de *Word*

ICon ha contratado a Dan Koeppel, quien lanzó la revista *Mountain Bike* para Rodale Press, para dirigir una excepcional revista de deportes dentro de *Word*.

La nueva revista abarcará deportes tales como el montañismo, patinaje sobre nieve y buceo, y se llamará *CHARGED*.

Por otra parte, el equipo de *Word* está preparándose para lanzar otras tres revistas en el año próximo. Una relativa a economía personal, una de mujeres y una cuarta que todavía está en embrión, se unirán a *CHARGED*. El empuje de mercado para la revista de mujeres tiene que ver con los pasados grupos de atención de *Word*, dice Pelson. "Pensamos que no está bien realizado en ningún medio".

Sacar adelante las nuevas revistas resta tiempo y energías para otros proyectos. En la pared de la oficina de Livaccari hay una fotocopia de una fotografía que recoge tres recién nacidos en un nido, con los cuellos estirados y las bocas completamente abiertas. Los bebés están etiquetados como "Word", "Women's Magazine" y "Shredder", el viejo título de trabajo de *CHARGED*.

¿Será gratuito el contenido de estas publicaciones, como en el caso de *Word*? "Probablemente no", dice Pelson. La revista de economía personal incluirá seguramente el acceso a información de bolsa en tiempo real; el personal de servicios ha comprobado que existe una disposición a pagar por ello.

Otra de las ambiciones de *Word* y de ICon se centra principalmente en la distribución de contenido. "Existe una convergencia en marcha", dice Pelson. "Es la de medios-tecnología-comunicaciones. Contenido-tecnología-distribución".

ICon, en un esfuerzo por reunir los tres puntos del catecismo, suscribió recientemente un acuerdo con una red nacional de cable de fibra óptica.

"Nos vemos convirtiéndonos en una Hearst de Internet", dice Early. "Distribución, así como contenido".

Lo que sigue

Word demuestra la importancia del contenido de alta calidad y la distribución del trabajo. El objeto del próximo capítulo, Yahoo y la gente que está detrás, demuestra estos principios también, pero su establecimiento es muy diferente de *Word*. Parecido a un punto casi totalmente utilitario, Yahoo está dirigido para rebosar optimismo.

2

Capítulo

Yahoo estructura la nube de información

Lo que deseamos hacer es conseguir la forma de que cada persona pueda siempre relacionarse por medio del contexto con el contenido en el que se interesa.

—Jerry Yang, Yahoo

A unas pocas millas de la Universidad de Stanford, en Palo Alto, California, USA, se puede encontrar la cuna de la mayor parte de las tecnologías de ordenador que estamos utilizando en la actualidad. Los interfaces gráficos de usuario, impresoras láser, procesadores de texto what-you-see-is-what-you-get (lo que aparece en pantalla es lo que representa el producto final) (WYSIWYG), redes ethernet y los primeros ratones que se diseñaron en el Palo Alto Research Center (PARC), y el primer juego de ordenador en la red, Space Invaders, tuvieron su comienzo en el Stanford Artificial Intelligence Laboratory.

La vena de innovación en Palo Alto aún está viva y es buena: es el lugar de nacimiento de Yahoo, el subject tree más elaborado y popular de la Web. (Un *subject tree*, algo así como un árbol de asuntos, es un lugar de la Web que clasifica la información usando un sistema de índice jerarquizado, con las categorías principales formando las ramas y las subcategorías formando las ramitas.)

Yahoo es un invento de Jerry Yang y David Filo, antiguos estudiantes de grado en la Universidad de Stanford, que navegaban por la Web mientras investigaban en la ciencia de los ordenadores. Yahoo puede que sea el recurso más conocido de la Web. Denominado como Yet Another Hierarchically Officious Oracle, oráculo oficiado jerárquicamente (de acuerdo con una interpretación), Yahoo es el material del que está hecha la leyenda de la Web. En docenas de artículos, se ha contado cómo Yahoo creció más deprisa de lo que habían previsto sus creadores, apartando a Filo y Yang de sus carreras académicas. Yahoo representa actualmente el gran negocio, y parece que Filo y Yang están a punto de sumarse a la lista de los empresarios del ordenador con éxito que no acabaron de obtener sus títulos.

Fotografía de *David Filo*

Yahoo lleva a los usuarios de la Web a los puntos que desean. A diferencia de establecimientos como Alta Vista o la guía InfoSeek, que están indexados por programas de búsqueda automática, todos los puntos que se listan en Yahoo han sido visitados y acoplados al índice por un ser humano actual. Estos mismos seres humanos trabajan para mantener actualizado el establecimiento, verificando periódicamente los enlaces de Yahoo, borrando los que ya no sirven y poniendo al día los que han cambiado de ubicación. Como resultado de ésto, Yahoo es quizá el de mayor calidad y sencillo de usar de todos los índices de la Web. Consigue millones de accesos al día.

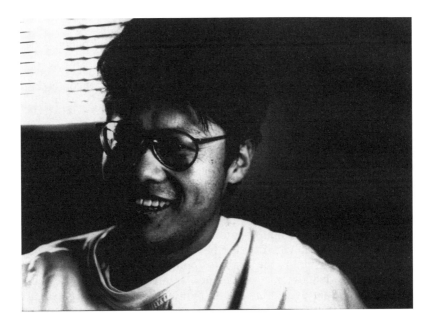

Fotografía de *Jerry Yang*

Pero Yahoo no constituye una simple utilidad. Las jóvenes mentes de Filo y Yang poseen un rasgo peculiar, una amistosa personalidad que da la bienvenida a los navegantes, nuevos y experimentados, al mundo de la red. Sus mantenedores humanos—Yahoo emplea 30 personas para este propósito y espera contratar otras tantas para mediados de 1.996—aportan una vitalidad al establecimiento, de la que carecen el resto de los puntos automáticos. Una pequeña foto de unas gafas de sol acompañan al enlace con los lugares que el personal de Yahoo ha calificado como "cool (fantásticos)", y la palabra "new (nuevo)!", encasillada en un rayo de sol amarillo, señala los enlaces añadidos más recientemente.

Explorar Yahoo es como pasear por la avenida central de una feria, con todas las atracciones a nuestra disposición. Vagar por las ramas del subject tree es a veces tan divertido como visitar los mismos puntos de la Web— ¿Qué nos ha hecho pensar que existía una página de automóviles Sumbeam o que pudiera tener un sitio la Universidad andina Simón Bolívar de La Paz? Yahoo aporta estructura, y carácter a la, por otra parte, amorfa Web.

Yahoo, como la mayor parte de las fuentes de recursos de este libro, ejemplifica más de uno entre los diez secretos para el éxito en la Web:

■ Ventajas del contenido suministrado por el usuario (capítulo 14).

■ Provisión de mapas familiares para los nuevos campos cibernéticos (capítulo 17).

■ División del trabajo, de modo que el personal pueda concentrarse en lo que más conoce (capítulo 18).

Tendremos ocasión de leer más acerca de estos conceptos en la segunda parte del libro.

Explorar Yahoo

Siempre es agradable acceder a Yahoo (http://www.yahoo.com/), desde que sabemos que hay algo nuevo, mucho en definitiva. En un día normal, los miembros de Yahoo y cientos de voluntarios trabajan para el mundo donde se agregarán tanto como mil nuevos puntos, todos convenientemente ordenados bajo la clasificación por asuntos de Yahoo. Alrededor de un 90% de los nuevos puntos son añadidos por personas que no están empleadas por Yahoo, incidentalmente, reduciendo significativamente el esfuerzo del personal. En lugar de ir a la caza de puntos para añadir, el personal se limita a examinar los que se han enviado y a añadirlos al árbol si pertenecen al mismo.

Las clasificaciones por asuntos de Yahoo no suponen el trabajo de un bibliotecario—aunque Yahoo tiene empleado uno, la ontologista Srinija Srinivasan. Más que ninguna otra cosa, constituyen el trabajo de la Web—reflejan lo que allí existe. En la página superior de Yahoo, que muestra la figura 2.1, podremos ver las principales categorías por asuntos, y bajo cada encabezamiento, encontraremos el enlace con los subtópicos más populares. Donde se vea un "Xtra", Yahoo ofrece las últimas noticias procedentes de la agencia Reuters. Estos son los niveles superiores por categorías de asuntos:

■ Arts (Humanities, Photography, Architecture,...).

■ Business and Economy [Xtra!] (Internet, WWW, Software, Multimedia, ...).

■ Education (Universities, K-12, Courses,...).

■ Entertainment [Xtra!] (TV, Movies, Music, Magazines,...).

■ Government (Politics [Xtra!], Agencies, Law, Military,...).

■ Health (Medicine, Drugs, Diseases, Fitness,...).

■ News [Xtra!] (World [Xtra!], Daily, Current Events,...).

- ⬛ Recreation (Sports [Xtra!], Games, Travel, Autos,...).
- ⬛ Reference (Libraries, Dictionaries, Phone Numbers,...).
- ⬛ Regional (Countries, Regions, U.S. States,...).
- ⬛ Science (CS, Biology, Astronomy, Engineering,...).
- ⬛ Social Science (Anthropology, Sociology, Economics,...).
- ⬛ Society and Culture (People, Environment, Religion,...).

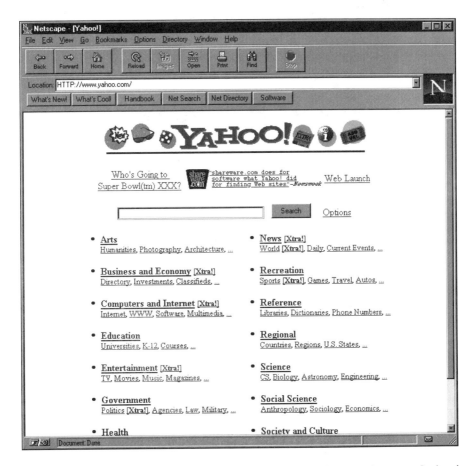

Figura 2.1. La página de bienvenida de Yahoo (http://www.yahoo.com/). Aquí se puede empezar a escalar por el subject tree de Yahoo.

Si hacemos clic en una de las categorías del nivel superior (pongamos que Society and Culture), veremos toda la panoplia de asuntos agrupados bajo aquel encabezamiento (ver figura 2.2). Donde veamos el gráfico "New", sabremos que se han hecho nuevos añadidos al siempre extensible índice de Yahoo.

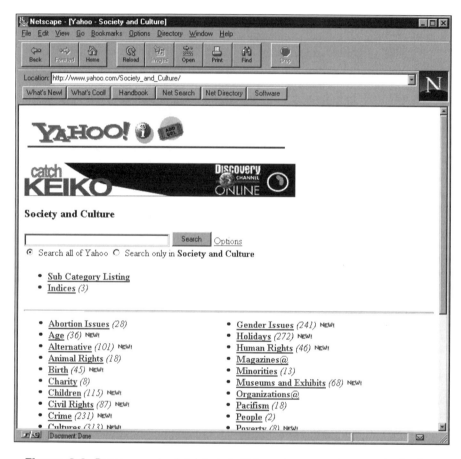

Figura 2.2. Rama grande del árbol de Yahoo. La presente trata de Society and Culture (Sociedad y cultura).

Para obtener una mejor foto de cómo estructura Yahoo todos los encabezamientos bajo una página, podemos hacer clic en Sub Category Listing, que revela una lista como la que vemos en la figura 2.3.

Todos los encabezamientos son enlaces, por cierto, de manera que si hacemos clic en cualquiera de ellos podemos ver una página con montones de importante material.

Figura 2.3. Lista de sub categoría de Yahoo. Podemos usar esta página para examinar de una vez todas las ramas pequeñas del árbol.

Tenemos que hacer unos cuantos clics para bajar al nivel que contiene actualmente los enlaces con los puntos de la Web. Una página de enlaces censurada (censorship), por ejemplo (ver figura 2.4), aparece solamente después de haber hecho clic en Society and Culture y luego en Civil Rights (derechos civiles). Y una vez en ella, cuando estemos de acuerdo con otras cuestiones, podemos encontrar otros subtópicos. La página de censura contiene enlaces con las páginas de censura en Canadá, en Internet y en las organizaciones relacionadas con la censura.

Las revisiones de los puntos de Yahoo son concisas—solo unas pocas palabras o, como mucho, una sentencia o dos—lo que contribuye a reducir la sobrecarga de información. La tendencia en todas partes es proporcionar revisiones más expansivas de los puntos con posiciones estrella, que Yahoo ha declinado seguir hasta el momento. Es lo bueno, si nos gustan los subject trees grandes en los enlaces y cortos en palabrería.

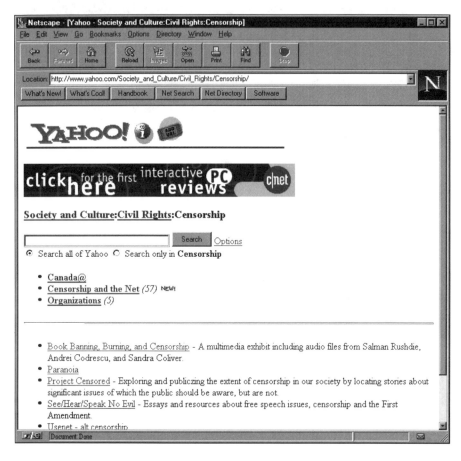

Figura 2.4. Página de censura de Yahoo. Estas "ramitas" enlazan con los puntos de la Web.

Gracias a un acuerdo a finales de 1.995 con Open Text, Inc., una compañía que hace un programa indexado de base de datos solamente de texto, podemos buscar en Yahoo fácilmente: en cada página encontraremos una caja de texto etiquetada como "search" (Búsqueda), que se puede utilizar para comenzar la búsqueda de las entradas de Yahoo. Y lo que es más, la búsqueda en Yahoo no solamente puede recoger listas de puntos de Yahoo, sino también enlaces derivados de la búsqueda de millones de puntos de la Web no incluidos en el subject tree.

Yahoo está evolucionando hacia una completa herramienta de extracción de información para usuarios de la Web. En realidad, como sugiere una de sus páginas, hacer del sitio la página de arranque por defecto de nuestro visor, no es una mala idea.

Hay algo más que podemos encontrar en las páginas de Yahoo: Anuncios. No es de extrañar, si consideramos que el espacio publicitario es lo único que tiene la compañía para vender, hasta ahora (aunque está más en los trabajos, como veremos). Como muchos puntos de la Web, Yahoo pone el precio de los anuncios en términos de coste por miles de visitas, abreviadamente CPM—la "M" viene de la raíz latina mil de "thousand". El CPM de un anuncio en Yahoo, dependiendo de su ubicación, ronda los 20$.

Estructurar una nube

Filo y Yang dicen que realizar Yahoo no es un fin en sí mismo, que después de todo consiste en un marco de trabajo que organiza otros recursos de la Web. Ellos saben que tienen que hacer divertido el Yahoo, pero solo hasta el límite de que los navegantes de la Web puedan hacer sus propios puntos de salto para las sesiones de exploración y búsqueda. Se puede comparar el trabajo de los mantenedores de la Web con el de los gerentes de un sistema de autobuses o aerolínea: Los pasajeros pueden querer volver a usar el transporte, pero solamente como medio para realizar sus negocios. Nadie se sube al tren solo para hacer un viaje en el mismo.

Filo compara la masa de información de la Web con una nube en constante movimiento, sin ninguna partícula de información estructuralmente relacionada con otra, especialmente si ambas piezas de información aparecen en diferentes páginas de diferentes puntos.

Tradicionalmente, los recursos de información habían tenido una base en cierta clase de estructura física. El mejor ejemplo de esto es el edificio de una biblioteca, donde los libros que tratan de la historia de Alemania pueden estar, pongamos, en la primera planta al lado de la ventana, mientras los libros de cocina están en la planta baja, próximos al cuarto de calderas. En la Web no existe esta referencia física. Nos sentamos frente a nuestro ordenador y seguimos un montón de pasos sinuosos, todos parecidos, entre terabytes de información.

Sin algún tipo de guía que implante una estructura en la nube, como hace Yahoo, no tenemos forma de saber cómo pasar de una clase de información a otra.

"Mi manera de hablar es proporcionar contexto para la gente", dice Yang. "Cuando se tiene un sistema de clasificación tan enorme, donde casi todo lo que necesitamos está de alguna manera dentro de aquél, se convierte en bastante potente. Lo que deseamos hacer es conseguir la forma de que cada persona pueda siempre relacionarse por medio del contexto con el contenido en el que se interesa".

La estructura que proporciona Yahoo—su mapa familiar de nuevos campos cibernéticos —es el núcleo de su atracción, mucho más que su agradable diseño, dice.

"Es muy consistente. La gente lo recuerda. Se puede identificar con ello", dice Yang. "Desde este contexto, podemos empezar a construir, podemos manejar un montón de contenido".

Yahoo, como organización, se basa en la idea —Filo dice la certeza— de que la Web nunca se encontrará completamente catalogada. A pesar de los últimos avances en la tecnología de la búsqueda automática, dice, la gente siempre tendrá la necesidad de organizar la información y ponerla en el contexto.

"Es como coger todas las Páginas Amarillas del mundo y combinarlas en una sola cosa", dice Filo. "Manejar eso no es…. una tarea trivial. No es seguro que podamos llegar a alcanzarlo. Por el momento, somos un buen directorio de alto nivel que apunta a los puntos de la Web. Podríamos ir más allá. Esencialmente, se trata de la tarea de ayudar a los usuarios a encontrar cosas".

Con lo de "Directorio de alto nivel" Filo quiere decir que Yahoo apunta a las cosas como páginas interiores de una compañía, al contrario que las páginas de anuncios de las mismas que exhiben productos o servicios específicos. Si queremos información relativa al monitor NEC MultiSync XV17, por ejemplo, Yahoo nos puede llevar a la página de NEC, donde podemos encontrar la página de monitores NEC y desde donde podemos saltar a la que está dedicada al MultiSync XV17. Lo mismo ocurre cuando buscamos información sobre monitores similares como Nanao o Sony, también, o queremos localizar informaciones imparciales que mencionen todos los monitores de determinada clase.

Y se trata solamente del principio, dice Filo, más allá del ejemplo del monitor. Al margen de páginas de compañías como Toshiba y NEC que fabrican monitores, también están los puntos de otras casas, como CompUSA y PC Zone, que venden pero no fabrican monitores. A un nivel más bajo, están los particulares que colocan anuncios clasificados en la Web o Usenet que venden y compran tales monitores, y las consideraciones acerca de los méritos de varios monitores que se producen en los nuevos grupos y las listas de correo. Se trata de un gigantesco cuerpo de información, y es muy fluido.

La búsqueda con herramientas como InfoSeek y Alta Vista no puede proporcionar el contexto que se necesita, continúa Filo.

"Lo que han hecho estos visores es básicamente tratar de duplicar toda la Web en un ordenador. Hasta hoy, nadie lo ha conseguido. Aunque algunos dicen ser lo suficientemente exhaustivos, no lo son. Y como las cosas en la Web cambian con tantísima rapidez, el problema se complicará más y más con el tiempo, y nadie va a tener la capacidad de poder replicar la Web de manera fácil".

En su operación, las máquinas que realizan la búsqueda apuntan a sus bases de datos para encontrar palabras suministradas por un usuario. Podríamos escribir "monitor" en Alta Vista, por ejemplo. Pero esta búsqueda genera cientos de *entradas*, como referencias a las páginas de la Web que contienen el término que estamos buscando. Algunas entradas se podrían referir a las páginas que queremos—la página de los monitores NEC o la de los Sony—pero otras se podrían referir a otras páginas que consideramos inútiles. Una búsqueda como esta de "monitor" proporcionará páginas que mencionan monitores cardíacos, monitores de temperatura o monitores de gimnasia. Filo y Yang tuvieron la visión de un modelo de búsqueda más útil, uno que recoge más conocimiento sobre la información que desean los navegantes de la Web que cualquier algoritmo de ordenador de modelo estadístico.

Algún día no muy lejano, proclaman ambos, seremos capaces de buscar un término general como "monitor" en Yahoo. Esta búsqueda encontrará una rama del subject tree dedicada a todos los tipos de monitores: audio, corazón, temperatura. PH, vídeo, gimnasia, etc, etc. Nosotros, no el ordenador, estrecharíamos la búsqueda para seguir la rama en la que estuviéramos interesados. Siguiendo el enlace para monitores de vídeo, descubriríamos subramas de varias clases—grandes, pequeños, de alto rendimiento, normales, fabricados en América, importados, o lo que sea—de monitores de vídeo. Las ramas de categorías listarían enlaces a las páginas de fabricantes, discusiones en Usenet, detallistas, etc. Imaginemos la misma estructura para referencias sobre recursos de relatos cortos, campos de baseball, o cualquiera entre millones de asuntos.

"Nos proporcionaría el contexto de dónde se encontraría una página en Internet", dice Filo. De esta forma, desde allí, podríamos encontrar productos o tipos de información similares a los que estábamos buscando originalmente".

Trucos y mejoras

En un índice como Yahoo, no tenemos necesidad de otro medio que no sea texto. Aunque en lo alto de cada página de Yahoo existe una barra gráfica de herramientas y las gafas de sol y New, y rayo de sol señale ciertas entradas, prácticamente toda la información de Yahoo se encuentra en forma de texto. Yahoo es tan útil para los usuarios de Lynx, un visor que solamente puede visualizar texto, como para los del Netscape Navigator de alta resolución gráfica.

No obstante, Yahoo ha experimentado con varias incorporaciones multimedia al subject tree como forma de mejora de su interfaz. También están considerando usar la capacidad de los cuadros de Netscape para facilitar la búsqueda.

Multimedia

Macromedia Inc. fabricó una extensión, que se muestra en la figura 2.5, que explota las capacidades de su Shockwave plug-in para Netscape Navigator. Los programadores de Yahoo construyeron una versión de demostración con representación tridimensional de los datos de Yahoo con el Virtual Reality Modeling Language (VRML), y Yahoo ha estado en contacto con el gurú de VRML, Mark Pesce (tratado en el capítulo 3).

¿Qué es lo que hace este experimento de Yahoo? De momento no mucho, dicen los fundadores, pero muy pronto podrá aumentar la utilidad del sitio, haciéndolo más intuitivo y agradable de usar.

"Creo que no es tan obvio para nosotros cómo podría mejorar nuestro sitio algo así, a no ser otra cosa que hacerlo más divertido", dice Filo. "Nuestros usuarios vienen…para alcanzar algún sitio rápidamente, donde quiera que esté su destino último…quieren encontrar ese lugar tan pronto como sea posible y no desean ser ralentizados por enormes gráficos y material multimedia".

La versión Shockwave-enhanced de Yahoo, por ejemplo, sustituye el gráfico anterior por otro, una de cuyas letras gira con la sintonía de un piano de juguete. Contemplarlo uno o dos segundos es atractivo, pero después se repite la sintonía y se hace pesada la rutina de la letra giratoria. Además, el módulo Shockwave tarda más en cargarse que todo el resto de la página de bienvenida de Yahoo en la que se presenta.

Multimedia recoge el concepto de *bandwidth* (ancho de banda), capacidad de un enlace de comunicaciones, como una línea telefónica o un cable de TV, para mover datos. Las conexiones de amplio ancho de banda no están muy extendidas. La mayor parte de los usuarios de Internet se conectan con módems que pueden transferir 28.8 kilobits por segundo, o menos, velocidad adecuada para transferir texto, sonido de baja fidelidad y algunos gráficos. Muy pronto, dicen algunos políticos y otros personajes del marketing, el residente medio en un país industrializado será capaz de introducirse en la Red a altas frecuencias de transferencia de datos, quizá con la ayuda de mejoras telefónicas o equipos de televisión por cable. La validez de estas predicciones está por ver, y hasta que sean normales las conexiones con Internet en banda ancha, las inversiones en multimedia y realidad virtual serán arriesgadas para compañías como Yahoo.

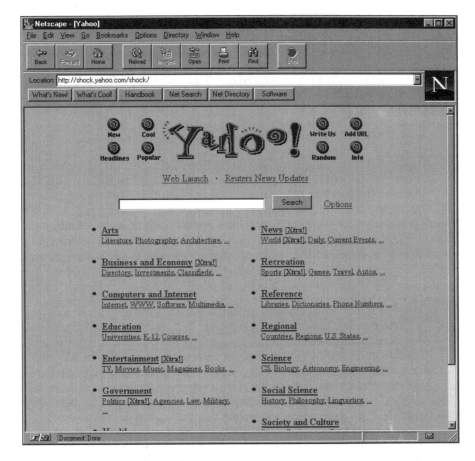

Figura 2.5. Versión Shockwave-enhanced de Yahoo. Las letras giran y suena una suave, agradable sintonía.

Aún asumiendo hipotéticamente la posibilidad de un ancho de banda sin límites, un Yahoo de VMRL, quizá con estanterías de libros virtuales o armarios de archivos, puede no ir en la dirección correcta, dice Filo.

"Pienso que podría ser interesante para la gente la primera o segunda vez que acuden; podría facilitar un poco más las cosas, pero creo que a largo plazo...prefieren hacer las cosas lo más sencillas posible", dice, "no puedo ver un modelo de tres dimensiones que sea más útil que el que tenemos actualmente. Pero esto no quiere decir que no existan buenas ideas fuera del mismo".

"No hay mucha gente que pueda ver Shockwave actualmente", dice Yang, "Java y VMRL, todas estas cosas son cuestión de tiempo y método antes de que la gente las pueda adaptar a gran escala. Lo que nosotros queremos es suministrar un puzzle". "Java", dice él, "probablemente encontrará su primera aplicación en Yahoo como parte de un anuncio".

Frames (cuadros)

El personal de Yahoo ha considerado y experimentado con las capacidades de los *frames*, una mejora de la Web de Netscape que facilita a los diseñadores de los puntos desplegar la pantallas de los navegantes en dos o más cuadros, conteniendo cada uno una página diferente. Con un diseño basado en los cuadros Yahoo puede colocar una parte de su subject tree en una estrecha franja de la pantalla del usuario y dejar el resto para el lugar al que se refiere el árbol. Esta disposición podría obligar al navegante a tener que utilizar su botón de retroceso de pantalla para volver a la estructura de cuadro de Yahoo, que Filo compara con el contenido del índice de un libro.

El problema con los cuadros, dice Filo, es que podría afectar a la consistencia, cuando los mantenedores de los puntos que hubiera catalogado Yahoo comenzaran a producir alocadamente sus propios diseños. El mantenedor de un punto podría desear que su barra de herramientas ocupara una franja a lo largo de la parte izquierda de la pantalla, que entraría en conflicto con la de Yahoo. El cuadro de Yahoo permanecería en su lugar en algunos puntos, pero no en otros. Podría desaparecer la consistencia y se perderían muchas de las entradas de Yahoo. Filo se muestra contento de confiar en el emplazamiento de las listas de registro de los navegantes y en el uso del botón de retroceso para devolver a la gente a la estructura de Yahoo.

Es más probable, dice Filo, que los cuadros se puedan aplicar para ayudar a los usuarios a navegar por el mismo índice de Yahoo.

"Una de las cosas más agradables de los cuadros es que nos permiten colocar cosas en un lugar fijo de la pantalla...por ejemplo, nuestra barra de menú y el cuadro de búsqueda y material", dice, "si nos vamos a un directorio que tiene 100 entradas y nos deslizamos por ellas, la materia de más arriba también se desliza. Colocando cosas así, pienso que los cuadros podrían ser útiles".

Yahoo

No lleva mucho tiempo recorrer la planta física de Yahoo. Aunque la compañía se ha trasladado a unas oficinas más espaciosas en Sunnyvale, California, la primera casa de Yahoo fuera de Stanford fue un estrecho conjunto de oficinas en la parte de atrás de una zona industrial de Mountain View, al mismo norte de Palo Alto, sobre la autopista 101. Se puede caminar de un extremo al otro, saludando a las tres o cuatro personas que ocupan cada despacho en, posiblemente, quince segundos. En el tejado hay goteras.

Por encima de una mesa de conferencias en la sala de juntas de Yahoo —un espacio apenas mayor que la mesa oval que contiene—hay un póster. Se trata del anuncio de una compañía de fibra óptica, que muestra un mapa de Estados Unidos atravesado con rayas brillantes representando los hilos de la fibra óptica. Encima del mapa hay un epigrama de Theodore Levitt, *The Marketing Imagination* (La imaginación del marketing): "El futuro pertenece a aquellos que ven las oportunidades...antes de que resulten obvias".

El póster constituye un recordatorio de que Yahoo comenzó casi accidentalmente. Ambos fundadores poseían una lista de los sitios más útiles y la hicieron públicamente accesible por capricho. En Abril de 1.994, el tráfico fue tan denso y el mantenimiento consumía tanto tiempo, que ambos optaron por lanzar su programa Ph.D. y formar una empresa. Sequoia Capital, un grupo de capital de riesgo que financia empresas que se establecen en el área de la Bahía de San Francisco, comprobó la popularidad de Yahoo y todo el tráfico que absorbía, y le dio un empuje económico sin tomarlo muy en serio como un negocio.

Yang y Filo aún viven como estudiantes universitarios. Yang conduce un Isuzu Rodeo y se relaciona con los estudiantes de Stanford; Filo pasa la vida como un maníaco de la informática, empleando casi todas sus noches encerrado en su oficina, alternando la puesta a punto de la parte técnica de Yahoo con el sueño entre el montón de cajas de software, papeles y tarjetas de periféricos sueltas. Ambos visten como estudiantes, con vaqueros, camisetas y suéteres, y zapatos deportivos.

Yang, de 27 años, hijo de un inmigrante viudo de Taiwan, se crió en San José, California. Filo, de 29 años, pasó su juventud en una comunidad de Lousiana, fundada por un arquitecto y un contable. Yang hizo sus estudios y trabajo de máster en Stanford, y Filo fue a la Universidad de Tulane como estudiante y vino a la de Stanford para sus estudios de graduado.

La forma en que se complementan ambos es extraordinaria. Yang, más dado a las relaciones públicas, es el que hace las apariciones en público, concediendo entrevistas, dando charlas, etc. Filo trabaja principalmente en la sombra, mejorando los aspectos técnicos de Yahoo. Su silencio es legendario entre los famosos de Internet del Silicon Valley.

Ambos, ingenieros por entrenamiento, han contratado un refuerzo de "gente de traje" para manejar las operaciones, gerencia y finanzas de la creciente empresa. Los dos, Filo y Yang, actúan como directores en el tablón de Yahoo, junto con dos representantes de Sequoia Capital y Tim Koogle, el jefe ejecutivo de la compañía.

"Dave se encarga de todos los detalles de los que yo no soy capaz", dice Yang. " No quiere que toque ningún programa más. Mi código no es lo suficientemente bueno. De manera que me he quedado relegado para hacer las cosas bonitas", dice riendo.

El reparto del trabajo en Yahoo refleja uno de los secretos del éxito en la Web: esforzarse en lo que se conoce y pedir ayuda para el resto. Trataremos esto más ampliamente en el capítulo 18.

"Existe una increíble cantidad de trabajo bajo el material, y de alguna manera David lo ha puesto todo junto". También hay cantidad de trabajo de relaciones públicas, y "yo he trabajo un montón en ello", dice. "Estos días pienso que es muy raro encontrarnos a los dos en la misma habitación. Pero, como se sabe, tenemos distintos papeles que desempeñar, y realmente es importante, dado lo rápido que crece una compañía como ésta. Tenemos que hacer todo lo que podamos".

La empresa puede no estar creciendo tanto como debiera, dice Filo; un hecho señalado, quizás perversamente, es el de que Yahoo está tomando beneficios y que lo ha estado haciendo desde Noviembre de 1.995. La compañía esperaba hasta Abril de 1.996 para hacer una oferta pública de sus acciones. Una nueva compañía de tecnología, dicen algunos analistas, debería tener deudas durante un par de años como resultado de la contratación de nuevo personal y de la compra a crédito de nuevo equipamiento para futuros negocios. Este axioma aplica especialmente a las compañías que hacen negocios con una tecnología tan volátil como Internet.

Pero el crecimiento sostenido de Yahoo no ha sido el resultado de una mala gestión, dice Filo. Al contrario, "… una de las cosas en las cuales se ha pensado más ha sido en buscar gente y al encontrar buena gente, contratarles", dice. "Lo que nos está costando mucho más tiempo de lo que pensábamos".

La compañía recibe docenas de currículos cada día, y anuncia sus ofertas de trabajo en Yahoo y en los nuevos grupos de Usenet. Para cubrir posiciones de alto nivel, ejecutivos y demás, Yahoo contrata cazacerebros, empresas especializadas en buscar y reclutar gente.

Pese a estos esfuerzos, encontrar talentos que encajen con las necesidades de Yahoo es difícil, dice Filo. La infraestructura de formación para soportar Internet aún no está implantada, y pocas personas tienen la clase de experiencia que necesita Yahoo.

El futuro de Yahoo

Yahoo de ninguna manera es una entidad estática. Los operadores del servicio están constantemente buscando mejorarlo para atraer más gente. He aquí algunos de ellos.

Personal Yahoo

Probablemente uno de los próximos desarrollos de Yahoo será Personal Yahoo, un filtro personalizado para el subject tree.

"Uno de los lugares más populares de nuestro punto acostumbraba a ser "What's New Section" (la sección Qué hay de nuevo), dice filo. "La gente solía acudir allí diariamente para ver lo que había. Pero actualmente, añadimos 1.000 lugares al día y no pueden realmente acudir a todos".

Dice que la empresa está planeando mejorar la opción "What's New" dejando a los navegantes que especifiquen palabras clave relacionadas con el material en el que están interesados. "Algo relacionado con modelos de tren, grupos de música o cualquier otra cosa. Se especifican estas categorías y después, cuando haya algo nuevo en ellas, se podrá ver inmediatamente", dice.

Este servicio también encontrará aplicación en la versión G-rated de Yahoo, la que no visualiza enlaces con los lugares más elaborados de la Web, añade él.

Personal Yahoo funcionaría mediante la introducción de un nombre y una palabra clave, lo que tendría la ventaja adicional de proporcionar a los gerentes de Yahoo una foto demográfica de sus usuarios, o mediante la opción Cookies de Netscape. Cookies transmite información relativa a nuestro visor a los sitios, mediante petición, y podría configurarse para enviar automáticamente los datos de introducción.

Yahoo en los otros medios

De momento, nadie se cuestiona si Yahoo está anticuado; Filo y Yang son aún los mimados del conjunto de la Web.

En un club de baile de moda en San Francisco, bajo la calle 10 de San Francisco's Multimedia Gulch, pululan por todas partes refugiados de Mac-World 96. Su presentación es, en lugar de "Hola, me llamo...", "http://...", que es el prefijo habitual de las direcciones de las páginas de la Web.

Los altavoces lanzan una estridente música de baile. Poca gente bailando. Alrededor de 500 personajes de la industria y ordenadores de Internet— jovencitos danzarines de la red (chicos y chicas) y veteranos de la era prered (casi todos hombres)— se mezclan. Un hombre de Montana le cuenta a todo el mundo lo que oirán hablar de un producto de su empresa, un artilugio que utiliza una célula solar para cargar las baterías de los ordenadores portátiles. Los aperitivos de albóndigas tailandesas se encuentran por todas las mesas, que están vestidas con un mantel azul. El DJ ha puesto una máscara de Yahoo en un proyector, de modo que el nombre de la compañía se proyecta sobre la multitud cada dos segundos.

Por una parte, la figura de Yang aparece en dos pantallas de proyección, una a cada lado de la cabina del DJ. Yang, en persona, está en Japón. Antes de que en el fondo se componga una acuarela japonesa, él expresa su emoción por el fichaje para Yahoo del publicista de aventuras Ziff-Davis. Yahoo ha decidido prestar su nombre a una revista, llamada previamente *Ziff-davis Internet Life*, ahora titulada *Yahoo! Internet Life.*

La revista, disponible en páginas impresas y en la Web en http://www.zdnet.com/zdil/, combina la característica de los profundos reportajes de las revistas de ordenadores de Ziff-Davis con el carácter alegre de Yahoo. Observemos la edición de la Web en la figura 2.6. Es la última de una serie de salidas a los medios de Yahoo. A últimos de 1.995, la compañía lanzó una versión impresa de su índice que se vendió muy bien.

Yang estaba incidentalmente en Japón para cerrar la negociación del establecimiento de Yahoo en aquel país, una versión en lengua japonesa, creada y operada en colaboración con Japan's Softbank Corporation, sobre el subject tree que se centrará en los puntos de Asia. Yahoo está preparando un punto similar en el Reino Unido. Estos puntos serán operados por compañías independientes, separadas operacionalmente de la central en California.

Pero el baile es más que una recepción para reconocer una nueva aventura de Yahoo y la maniobra de Ziff-Davis para revitalizar la estabilidad de sus publicaciones. Se trata de una oportunidad para los expertos de la red para compartir la gloria de una empresa que pasó por el Silicon Valley como una tormenta.

Y de esta manera, entre la música tecno y las luces giratorias, la comunidad de la Web rindió homenaje a Yang y Filo y su creación, Yahoo.

La competencia

Si Yang y Filo sienten la presión de tener que mantener la innovación es por una buena razón: tienen cantidad de competidores.

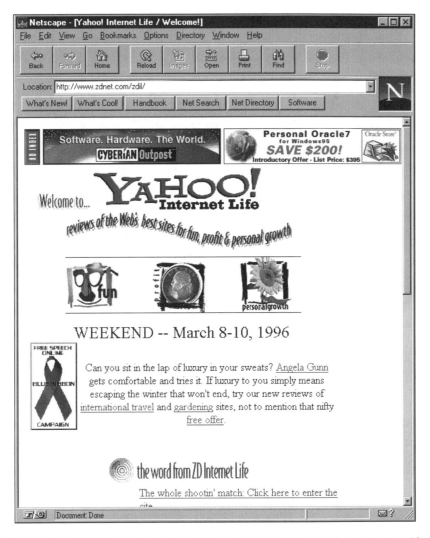

Figura 2.6. Edición en la Web de Yahoo! Internet Life, resultado de la unión empresarial entre la editorial Ziff-Davis y Yahoo.

Muchos de los navegantes de la Web utilizan programas de búsqueda automática como InfoSeek Guide, Lycos o Alta Vista. Como puntualizan Yang y Filo, estos servicios de búsqueda tratan de catalogar la Web en un único sistema de ordenador, y frecuentemente no tienen mucho éxito, teniendo que devolver a menudo más paja que grano. Es más, los utilizan como una forma rápida de hacerse una idea de los lugares que tienen la información que desean. Además, las máquinas de búsqueda de texto puro (como Alta Vista) nos pueden dirigir hacia las páginas de la Web que solamente encajan tangencialmente con los asuntos en los que estamos interesados. Yahoo cataloga una determinada página solo bajo su tema o temas principales.

Al margen de Yahoo y su lugar privilegiado en la página del Netscape's Net Directory, una lista de subject trees es Excite (http://www.excite.com), un subject tree que incorpora (igual que Yahoo) una sofisticada maquinaria de búsqueda. Si Yahoo es el Sunday *New York Times* (N del T: famoso periódico neoyorquino) de los subject trees de la Web, un prodigioso esfuerzo de contenido de información, Excite es el *USA Today* (otra afamada publicación), todo bonitos gráficos y muy poco contenido. Lo que si tiene Excite es, sin embargo, que resulta asequible —cada sitio de la Web indexado viene con tres o cuatro líneas de repaso que frecuentemente son mucho más útiles que el lacónico e inconsistente de una línea de Yahoo. También trae, cada semana, un dibujo original.

De todas formas, Yahoo es aún el reconocido rey del subject tree de la colina, por ahora. El tiempo nos dirá como se resolverá la batalla por el dominio.

Lo que sigue

Filo y Yang han encontrado su espacio como arquitectos de la antes desordenada nube de información que supone la Web. Utilizan páginas de la Web por categorías para organizar los datos. Pero, ¿qué pasa cuando tratamos de dar una dimensión física a los datos? El co-creador de la Realidad virtual, Mark Pesce, hace exactamente eso, como podremos ver en el capítulo siguiente.

3
Capítulo

Mark Pesce dimensiona el Ciberespacio

Percibo una gran conexión entre la naturaleza de lo sagrado y la naturaleza del ciberespacio, el área donde tienen lugar las comunicaciones.

—Mark Pesce, co-creador de VRML

Desde que Mark Pesce comenzó a trabajar con Internet, decidió que lo divino está en el núcleo de la experiencia en la red. Para Pesce, Dios está en la Red y lo avala las comunicaciones entre la gente. Pesce adora el medio.

"La matriz de redes de ordenadores interconectados que constituye Internet, da paso a las relaciones humanas a gran escala, y en estas relaciones es donde está Dios", dice Pesce.

Para hacer más fácil esta comunidad y quizás para seguir los designios divinos, Pesce ha dedicado la parte más reciente de su vida al desarrollo y perfeccionamiento del Virtual Reality Modeling Language (VRML), un lenguaje de ordenador que permite a los editores de la Web colocar imágenes tridimensionales en sus sitios y, de esta forma, hacer que se asimile mejor la información.

"Es una reja", dice Pesce. " VRML se puede concebir como una reja a través de la que se puede ver el hiperespacio indiferenciado de la Web".

Verdaderamente, VRML cambia todo el concepto de lo que es un "sitio" de la Web. Con VRML (en inglés lo pronuncian como "vermal"), un sitio (o un punto) es aparentemente un lugar físico, con tamaño, color, textura y una ubicación relativa al resto de sitios.

Con este propósito, Pesce se ha unido a la empresa de desarrollo Big Book de la Web de San Francisco, interfaz intuitivo para el directorio de negocios Dunn and Bradstreet.

Se trata de una guía, completada con mapas, direcciones y números de teléfono para, de acuerdo con las estimaciones de la compañía, 11 millones de negocios en los Estados Unidos.

Fotografía de *Mark Pesce*

Pesce es un visionario de la Web, con un ojo sobre prácticamente todas las aplicaciones de representación de datos en tres dimensiones. En otras palabras, es un experto en la provisión de mapas familiares para los nuevos campos cibernéticos.

También es un humanista, con una gran percepción de lo que ocurre cuando la gente se encuentra y se relaciona a través del ciberespacio.

El espacio tridimensional

El cerebro humano funciona en tres dimensiones. Una persona, incluso no familiarizada con estas cosas, puede dirigir con facilidad un proyectil hacia un blanco móvil. Nuestro cerebro evolucionó para conseguir estas habilidades, siendo capaz de arrojar una piedra o una lanza con precisión cuando la caza en el paleolítico constituía una gran ventaja de la evolución. Los seres humanos en seguida captan conceptos como seguir un blanco en movimiento, apuntando a un sitio por delante del blanco para que éste y el proyectil alcancen simultáneamente el mismo punto del espacio, o tirar un balón o una lanza con un ángulo hacia arriba, de modo que su vuelo parabólico tenga el mayor alcance. Estas facultades, analizadas físicamente, están grabadas en nuestro cerebro.

Un análisis como éste, sin embargo, es algo muy duro para los ordenadores. El primer ordenador electrónico, el ENIAC de la Universidad de Pensylvania, en USA, fue diseñado para facilitar al ejército los cálculos para apuntar su artillería. Los primitivos programas de ordenador tenían en cuenta variables tales como la velocidad del viento y la topografía y daban como resultado las elevaciones de los cañones y las velocidades iniciales. Estos cálculos, escandalosamente simples, si los comparamos con las cosas que hace posible VMRL, llevaron al límite al incipiente ordenador electrónico. La consecución de escenas en tres dimensiones no se hizo posible hasta que no aparecieron las estaciones de trabajo de gráficos de alta resolución en los años 80.

Debido a los "cuelgues" de los ordenadores con el tratamiento de las imágenes en tres dimensiones, los datos de los ordenadores han sido tradicionalmente de texto y, más recientemente, de gráficos de dos dimensiones. A pesar de que la tecnología multimedia ha llegado al extremo de que ya es posible que los ordenadores manejen información en forma de sonido y vídeo, la representación de espacio tridimensional permaneció como algo exótico, como materia para superordenadores en paralelo y equipos de trabajo respaldados por grandes recursos.

"Eso es demasiado malo", dice Pesce.

Igual que las personas, por naturaleza, piensan en tres dimensiones, los ordenadores, como herramientas de las personas, deberían manejar información tridimensional. Deberían sacar la información en la forma más comprensible para sus usuarios.

"Si dijéramos 'hagamos una cola de base de datos y busquemos la relación precio-beneficio de los estándares y existencias tecnológicas entre 1980 y 1995', probablemente tendríamos que pasar por varios miles de números", dice Pesce. "Pero si lo convertimos en un mapa acotado, donde las diferentes regiones podrían representar las relaciones precio-beneficio, que podrían tener las compañías y tiempo en mis dos ejes, precio-beneficio sería mi tercer eje, y lo que estaríamos haciendo sería tener un campo muy denso de información en algo que es muy fácil de digerir".

"En muchas facetas, el ojo humano es el órgano de percepción más destacado, en el sentido de que la densidad visual o la información de densidad que se puede absorber a través de los ojos va más allá que la de ningún otro órgano", dice. "Pero al mismo tiempo, el ojo tiene una sensibilidad y quiere percibir el objeto, desea captar la forma. No desea captar el texto, porque éste es cognoscitivo. No es inmediato. Por ello, VRML supone un intento de reducir aquella barrera de percepción. Es un intento de extender la actual Internet a una tercera dimensión y hacerla que parezca un espacio. El espacio y el lugar son parte integral e íntima de lo que significa la percepción humana. Sin ellos, no podremos crear un espacio que vaya a hacernos sentir nunca como algo más que un libro".

"La gente también tiene un conocimiento mejor sobre los inconexos bits de información que se representan en tres dimensiones", dice Pesce. Probablemente no tendríamos dificultad para encontrar una hipotética tienda de comestibles en una ciudad extraña, si alguien nos dijera que está en un bloque de casas al final de la calle Real. Entendemos el concepto de "bloque" y cómo son las casas y sabemos cómo andar por la calle Real. Pese a que el conjunto de datos que represente el bloque no tiene nada que ver con el que representa la tienda de comestibles, uno puede ayudar a encontrar el otro. Lo mismo ocurre con una biblioteca: si el bibliotecario nos dice que el escritorio está al pié de la escalera donde están los estantes de libros de ficción, podremos encaminarnos hacia el escritorio.

"El problema del estado actual de la Web es", dice Pesce, "que aunque contiene innumerables cantidades de información, no existe dimensión para ésta ni información de una pieza con relación a otra. Por supuesto que podemos decir que una pieza de información se encuentra "en EDGAR" (EDGAR es una base de datos de información de empresa mantenida por la Securities and Exchange Commision de USA) y que otra pieza de datos está "en el ejemplar del 12 de Junio de American Reporter" (ver el capítulo 10 para más información sobre el American Reporter), pero no existe ninguna diferencia espacial entre estos dos recursos de la Web. La información, procedente de cualquier servidor, aparece como texto en la pantalla de nuestro ordenador. No existe la calle Real, por usar la anterior analogía, entre ambas piezas de información".

"El hiperespacio tiene dimensión cero", dice Pesce, "al menos el hiperespacio de la Web. Todo está conectado a todo. No existe dimensión. No se pasa por la intervención de ningún espacio. Se va allá directamente".

Esta dimensionalidad cero confunde, en la medida que la gente está acostumbrada a trabajar con dimensión, dice Pesce. El tener que aparecer todo en el mismo lugar, las pantallas de nuestros ordenadores, es totalmente ajeno al funcionamiento normal del ser humano.

"La gente necesita unos marcos basados en algo que es sensual, pero perceptible", dice, "aún cuando lo visualizamos, pensamos sobre la visualización en nuestro cerebro, lo estamos haciendo en tres dimensiones. No visualizamos la relación entre las ideas de nuestra mente".

VRML es una forma de dar dimensión al espacio electrónico. De todas maneras, a menudo llamamos a aquel espacio "ciberespacio", quizá en un esfuerzo para encajar un espacio tan rico en información dentro de nuestros esquemas mentales.

Pesce denomina al punto conflictivo del camino adecuado para representar los datos, ya sea texto, gráficos en dos o tres dimensiones, sonido, vídeo, o lo que sea, como "el gran problema de la representación de datos". El no tiene la solución, dice, pero piensa que la representación de datos en tres dimensiones mediante VRML significa un paso en la dirección correcta.

VRML: Nacimiento de un lenguaje

¿De dónde procede VRML? Como muchas de las innovaciones de la Web, tiene su origen en las mentes de un par de personas que pensaron que podrían hacer que las cosas fueran mejor mediante una innovación tecnológica. VRML tiene sus raíces en el empuje del desarrollo de la tecnología.

El Virtual Reality Modeling Language, en el pensamiento de Pesce, supone una solución en potencia para el gran problema de la representación de datos. VRML describe figuras tridimensionales, como cubos, conos, esferas, etc., en términos de código de ordenador. Los visores de la Web VRML-enhanced, Netscape Navigator y Microsoft Internet Explorer, equipados con las adecuadas extensiones (ver "Visores VRML" más adelante en este capítulo) pueden analizar y representar los correspondientes objetos en nuestra pantalla. Un programador de VRML experimentado puede utilizar formas básicas para describir estructuras elaboradas, como un edificio, un sistema solar o el panel de instrumentos de un avión. Después podremos usar nuestro visor para navegar entre los objetos, explorando las regiones y cosas que definen, como podríamos pasear, en la vida real, por las habitaciones o manejar objetos de verdad.

La interpretación del lenguaje data de Enero de 1994, cuando Pesce y el programador Tony Parisi comenzaron juntos a explorar la Web y hablar sobre la necesidad de tener un interfaz tridimensional. Ambos, en colaboración con los fundadores de una compañía británica llamada Rendermorphics que publicó un potente programa de gráficos llamado Reality Lab, crearon un primitivísimo visor de realidad virtual llamado Laberinth. El visor usaba la Web para acceder a la interpretación tridimensional de una banana y la visualizaba en un monitor de ordenador. Cuando el usuario del ordenador hacía clic en la banana con su ratón, el programa arrancaba el NCSA Mosaic, primitivo visor de la Web, y visualizaba la página de presentación de Pesce.

Pesce se puso en contacto por correo electrónico con Tim Berners-Lee, el "padre del Web", quien en 1989 mientras trataba de crear un sistema global de información compartida para el European Center for Nuclear Research (CERN), desarrolló el HyperText Markup Language (HTML) y el HYperText Transport Protocol (HTTP). Berners-Lee invitó a Pesce y Parisi a la primera conferencia internacional WWW en el CERN.

Allí, entre un grupo especial de personas interesadas, los cabecillas de la revolución Web resolvieron la creación de un estándar para describir los espacios tridimensionales en la Web. Crearon una lista de correo electrónico que pronto acumuló más de 2.000 suscriptores. Esta lista continúa operativa, por cierto, y Pesce actúa como moderador, una figura "Obi-Wan Kenobi", dice uno de los diseñadores de VRML, refiriéndose a la letra arrugada de la película *Star Wars*.

Buscando la solución más rápida posible al problema del estándar de lenguaje, los miembros de la lista de correo buscaron un lenguaje de gráficos tridimensionales existente que pudiera ser adaptado para trabajar en la Web. Tras algunos debates, el grupo decidió que el camino a seguir era un conjunto de especificaciones de programación llamado Open Inventor. Pesce se acercó a Silicon Graphics, el fabricante de estaciones de trabajo que estaba en posesión de los derechos sobre Open Inventor, y convenció a la compañía para que dejara parte de las especificaciones como dominio público, permitiendo a los programadores usar el invento de Silicon Graphics sin pagar royalties a la compañía. Con unas pocas modificaciones, Open Inventor se convirtió en la primera versión de VRML (VRML 1.0), la que Parisi y Gabin Bell, de Silicon Graphics, desvelaron formalmente en la segunda conferencia internacional de World Wide Web, en Octubre de 1994, en Chicago.

El problema con la versión 1.0 de VRML es que es estático, las cosas escritas en él *no hacen* nada. Pero se puede usar una estación de trabajo Sun para ver una escena de VRML 1.0 que alguien creó en un Macintosh, y que ha sido suficiente para poner el lenguaje en marcha.

Bell y Paul Strauss, otro diseñador de Open Inventor de Silicon Graphics, se fueron a trabajar a QvLib, una herramienta de software llamada *parser* (analizador) que otros programadores pudieron incorporar a sus propios programas para manejar los ásperos detalles de la interpretación del código VRML. QvLib abrió el campo del desarrollo de la búsqueda con VRML a cualquiera con, prácticamente, alguna habilidad para programar. Silicon Graphics sacó rápidamente un visor VRML llamado WebSpace, mientras que Parisi formó una nueva empresa llamada Intervista y desarrolló un visor VRML llamado WorldView. Silicon Graphics le dio a VRML y WebSpace un gran debut en los medios masivos en Abril de 1995.

Ahora, la atención está centrada en la próxima generación del lenguaje de realidad virtual para la Web. Pesce crea el VRML 2.0, que añade *behaviors* (comportamientos), que es lo que implican exactamente las palabras, a los objetos estáticos que nos permite crear la versión 1.0.

Varias compañías han materializado propuestas que están compitiendo para constituir el estándar básico de VRML 2.0. Microsoft facilita un esquema llamado Active VRML, mientras Netscape, Silicon Graphics y otras varias compañías facilitan un estándar basado en Java que se llama Moving Worlds. Worlds Inc., el creador de AlphaWorld (capítulo 7), también tiene otro esquema de realidad virtual operativo.

Los puntos basados en VRML se distinguen de los de AlphaWorld en que los primeros son completamente compatibles Web, los servidores envían mensajes a los visores usando el HyperText Transport Protocol (HTTP), el mismo esquema usado para transportar documentos de la Web de texto puro a través de la Red. AlphaWorld usa un protocolo de transporte propio para enviar la información a través de Internet. Pesce dice que ésta es la debilidad de AlphaWorld, e históricamente, las empresas de ordenadores que han usado estándares propios han fracasado con los mismos. Todavía está por ver lo que ocurrirá con el estándar de AlphaWorld, y, desde un punto de vista no técnico, para el usuario no existe diferencia entre los protocolos de comunicaciones para Internet que usa un servicio de realidad virtual.

¿Hacia dónde camina VRML? Se terminará una vez que el software y hardware esté diseñado para trabajar con gráficos de tres dimensiones, dice Pesce. Habrá una curva de aprendizaje, un período de tiempo durante el que la comunidad de usuarios de ordenadores se acostumbre a expresarse en un espacio tridimensional. "Todos estamos adiestrados para leer y escribir, pero ninguno de nosotros está realmente educado para ser arquitecto o planificador del espacio", dice Pesce. "De manera que lo que pienso que vamos a ver ahora está en la misma línea que las publicaciones de sobremesa 'apestadas' en los dos primeros años, pero porque la gente no sabía cómo maquetar las páginas. Pero ahora ya lo sabe todo el mundo. Las páginas quedan preciosas y existe una industria DTP completa. Creo que vamos a ver que ocurre exactamente lo mismo en VRML".

VRML en acción

La mejor manera de explorar las posibilidades de VRML es echar un vistazo a lo que la gente ha hecho con ello. Las proezas que han realizado los diseñadores de la Web con el lenguaje asombran con frecuencia a los navegantes. Y su asombro es aún mayor por el hecho de que aquellos sitios de la Web tienen tanto éxito con un lenguaje tan joven como éste.

Visores VRML

Para visualizar los sitios VRML necesitaremos, o bien un visor de VRML especial, o bien un módulo de extensión para Netscape Navigator o Microsoft Internet Explorer.

La solución VRML más sencilla es un módulo de extensión para nuestro actual visor. Las conexiones para Netscape Navigator y las extensiones para Microsoft Internet Explorer facilitan la exploración de los sitios de la Web VRML-enhanced porque podemos usar el mismo visor para todas las páginas de la Web, VRML-enhanced o no.

Los paquetes de extensión vienen como archivos ejecutables, solamente se necesita cargarlos, ejecutarlos, y ellos mismos se integrarán en el visor. Algunas de las mejores conexiones VRML para Netscape Navigator son:

- VR Scout (http://www.chaco.com)

- Vrealm (http://www.ids-net.com), que es la conexión que se utilizó para las pantallas VRML de este libro

- WIRL (http://www.vream.com)

También existe una extensión VRML para Microsoft Internet Explorer. Se encuentra en http://www.msn.com/ie/.htm. Si no nos gusta la idea de los módulos de extensión del visor, podemos localizar los sitios VRML de la Web con los visores dedicados VRML. He aquí unos pocos de entre los buenos:

- Fountain (http://www.caligari.com/ws/fount.html)

- GLView (http://www.snafu.de/~hg/)

- VRWeb (http://www.iicm.tu-graz.ac.at/Cvrweb)

- WorldView (http://www.webmaster.com/vrml)

El laboratorio VRML en el New College de California

Para ver VRML en acción, echemos un vistazo a la página de presentación del laboratorio VRML en el New College de California, en la figura 3.1. Las arañas, la habitación y los muebles aparecen representados en tres dimensiones. En http://www.newcollege.edu/vrmLab/home.wrl podremos encontrar esta escena.

Figura 3.1. Página de presentación del laboratorio VRML en el New College de California, contemplada con el visor VRML WorldView. Este es el sitio visto a distancia.

Ahora echemos un vistazo al mismo sitio, en la figura 3.2, contemplado como en un vuelo rasante por los objetos de la habitación.

El cajón superior del fichero también es un hiperenlace. Si hacemos clic en el mismo, WorldView llama a Planet 9 Studios, otro fantástico recurso VRML que veremos inmediatamente.

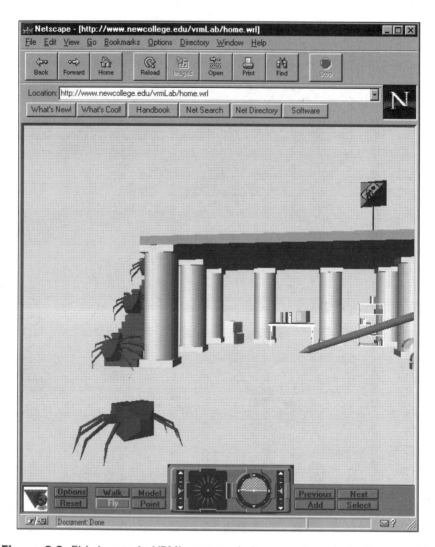

Figura 3.2. El Laboratorio VRML contemplado en vuelo rasante. Para cambiar el movimiento y el punto de vista se usan los controles del fondo de la ventana.

Planet 9 Studios

Fundado por el arquitecto Clay Graham, Planet 9 (ver figura 3.3) es la compañía de arquitectura virtual más famosa del mundo. Está especializada en la creación de paseos tridimensionales por las construcciones.

Figura 3.3. Planet 9 Studios, recurso VRML al que se puede acceder vía hiperenlace en el sitio VRML del Laboratorio New College. Obsérvese la interpretación de las sombras y las texturas.

Pesce dice que Graham parece un arquitecto virtual, porque no se guía por las reglas de la física, como lo hacen los arquitectos que trabajan con hormigón y madera, y puede echar a volar su imaginación liberado de limitaciones convencionales como divisiones y códigos de incendios. Uno de los proyectos más ambiciosos de Planet 9 es Virtual San Francisco, un modelo VRML de la bahía. Cuando esté hecho, podremos darnos una vuelta por el embarcadero, sentados en Peoria. Aún está lejos de terminarse, pero es posible verlo en http://www.planet9.com/worlds/vrsf.wrl. En la figura 3.4 se puede contemplar una vista a distancia del puente sobre la bahía y del centro de la ciudad.

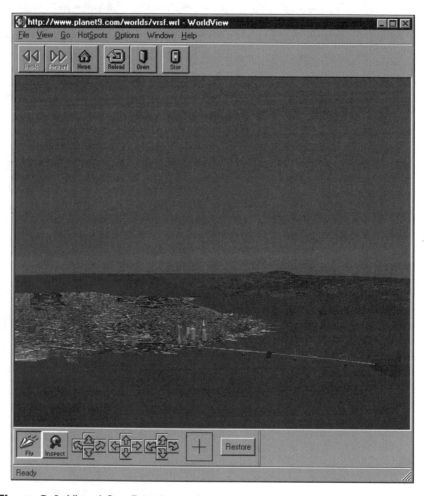

Figura 3.4. Virtual San Francisco, vista oeste. Al fondo se ve el puente sobre la bahía, el Golden Gate en la distancia, el centro de San Francisco a la izquierda y Marin County a la derecha.

Podemos usar los controles de nuestro visor VRML para volar sobre la ciudad contemplando y explorando lo más destacado. La figura 3.5 muestra una vista del puente Golden Gate desde el Pacífico. Nótese el polígono flotando por encima de la parte sur del puente. Se trata de la representación de un hiperenlace. Si hacemos clic en él, llamaremos a una página de la Web que facilita información acerca del puente.

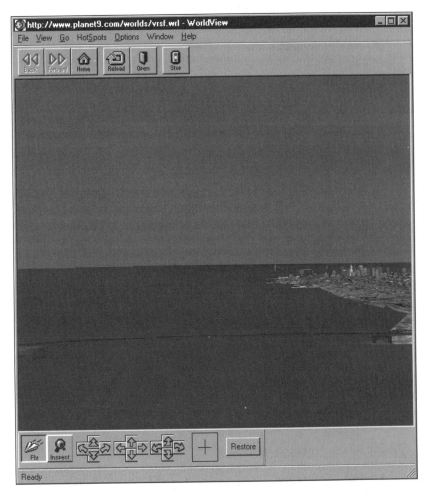

Figura 3.5. Vista del puente Golden Gate en Virtual San Francisco.

El modelo de San Francisco encierra un potencial para resolver algunos problemas reales que las herramientas de búsqueda basadas en texto, con las que podríamos buscar "restaurantes italianos" o "la calle del mercado", no pueden manejar fácilmente. Pesce cita un ejemplo.

"Yo podría decir, 'Bien, voy a ir a la ópera dentro de dos noches. Me gustaría ir a comer algo antes y recuerdo que hay un restaurante realmente bueno que está justamente en la calle de la derecha de la ópera, pero no recuerdo su nombre, de modo que no puedo encontrarlo", dice Pesce. "Así que lo que puedo hacer es basarme en el modelo del mundo real y dar una vuelta por los alrededores. Esto se convierte en una herramienta para orientarnos a dónde vamos y lo que estamos haciendo".

Al final, las aplicaciones de mundo real intentarán ser las "aplicaciones asesinas", las que consigan la amplia aceptación de una tecnología, de la realidad virtual.

"Supongamos que estoy perdido en la ciudad de Tokyo", dice Pesce. "Llevo conmigo mi ordenador portátil, sin embargo. Tiene una conexión celular a la red de datos de Tokyo y un módem GPS en su interior, que conoce dónde está. Enciendo el ordenador y, zas, veo lo que hay a mi alrededor. Se cómo ir a donde quiero. Estas, para mí, son aplicaciones más convincentes que este espacio virtual de charla, que está bien, es interesante y bueno y útil. Pero no me convence. Un mundo de fantasía en el ciberespacio, que es lo que he estado vendiendo y lo que nos han dicho esperar, no es convincente. Lo que me convence en el ciberespacio es el mundo real".

Pesce también ve aplicaciones para VRML en la dirección de materias globales que no tienen que ver con divisiones políticas, como la ecología, por ejemplo. El tiene la visión de un modelo de toda la superficie de la tierra, que contenga información sobre sus contaminadores y sus ecosistemas. Con el uso de las herramientas de navegación de realidad virtual, la gente podría examinar lo que les rodea, de una forma que no habían visto antes, buceando en los archivos de la Agencia de protección ambiental sobre una planta que está río arriba, pongamos por caso. Mejores modelos procurarían una población global más informada, dice Pesce.

Otros sitios VRML

Existe otro montón de fantásticos sitios basados en VRML, no tantos como los tradicionales de la Web, pero sí en un número apreciable que tiende a crecer. Echemos un vistazo en http://weblynx.com.au/virtual.htm para obtener un catálogo de los sitios VRML. He aquí unos pocos entre los mejores:

□ **The *frauenkirche*:** http://www.netplace.com/netplace/demo/frauen-kirche.wrl (ver figura 3.6). Diseñado por Munich-based Web consulting outfit Netplace, *Frauenkirche* es un prototipo de Munich basado en la catedral.

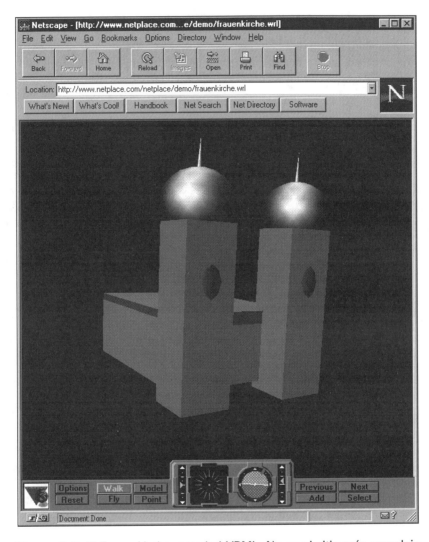

Figura 3.6. El Frauenkirche, catedral VRML. No es el sitio más complejo de VRML, pero muestra algunas de las potencialidades de VRML para los modelos arquitectónicos.

Virtual Fenway: http://www.penncen.com/yaz/fenway.wrl (ver figura 3.7). Brett Freedman construyó este modelo al gran Carl Yastrzemski de Boston Red.

Intel Inside: http://www.intel.com/procs/ppro/intro/vrml/nav.wrl (ver figura 3.8). Otro proyecto de Planet 9, esta ventana facilita un interfaz tridimensional para los productos de mercado de Intel.

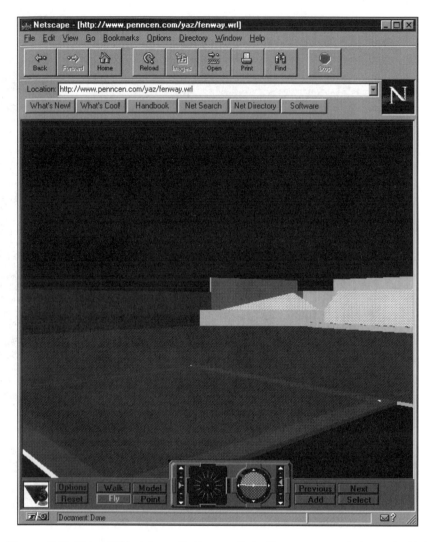

Figura 3.7. Vista VRML del estadio Fenway Park. ¡Se muestra en baja resolución!

Brujo/bruja de la Web

En una de las plantas de su dúplex en las afueras del Mission District de San Francisco, no lejos de un lugar vecino llamado "Multimedia Gulch", debido a su cantidad de casas de contenido de la Web y CD-ROM, Pesce toma a sorbitos una taza de té. Viste una camisa de punto verde oliva, abrochada hasta el cuello, pantalones a juego y zapatos negros. Lleva el pelo rapado y, cuando habla, es propenso a puntualizar sus frases empleando con frecuencia la expresión "All Right?" (¿De acuerdo?), como si estuviera seguro de que hemos entendido todo lo dicho en su última efusión de entendimiento técnico y psicología humanista.

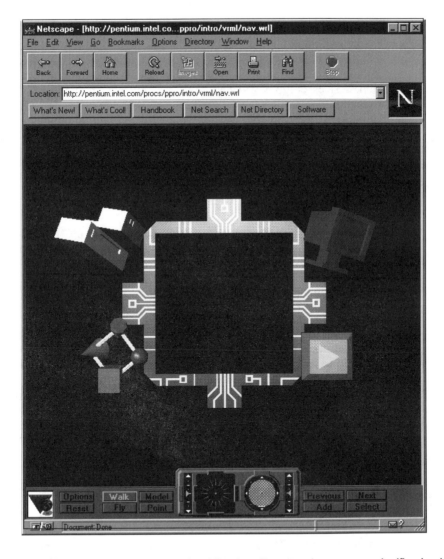

Figura 3.8. Ventana VRML de un Intel Pentium Pro, que da un nuevo significado al eslogan "Intel Inside". Fue hecha por Planet 9, como el Virtual San Francisco.

Un artículo de 1995 de la revista *Wired* llamado "Technopagans" (algo como paganos de la tecnología), escrito por Erik Davis, se refiere a Pesce. El artículo explora la naturaleza divina del ciberespacio y usa a Pesce, una bruja (lo que puede sonar extraño, pero no es inusual en la comunidad del área tecnológica de la bahía) como fuente principal. Davis opina que los paganos tienen mucho que ofrecer a la comunidad de Internet, ya que están familiarizados con la magia que, en palabras llanas, no está muy apartada de la brujería de crear fantástico contenido en la red.

"No es, pienso, un rechazo del cristianismo, tanto como decir que no es totalmente suficiente", dice Pesce. "En lo que tiene de intento de acompasar ambos polos, la clase masculina del puro solar, el polo cristiano y el hombre de familia, clase lunar de polo. Pienso que hay un intento de ser mucho más holístico. Así es como yo lo veo. Así es como está relacionado conmigo. Siento una gran conexión entre la naturaleza de lo sagrado y el ciberespacio, el área donde tienen lugar las comunicaciones. Para mí, el ciberespacio es el lugar donde suceden las comunicaciones".

Pesce, nacido en Nueva Inglaterra, salió del Instituto de Tecnología de Massachusetts (MIT) en 1981 tras ponerse a prueba académica y encontrar el mundo exterior mucho más interesante que la vida enclaustrada de estudiante en una institución "deshumanizada".

Todavía en el Instituto, conoció a Nicholas Negroponte y Danny Hillis. Negroponte, ahora director del Laboratorio de Medios del MIT, por aquel tiempo estaba promoviendo algo llamado Architecture Machine (Máquina de la arquitectura), que entregaba información en tres dimensiones. Hillis le habló de la Connection Machine (Máquina de conectar), que distribuía tareas de programación a muchos ordenadores interconectados.

"Todos estos conjuntos de ideas se harán realidad muy pronto", dice Pesce. "Así que, mirándolo bien, la Architecture Machine es el prototipo hacia el que pienso que va VRML. OK. Y a donde pienso que marcha la autoedición. Muy bien. La Connection Machine es un prototipo hacia donde va Java ¿verdad? De manera que el MIT fue una experiencia estupenda, pero no fue la experiencia educativa del colegio".

Dedicó 15 años de su vida trabajando en el diseño de la red antes de entrar en VRML y sus aplicaciones.

El lado oscuro de VRML

El problema con VRML tiene que ver con su potencia, se puede utilizar para crear espacios que encajan perfectamente en nuestro concepto mental de realidad.

Esta capacidad tiene un lado oscuro en su realismo, los espacios convincentes pueden sufrir el abuso de mentes con pocos escrúpulos. Imaginemos lo que sucedería si alguien fuese a crear una interpretación VRML de "noticias de sucesos" completamente fabricadas. El resultado podría ser un Incidente en el Golfo de Tonkin con su origen en el ciberespacio, en lugar de la prensa escrita. Con una interpretación creíble del "suceso" fabricado, colocada en las pantallas de millones de personas, pocas dudarían de la veracidad de la representación. Un país entero se podría ver sacudido por la acción irresponsable de un programador VRML sin escrúpulos.

"La cuestión es que estas tecnologías, en manos de un William Randolph Hearst o un Joseph Goebbels, pondría a su disposición un poder sin precedentes", dice Pesce. "Imaginemos cuando podamos reproducir la civilización romana o la muerte de Cristo. Es posible colocarlo en una espiral donde sería aceptado incuestionablemente por las personas involucradas en la simulación, porque parte de nuestro compromiso en una simulación es la suspensión absoluta de la capacidad para no creer…nuestras barreras, las cognoscitivas, nuestros filtros, lo que nos llevaría a rechazar cosas basadas en el hecho de que no están de acuerdo con lo se nos ha enseñado históricamente. Están vacíos, porque estamos activamente involucrados y, cuando lo estamos en algo, tenemos que creer en ello".

Pesce cita como ejemplo de este poder de la realidad virtual la gente que consume horas en las mazmorras multiusuario (MUD), juegos interactivos de texto donde los jugadores asumen características y personalidades e interactúan entre ellos. Muchas de estas personas están tan profundamente enganchados en el MUD, que presentan síntomas casi idénticos a los de aquellas personas afectadas de desórdenes de personalidad múltiple.

Para preparar a la comunidad de la Web ante esta posibilidad, que aparecerá solamente cuando la tecnología VRML haya progresado más allá del estado primitivo donde ahora se encuentra y, para la mejor preparación de uno mismo para diseñar tecnología VRML que minimice el abuso del medio, Pesce dedica una parte de su tiempo al estudio de la ética. Como eticista, Pesce examina los casos históricos de desinformación y propaganda y piensa cómo se podrían aplicar aquellas lecciones al nuevo medio en el que está como instrumento de diseño.

"Una de las razones por la que yo soy eticista es porque he estado trabajando en este campo lo suficiente para comprender lo que pueden ser algunos de los resultados de mi trabajo", dice Pesce. "No me gustaría ser J. Robert Oppenheimer, que inventó la bomba y luego lamentó el hecho de que fuese arrojada. Si yo fuese a arrojar la bomba, si fuese a participar en la fabricación de la misma, iría al mismo tiempo a participar en el movimiento para la regulación de las armas".

"Lo que estamos construyendo, lo que estoy haciendo con mis propias manos, es una herramienta de un inmenso poder y un enorme peligro", dice.

"Nunca lo olvido. Lo proclamo en mis trabajos de ética, porque creo que existen ciertas formas de crear medidas de seguridad para preservar, de nuevo este espacio para la divinidad, para la divinidad humana dentro del sistema que puede prevenir los peores abusos".

Al final, dice Pesce, VRML y la realidad virtual tendrán éxito debido al acercamiento de la comunidad VRML para resolver los problemas técnicos y de otro tipo para fabricar un ordenador dimensional y una red en equipo.

"Ha habido otros intentos de fabricar ciberespacio y ninguno de ellos ha tenido éxito, porque el que tenga éxito, y espero que sea éste, es porque resulte de un esfuerzo de colaboración", dice Pesce."Porque no se está cerrando la puerta a nadie, ni a ninguna idea, ni a ningún grupo de personas. Se está diciendo 'Estamos abiertos a todo. Por favor, participa con nosotros en nuestro pensamiento colectivo'".

Lo que sigue

Mark Pesce y VRML demuestran el poder de la provisión de mapas familiares para los nuevos campos cibernéticos en los que VRML nos permite transportar la información de la red por el mundo familiar del espacio y la profundidad. Radio HK, objeto del capítulo siguiente, hace lo contrario, en cierto modo. Los inventores de aquel sitio han traído la programación radiofónica a Internet. Leamos lo que sigue para conocerlo mejor.

Radio HK elimina el reinado del capital

Vamos a tener siempre una parte de la operación dedicada a extender el arte de lo posible.

—Norman Hajjar, Radio HK

Hubo un tiempo, en que propagar música para miles de personas resultaba un cometido muy caro. Había que tener un estudio seguro, llenarlo con un equipo carísimo, obtener una licencia federal, construir una antena enorme, y emplear a docenas de personas entrenadas para operar todo el material. La compra de una estación de radio existente era costosa; construir una nueva resultaba casi prohibitivo y raramente se llevaba a cabo fuera de los grandes grupos de mercado.

La gente de Radio HK ha usado la Web para poner en marcha una nueva estación de radio, aunque no convencional, por una pequeña parte de lo que costaría un estudio y un transmisor tradicionales. Transformaron una vieja idea, la transmisión de música y voz a lo largo de grandes distancias, en un nuevo medio, y con este proceso han creado un modo nuevo de comunicación.

"Aquí obtuvimos la oportunidad de inventar un medio nuevo", dice Norman Hajjar, presidente de Hajjar/Kauffman Advertising y creador de Radio HK. "Dios mío, no se trata de crear digitales analógicos de medios ya existentes, sino de producir unos medios completamente nuevos. ¿Cuándo se ha visto algo así en la historia? Gutenberg ¿sabe?".

En resumen, Radio HK codifica programación radiofónica—música, jerga de disk jockey, y cosas así—en archivos de audio legibles por ordenador y coloca estos archivos en la Web. Los navegantes pueden entrar en el sitio de Radio HK (http://www.radiohk.com/radio/) y seguir los hiperenlaces a los archivos de audio, que usan alguna clase de tecnología de sonido de tiempo real. Con los archivos sonando en el fondo, los navegantes de la Web pueden disfrutar de la programación de Radio HK mientras visualizan otros puntos, de forma parecida a cómo los oficinistas o trabajadores de una fábrica pueden escuchar una estación de radio tradicional mientras trabajan.

Fotografía de *Norman Hajjar*

Radio HK—un proyecto de Hajjar/Kauffman Advertising, que además forma parte de una división independiente del enorme imperio publicitario japonés Dentsu—ha desarrollado una idea con toda la fuerza como para redefinir la radio. Pero su desafío a la industria de la radiodifusión no está en absoluto basado en la tecnología. En su lugar, el desafío lanzado por la agencia de publicidad tiene que ver con la importancia de la infraestructura comparada con la importancia del contenido.

Radio HK lanza un indigesto desafío a la industria del gran capital para moverse hacia la era moderna, en donde el contenido, no el dinero, es lo más importante.

La caída del reino del capital

En el pasado, la radio fue un gran negocio, con énfasis en lo de *gran*. Actualmente, al menos en concepto, el contenido de un estilo de radiodifusión puede resultar tan barato como resulta un servidor de la Web y una rápida conexión. En rigor, esto no es tan barato; un servidor de bajo nivel en la Web y su equipo asociado cuestan alrededor de 5.000$, y una conexión T3 a la Web puede rondar los 1.000$ al mes. Pero en comparación con la radio tradicional, la difusión en la Web no cuesta nada.

El efecto de la difusión con un mínimo capital es parecido al de Internet Underground Music Archive (capítulo 6) o al de *American Reporter* (capítulo 10). La radio en Internet pone la difusión fuera del dominio exclusivo de personas que poseen cantidad de dinero. Bajo el paradigma que demuestra Radio HK, la clave para la obtención de una gran audiencia no será nunca más un gran presupuesto de mercado y suficientes recursos para comprar un potente transmisor. Por el contrario, la clave residirá en el contenido. Radio HK rompe el encasillamiento de los medios establecidos, un concepto que aprenderemos mejor en el capítulo 16.

El contenido de la difusión en la radio tradicional está condicionado por motivos económicos. Los propietarios y gerentes de las estaciones de radio deciden los anunciantes a los que quieren atraer, la clase de oyentes que a los que atraerán aquellos anuncios, y programan su difusión para cubrir las necesidades de atracción de estos segmentos de mercado. Esta es la razón por la que cada ciudad posee una estación propia de 40 principales, una estación regional, una estación que se dedica a la política, y una estación al estilo antiguo.

No es frecuente, sin embargo, que las ciudades tengan estaciones de ambiente musical, de asuntos culturales, de teatro, o de música folclórica iraní. Algunas zonas demográficamente inusuales poseen programaciones de especial interés; Chicago tiene alguna estación de asuntos culturales, por ejemplo. Pero generalmente, solamente las estaciones que atraen a grandes y lucrativos mercados, pueden esperar afrontar los enormes pagos por anticipado y los costes de operación de la radiodifusión tradicional.

Ahora, como demuestra Radio HK, ha llegado la era del micro contenido. Con la reducción de los costes de establecimiento y operación en varios órdenes de magnitud, todo el mundo puede, teóricamente, montar estaciones para atraer segmentos de mercado que anteriormente eran demasiado pequeños para que las estaciones de radio se enfrentasen con ellos. En la Web, es posible crear una estación que emita cuentos para dormir a los niños o resultados de competiciones de todo el mundo, sin parar. Ningún mercado volverá a ser demasiado pequeño, especialmente si consideramos que un solo conjunto de hardware puede manejar varios conjuntos diferentes de archivos de audio, varias "estaciones" diferentes.

Y los mercado que podrían atraer las estaciones de la Web no son, después de todo, tan pequeños, desde el momento que la radio de la Web tiene alcance global. Uno de los factores que limitan el número de oyentes que puede atraer una estación de radio tradicional, es el alcance físico de la señal transmitida. Como mucho, tales señales se extienden unos pocos cientos de millas desde la antena. Las montañas y los edificios pueden interferir las ondas de radio, produciendo "huellas" deformadas o conjuntos de señales, con puntos muertos irregularmente dentro de ellas. Las condiciones atmosféricas, como ionización y tormentas pueden alterar las señales de un transmisor en perjuicio de los oyentes.

La radio de la Web puede llegar a todo el mundo que tenga una conexión y un ordenador equipado para manejar los archivos de audio.

"La emisión limitada no tiene sentido", dice Hajjar. "Si quisiéramos emitir para abogados algo relacionado con la ley marítima, fantástico. Aunque estuviéramos en Manhattan, conseguiríamos una audiencia de unas 30 personas. Pero, si es algo a nivel universal, parece que funciona. Pienso que forma parte de ello. Estamos en contacto con todos, no solamente con la vecindad".

El reinado del capital está en declive. Larga vida al reinado del contenido.

Publicitarios en I+D

¿Por qué Hajjar/Kauffman, una agencia de publicidad con clientes como Canon y MCA/Universal Home Video, apuestan por los medios de la Web? Por la misma razón que Lockheed Martin investiga en aviones que no vuelan nunca, y Honda concibe coches que nunca podrían dar beneficios producidos en masa. La aventura de Hajjar/Kauffman en la Web significa investigación y desarrollo de nuevos medios.

"Creo que gran cantidad de agencias de publicidad no piensan en I+D como lo haría una compañía de fabricación", dice Hajjar. "Por usar una analogía, algunas de las cosas que se hacen cuando se realiza ciencia pura, terminarán siendo inútiles. Otras, cuando encontramos una aplicación que pueda transformarlas con el tiempo, resultarán muy comerciales y útiles para nuestros clientes".

La compañía estableció su 'New Media Lab' en Diciembre de 1.994, para dedicarse solamente a I+D en los medios. En una colección de casetas a lo largo de un corredor con pinturas al pastel, en el mismo complejo de oficinas que el resto de la agencia de publicidad, el New Media Lab de Hajjar/Kauffman, existe principalmente para diseñar puntos de empresas de la Web, pero lo que es más importante, es el primer establecimiento comercial del mundo dedicado a la investigación de los medios.

Pero la idea de los publicitarios de poner a prueba los límites de los nuevos medios no es nueva, puntualiza Steve Proffitt, Director del Proyecto de Hajjar/kauffman.

"Cuando empezó la radio, y aún la televisión hasta principios de los años 60, eran las agencias de publicidad las que creaban los programas", dice. Las óperas de jabón, después de todo, debían este nombre a que estaban producidas por los fabricantes de jabón. "La gente suele olvidarlo. Creo que las agencias de publicidad se encuentran actualmente en una perfecta posición para reconocer que Internet es algo programable y descubrir la forma de programarla".

Así, en el New Media Lab, alrededor de media docena de jóvenes jinetes se sientan frente a sus poderosos Macs, para contribuir al desarrollo de la expresión humana. Allí, o jugando al hockey sobre las baldosas del corredor. En cualquiera.

"Cuando llega a esta nueva tecnología, mi lema, o frase, es tolerar la ambigüedad", dice Hajjar. "Actualmente, gravitar sobre la ambigüedad". La creatividad florece en una atmósfera libre, alegre, con reglas indefinidas. "Aquellos publicitarios que se dedican básicamente a emular el medio impreso, lo que hacen es no tolerar la ambigüedad, o tratar de reproducir con mucha precisión lo que ellos conocen.

Por el contrario, yo pienso que la ambigüedad es una cosa maravillosa, porque dentro de los amorfos campos de posibilidades supone algo realmente nuevo y emocionante. Algo que nos da la oportunidad de moldear.

Hajjar habla de romper con las barreras establecidas en los medios, intención común a muchos de los sitios que aparecen en este libro.

Echemos un vistazo al capítulo 16 con el fin de ver más sobre la clave principal.

Cyber-interns

Otra de las ideas de Marshall Mcluhan fue la de *aldea global*, la culpable de que la tecnología de las comunicaciones haga inútil la geografía y la que permite a la gente de todo el mundo trabajar y jugar juntos fácilmente. Hajjar/Kauffman ha traslado la idea al corazón con su programa cyber-intern.

Cyber-intern conecta, mediante videocoferencia vía software, para trabajar en el New Media Lab desde la Virginia Commonwealth University de Ritchmond, Virginia, USA, la cuna de un nuevo y elaborado programa de medios, dirigido por el Profesor Asistente Jeff Price. El cyber-interns hace código de Web para las empresas clientes del New Media Lab.

"Eran pequeñas imágenes en blanco y negro en un portátil, y que ellos debían retocar para trabajar a diario con lo mismo", dice Hajjar. "Teníamos que darles proyectos HTML y cosas para hacer y supervisarlos en la misma red".

El paralelismo con las teorías de McLuhan era asombroso, decía. "Caray, era como un chaval que se levantara por la mañana, fuera al colegio en bicicleta, hiciera clic en nuestra dirección IP y se pusiera a trabajar", dice Hajjar. "Esto da realmente una idea de cómo esta gran red neural hace la geografía cada vez menos importante. Y está ensanchando la paleta con la que podemos pintar, nuestra personal paleta, con la que pintamos los distintos proyectos que podemos realizar".

El sitio

Para alguien de fuera, Los Angeles puede resultar un lugar extraño. El tráfico está embotellado, la polución del aire irrita los ojos y se pueden pedir para desayunar burritos con canela bien fritos en las pequeñas tiendas. Por fuera del edificio de alabastro de Hajjar/Kauffman en Marina del Rey, una parte de la metrópolis de los ángeles, una mujer que viste pantalón blanco corto y la pieza de arriba de un bikini, pasa a un hombre que va en un Ford Granada verde. El coche tiene una serie de hojas de metal con diamantes, de unas 10 pulgadas de alto, ribeteadas en ángulos rectos por el techo, de modo que parece un dinosaurio. La gente de la costa este de los Estados Unidos, al ver esta escena, se maravillan de que ningún nativo le preste la más mínima atención.

Dentro del edificio de Hajjar/Kauffman, ocupado por otras varias compañías, rige lo más fantástico de Los Angeles. El techo luce un entramado pintado de mate negro. Muchas piezas del mobiliario están fabricadas de acero bruñido, soldado, dando al lugar, con su iluminación de focos orientables, un sabor pos industrial.

Con el sitio de la Radio HK sucede igual. Cuando se entra en Radio HK se ven botones para navegar que nos guían a los puntos que ofrecen. En el momento de escribir esto, estaba preparando las bandas Indy, que someten sus ofertas a Radio HK vía red (ver figura 4.1).

No esperemos bandas famosas ni estrellas. Radio HK pide el concurso de nuevas bandas que no habían sido escuchadas nunca anteriormente.

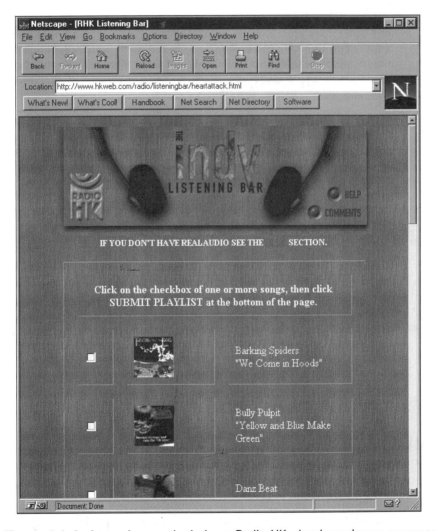

Figura 4.1. La barra de escucha Indy en Radio HK, donde podemos encargar el servicio de alguna música de bandas realmente inéditas, así como algunas ofertas de la cadena principal.

"Cuando estaba trabajando con ASCAP para poner la licencia juntos", dice Hajjar, "fui totalmente inflexible con ellos para que el más bajo nivel de entrada a la licencia fuera algo asequible, como un colegial que quisiera montar en su dormitorio su propio sistema de difusión. De manera que si permanecemos en el nivel más popular, debemos realmente acceder a esta especie de gran mercado de ideas. El estilo de McLuhan en sumo grado. Si tenemos la visión de un ovejero australiano sobre los acontecimientos del mundo, quiero decir, apretemos el botón".

Y no debemos esperar tampoco una calidad de hi-fi, como comprobaremos al acceder a un archivo de sonido (necesitaremos equipar nuestro visor con el reproductor RealAudio; si no lo tenemos podemos cargarlo gratuitamente haciendo clic en un enlace dentro de Radio HK). El sonido, en el mejor de los casos es el de una estación de AM lejana y, seguramente, "onda corta" es lo que mejor describa la calidad.

"Actualmente, donde la calidad de onda corta de audio es una desventaja para la persona que quiere estar sentada en casa haciendo punto mientras escucha ésto", dice Hajjar, "no supone una desventaja para el artista, porque no podemos realmente reproducir la canción en su totalidad, porque es evidente que se pierde un montón de emisión. Y de esta forma, no resulta una amenaza para las compañías de grabación, o no debe resultar. Porque cualquiera puede escuchar al nuevo Sapo el álbum Wet Sprocket en esta guisa de onda corta y aprender lo suficiente acerca del mismo para luego salir a comprar el CD completo.".

Radio HK ofrece una opción atractiva: una lista de piezas (ver figura 4.2) que nos permite seleccionar un número de canciones para escuchar mientras navegamos (o trabajamos). Es como tener nuestra propia estación y ser nuestro propio disk jockey.

No es demasiado sorprendente que Radio HK venga de Los Angeles, donde la juventud se pasaba las calurosas noches de verano de los 60 escuchando la lejana música del legendario disk jockey Wolfman Jack, emitiendo desde Tijuana. Existe más de una sombra de Wolfman Jack en las selecciones de la Radio HK y su horrible sonido.

La tecnología

Radio HK es lo que llaman los ingenieros una *prueba de concepto*. Muestra que la idea de la radio en la Web puede funcionar y que tiene un valor añadido en los gastos de tiempo, energía y dinero. Radio HK demuestra que existe una forma de hacer radio más barata, más pequeña, más limpia, más segura y, aunque su concepto aún tiene cantidad de cosas que corregir, es emocionante. Demuestra la importancia de forzar el desarrollo de la tecnología y romper las barreras establecidas en los medios.

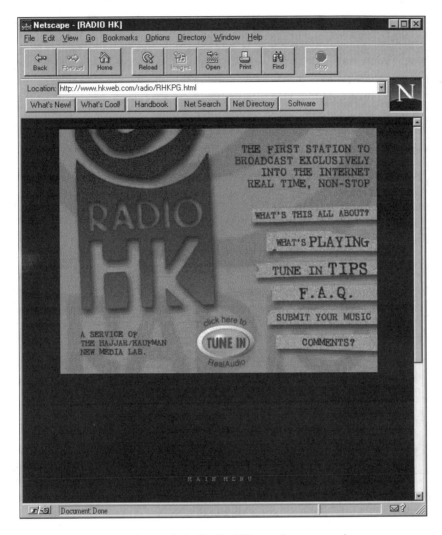

Figura 4.2. Lista de piezas de la Radio HK, con las que podemos programar nuestra propia pizarra de música para que suene de fondo mientras navegamos.

"Lo que resulta emocionante de esto es que realmente es auténtico audio a petición", dice Hajjar. "Funciona de verdad y no supone ningún experimento. Ya se encuentra disponible".

Radio HK se apoya en una tecnología que no se encontraba disponible antes del verano de 1.995, apodada en el entorno de Internet como *real-time audio* (sonido en tiempo real).

Real-time audio no es una denominación afortunada. Vigilar una situación en tiempo real significa observar cosas que están sucediendo. Contemplar una emisión de un partido de fútbol en directo por la televisión es una experiencia de tiempo real, como estar conversando con una persona que está sentada a nuestro lado. Ver una película no es una experiencia de tiempo real, porque los movimientos de los actores y el diálogo se registraron mucho antes de la proyección de la película, y nuestros sentidos asimilan la información que contiene. Escuchar al disk jockey de una estación de radio convencional es una experiencia de tiempo real; el sonido de su voz llega a nuestros oídos casi inmediatamente después de que lo pronuncia (en la práctica, muchas estaciones lo ponen con cierto retraso para que los ingenieros puedan suprimir comentarios obscenos de los que llaman a la emisora, pero esto es otra cuestión). La mayor parte de la música que se escucha por la radio no es en tiempo real, ya que los discos y los CD fueron grabados mucho antes de que el sonido que contienen salga a las ondas.

Real-time audio en Internet no lleva el sonido a los oyentes lejanos al mismo tiempo que lo produce un instrumento musical o una voz. Por el contrario, en este caso se considera tiempo real al hecho de que los sonidos codificados en archivos de real-time audio, se reproducen en un ordenador de la Web, casi tan rápidamente como se cargan desde la misma. Con real-time audio, comenzamos a escuchar el sonido muy poco después de empezar a cargar el archivo y mucho antes de que nuestro ordenador recoja los últimos bytes. Antes de la llegada de la tecnología real-time audio, era necesario esperar largo tiempo, quizás una hora o más, para que un archivo de sonido se cargase en el ordenador antes de que la máquina pudiera reproducirlo.

"Colma el humano deseo de obtener satisfacción inmediata", dice Proffit. "Aún existen un montón de sitios a donde podemos llegar y traer algunos trozos de la música de alguien o lo que sea, pero es engorroso y lleva cantidad de tiempo. No sabemos por qué, pero nos sentamos alrededor tamborileando los dedos, esperando que termine, y cuando lo hace sentimos una sensación de malestar. 'Caramba, yo he tenido que esperar 12 minutos para obtener un muestra de 40 segundos'".

La solución más conocida para el real-time audio, un esquema llamado *RealAudio*, procede de Progressive Networks, una compañía establecida en Seattle. Puesta en marcha por Rob Glaser, un vicepresidente de Microsoft que dejó la poderosa empresa de software para establecerse por su cuenta, RealAudio aplica capacidad de sonido real-time a los visores en una de dos maneras.

La primera es utilizar lo que se llama un *helper aplication* o *helper program* (aplicación o programa de ayuda). Las aplicaciones de ayuda hacen exactamente lo que se espera de ellas, ayudar a los visores de la Web, como Microsoft Internet Explorer y Quarterdeck Mosaic a manejar clases especiales de medios. Cuando hacemos clic en un hiperenlace RealAudio en una versión de

Microsoft Explorer configurada convenientemente, por ejemplo, se ejecuta la aplicación de ayuda RealAudio Player y reproduce el archivo RealAudio.

Alternativamente, para los usuarios de Netscape Navigator, RealAudio tiene una versión "plug-in" (de conexión). Un *plug-in*, al igual que una aplicación de ayuda, amplía las capacidades de un visor de la Web. A diferencia de las aplicaciones de ayuda, no obstante, los plug-ins se integran dentro del mismo visor. Los plug-ins modifican el código mismo del visor, dándole nuevas capacidades. Cuando una copia de Netscape Navigator mejorada con el RealAudio plug-in, encuentra Un archivo RealAudio en la Web, es capaz de reproducirlo sin ejecutar ningún otro programa.

La competencia

Los dirigentes de Radio HK no contemplan todavía su servicio de difusión como una empresa con beneficios, y por ello no identifican ningún otro servicio de la Web como "competidor".

Estos hombres ven su tarea como una evangelización de la radio en la Web, pero dicen que piensan que perdurarán otros medios.

"Creo que existirán todos", dice Proffitt. "La gente siempre piensa, bien, es un nuevo medio, arrasará con todos. La radio aún lo está haciendo bien".

La auténtica competencia viene en forma de editores de la Web que no comprenden el nuevo medio, dice Proffitt.

"Me he puesto en contacto con cierto número de grandes y pequeñas compañías", dice. Ha estado en Hajjar/Kauffman solamente seis semanas. "Sin excepción, estaban usando todos el mismo modelo, el impreso, el de película. Han llamado diciendo tener una oportunidad para un director. Hablaban de un modelo de director de película. Alguien que se pone una gorra de baseball y hace lo que haga falta. Otros sitios están utilizando típicamente una aproximación más orientada a lo impreso. Están buscando un editor gerente".

Aproximaciones como estas a la publicación en la Web no pueden funcionar, dice Proffitt. Se trata de un nuevo paradigma y requiere una nueva forma de pensar.

El futuro de Radio HK

Como prueba de concepto, Radio HK no está destinada a constituir el núcleo de los negocios de Hajjar/Kauffman. La empresa aún es una agencia publicitaria, y la mayoría de sus ingresos proceden de los anuncios de sus clientes en los medios tradicionales.

Radio HK aún puede revolucionar la industria de la difusión, y si lo hace, Hajjar/Kauffman está en la cumbre de la acción.

"Para mí, Radio HK y RealAudio, y esa clase de tecnología, representan desde el primer paso que da el bebé hasta el Santo Grial que está sirviendo vídeo", dice Proffitt.

"No obstante, en la actualidad, de lo que hablamos ahora es solamente de calidad de audio de onda corta, no es difícil dar el salto y ver como esta tecnología crecerá y crecerá y crecerá hasta el punto de que estemos sirviendo literalmente vídeo a petición".

Otras revoluciones, que tienen un interés evidente para las agencias de publicidad, vendrán de la mano de las ventas en la red.

"Una de las cosas que yo veo que están revolucionando verdaderamente, y nosotros estamos en su cúspide, es cuando tenemos que ordenar la exhibición de material nuevo, de mostrar nuevos productos, de ser capaces de dirigir a la gente al punto de venta", dice Proffitt. "Les informamos, les persuadimos y luego les llevamos al punto donde pueden hacer clic y pedir el envío".

"Ahora mismo, si estoy vendiendo cosas y quiero hacerlo de manera tradicional, tengo necesidad de contratar con alguien que esté en el servicio 800, que tenga operadores para recibir la llamada y bla, bla, bla. De repente, en la Red, el consumidor en persona introduce los datos. Lo rellenan todo, hacen clic, sabemos que seguramente tiene que haber alguien que pegue la etiqueta, lo ponga en la caja y lo envíe. Esto elimina una fase completa de la comercialización".

Radio HK puede ser el heraldo de la integración del hardware, dice Proffitt.

"Ahora mismo, estamos viviendo en esta clase de medios donde tenemos todas estas cajas de cosas diferentes, de conexiones", dice Proffitt. "Tenemos estéreos y máquinas de fax y ordenadores y teléfonos inalámbricos y todo este material. Cuando pienso que vamos a integrarlo todo dentro de esta gran caja de información".

La *caja de información* podría ser una especie de dispositivo de información de propósito general, capaz de manejar todo, desde los mensajes de respuesta automática hasta los videos caseros, dice Hajjar.

Radio HK basa este dispositivo en que integra una caja en que integra una caja, nuestra radio, con una comunicación entre otro y nuestro ordenador, y también puede aprovechar las ventajas del teléfono.

Lo que sigue

Hajjar/Kauffman descubrieron que trasladar a la Web una vieja idea, como la de la radio, puede acarrear un gran éxito. David Beach, el diseñador de I-Storm, aprendió algo parecido. Descubrió que estudiando los fenómenos del mundo real, como la disposición y el mercado de los parques temáticos, puede mejorar el atractivo y la utilización de sus publicaciones en la Web. Nos encontraremos con Beach, su sitio y su compañía, en el próximo capítulo.

Capítulo 5

I-Storm adopta el interfaz de Disneylandia

Estamos creando este sitio para la gente joven que aún cree en el proceso independiente de la creatividad.

—David Beach, LVL Interactive

David Beach, director de desarrollo de contenido en LVL Interactive, encuentra su inspiración en los lugares más inusuales.

La última le surgió mientras visitaba Disneylandia, durante su luna de miel en el verano de 1.995. Paseando por las tiendas de la calle principal y echando un vistazo por las áreas temáticas del parque, Beach reflexionó sobre lo que estaba viendo, aunque se había propuesto olvidarse del trabajo durante su viaje al sur de California, y captó su profundo significado. Vio más allá de los osos danzantes y los ratones cantores y tuvo una revelación: Disneylandia tiene un impecable interfaz de usuario.

El Reino mágico supone una perfecta fusión entre el efímero material que está en el núcleo del negocio Disney—¿Cómo podemos valorar el significado de El rey león y sus implicaciones culturales para una criatura de seis años?—y la línea de fondo de Disney, decididamente nada efímera. Resulta la forma ideal de cumplir el deseo de diversión de los visitantes y al mismo tiempo reunir dinero para cargar el zepelín.

"Es un perfecto, un hermoso interfaz, porque dondequiera que vayamos, siempre nos conduce en la dirección que ellos quieren", dice Beach. "Nos llevan a la plaza. No hay vuelta de hoja. Disneylandia siempre es perfecta. Nunca vemos cómo funciona. Nunca nos encontramos perdidos. Disneylandia es como algo global. Una vez que nos ponemos en una cola para montar, el paso que damos es tan detallado, y también tan interactivo, que forma parte de la diversión. Algunas veces la cola es mejor que la atracción en sí." En su majestuosa colina redonda de Anaheim, Walt Disney llegó a crear la mezcla perfecta de mercantilismo y creatividad, dice Beach. Disneylandia es un centro de imaginación y diversión—y comercio. Proporciona un mapa familiar para un nuevo campo cibernético, y es un modelo ideal para un sitio de la Web.

Fotografía de *David Beach*

Unas palabras sobre Beach...

Beach (que casualmente es primo segundo del coautor Bryan Pfaffenberger) es un soñador del mayor calibre, como lo son la mayor parte del resto de la gente que se presenta en este libro. No es raro que sus sueños sean mucho más efímeros que los de sus competidores, pero hemos decidido incluirle aquí por su trayectoria—ayudó a diseñar el interfaz de los archivos de Underground Music para Internet, que es el tema del próximo capítulo—y su forma elocuente de describir su aventura actual.

El interfaz de Disneylandia

Consideremos el recinto real de Disney. Abonamos nuestra entrada en la puerta y entramos en el área de la calle principal, que se encuentra profusamente salpicada de tiendas y stands. Nos damos una vuelta, quizás comprando algo en una de las pequeñas tiendas. Seguro que vamos a ver, si es que no nos relacionamos con él, alguno de los personajes de Disney claramente reconocible. Paseando por la calle principal, nos encontraremos rodeados de la cuidadosamente cultivada imagen de Disney, un aura de amistad, diversión y tradición americana.

"La calle principal en Disneylandia es Disney", dice Beach. "Es Central Disney. Si hubo una ciudad donde vivió el ratón Mickey, es ésta. La calle principal es Disney".

Luego nos adentraremos en el parque, donde disfrutaremos de varias cabalgatas y atracciones en los cuatro "territorios" en que se divide Disneylandia: Aventuralandia, Fronteralandia, Mañanalandia y Fantasilandia. Cada una de las tierras contiene un determinado tipo de atracción—Fronteralandia es el lugar donde cabalga Davey Crockett y todo eso, por ejemplo. Recorreremos todos los territorios, volviendo con frecuencia al área de la calle principal que unifica todo el parque.

La calle principal es un lugar potente, en términos de interfaz. Cuando paseamos por la misma, sabemos que estamos en nuestro tiempo de ocio; es probable que seamos niños o llevemos alguno con nosotros y queremos pasarlo bien. Al recoger el encanto de Disney—los puestos de gengibre y el ratón Mickey y todo eso—nos sentimos confortables y como en casa, porque hemos estado absorbiendo la propaganda de Disney desde que éramos muy pequeños. Esto nos prepara para lo que veremos en las cabalgatas y otras atracciones.

La cara mercantil del interfaz de Disney empapa las cabalgatas y el resto de atracciones de los territorios.

Las cabalgatas tienen patrocinadores—compañías que facilitan a Disney el dinero para fabricar la atracción a cambio del derecho a desplegar algunos anuncios, generalmente sutiles, al final de la cabalgata. Beach utiliza el ejemplo de la atracción de la Aventura de Indiana Jones, parcialmente patrocinada por AT&T.

Los visitantes que hacen cola para ver a Indiana Jones dirigen sus pasos a través de un túnel terminado con el aspecto de un pasadizo a través de una pirámide egipcia. Las paredes del túnel están pintadas con jeroglíficos. Cuando dan vuelta las colas, como sucede frecuentemente durante los abarrotados meses del verano, los encargados proporcionan a los clientes de la cola cochecitos pintados con una guía para descifrar los jeroglíficos. La gente que espera puede descodificarlos, entreteniéndose mientras esperan por la atracción principal.

Pero en las tarjetas para descodificar hay más. Las facilita AT&T y están inteligentemente relacionadas con una campaña de mercado de esta empresa. Las cartulinas contienen, en la parte opuesta a donde vienen las claves para los jeroglíficos, "AT&T conoce el código". "Conocer el código" es un lema que recuerda a la gente que debe acceder a la red de larga distancia de AT&T antes de llamar a cobro revertido.

El aspecto económico—el patrocinio de AT&T—está perfectamente integrado en el de diversión en la atracción Indiana Jones. Esto es especialmente impresionante, dice Beach, si consideramos que la imagen de AT&T, de una compañía telefónica establecida y fiable, tiene poco que ver con la aventura al gran estilo de Indiana Jones. El patrocinio de Jeep o Eddie Bauer—empresas que cultivan una imagen ruda, al aire libre—hubiera sido más lógico, dice, pero aún con AT&T los diseñadores del interfaz de Disney consiguieron la integración.

Adaptación a la Web del interfaz de Disneylandia

Para comprender cómo se adapta a la Web el modelo de Disneylandia, tenemos que pensar en lo que hacemos dentro de un parque de atracciones en general, en el más amplio de los términos. En vez de contemplar al pato Donald y dar vueltas alrededor de Mr. Toad's Wild Ride (la monta salvaje de Mr. Toad), pensemos en nuestras actividades en Disneylandia como *asimilación de contenido*—estamos exponiendo nuestros sentidos a varios estímulos y disfrutando de las reacciones de nuestro cuerpo y nuestro cerebro.

Si consideramos la visita a Disneylandia como ir a un lugar especial para exponer nuestra mente a una determinada clase de contenido, el paralelismo con la Web se presenta más claro. En la Web, traemos ciertas páginas para asimilar lo que contienen. Llamamos a *Word* (capítulo 1) para leer artículos, y llamamos a AlphaWorld (capítulo 7) para fabricar estructuras virtuales. En el mundo físico, podríamos volar a Nueva York para una reunión de negocios y a Disneylandia para divertirnos con nuestra familia.

Los aspectos técnicos para acceder al contenido de ambos sitios difieren, pero el concepto es el mismo. Tanto en la vida real como en la Web, nos dirigimos a lugares específicos—física o virtualmente—para experimentar la clase particular de contenido que sabemos que vamos a encontrar en cada uno. Asociamos determinada clase de estimulación sensorial con lugares específicos.

Beach imagina que un sitio de la Web podría hacerlo bien, colocándose como _el sitio_ donde encontrar un contenido de diversión, la Disneylandia de la Web. Tendríamos que ir a este sitio para absorber el aura que hubiera sido puesta en el mismo mediante un cuidadoso diseño y estudio de mercado, como vamos a la calle principal de Disney. Después, llenarlo de contenido hiperenlazado al sitio principal. Podría funcionar más bien como Yahoo, en el sentido que se tendría que saltar de un lugar principal a alguno de otros sitios "subsidiarios", aunque en el caso del sitio ideado por Beach los sitios subsidiarios tendrían que estar completamente integrados con el centro.

"Pensaba en ello como en la construcción de un sitio de la Web, el núcleo del mensaje y la voz editorial es la Calle principal. Tendría que tener una calle principal, y lo que debiera ser la voz del sitio—el editorial, la voz suprema. Tendría que tener atracciones, pero lo que hace es soportar todo el espacio. Y la voz proporciona un modelo para los productores de contenido independientes".

Beach sueña con un espacio en la Web que imite la distribución de Disney y, junto con su equipo, está trabajando para convertirlo en una realidad. Se puede echar un vistazo a su progreso en la dirección http:/www.istorm.com. En las figuras 5.1 y 5.2 se muestran algunos de los primeros bocetos del sitio de Beach.

El sitio LVLi, llamado I-Storm, será comercializado como _el_ centro de contenido de esparcimiento de la Web. Tendrá algún contenido propio, parecido a como tiene la calle principal de Disney en forma de Mickeys pululantes y las tiendas dispuestas a lo largo de la calle. El centro de I-Storm ofrecerá producciones multimedia semejantes a las de los periódicos o los programas de televisión de noticias blandas. La primera de estas producciones presentará un hombre que es una especie de Frankenstein de nuestros días. Trabaja para reanimar esqueletos humanos con tecnología de robot.

Aparte del área central de I-Storm, en las colecciones de páginas de la Web que imitan los "territorios" de Disneylandia, realmente se acaba el concepto de Beach. Ramificándose del sitio principal habrá conjuntos de páginas con un contenido específico. Encontraremos uno de música, por ejemplo, y otro de juegos. Todas estas colecciones de páginas vendrán representadas por el icono de un satélite en la página de presentación. En la figura 5.3 podemos ver un boceto de este icono.

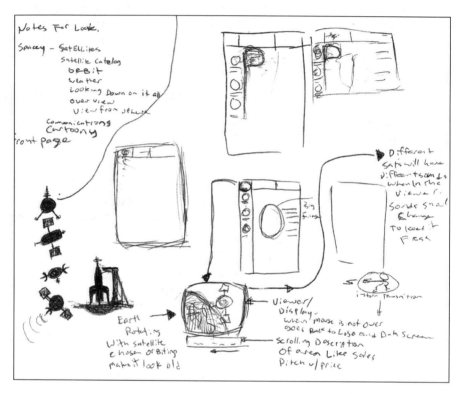

Figura 5.1. Uno de los primeros bocetos de Beach, de I-Storm. Obsérvese cómo se relacionan las páginas periféricas (como la de la derecha) con la página de presentación (en el centro). Fijarse también en las anotaciones de Beach, en la esquina superior izquierda, sobre los temas a incorporar al sitio.

Contenido independiente

Ni Beach ni LVLi desean rellenar el sitio de contenido. Van a dejar ese trabajo para los creadores de contenido independientes con ideas originales y talento fresco.

LVLi estará abierto, como consultor, a los creadores de contenido, pero no quiere ejercitar un control editorial sobre lo que va a las páginas que conectaron a la principal "rampa de lanzamiento" de I-Storm.

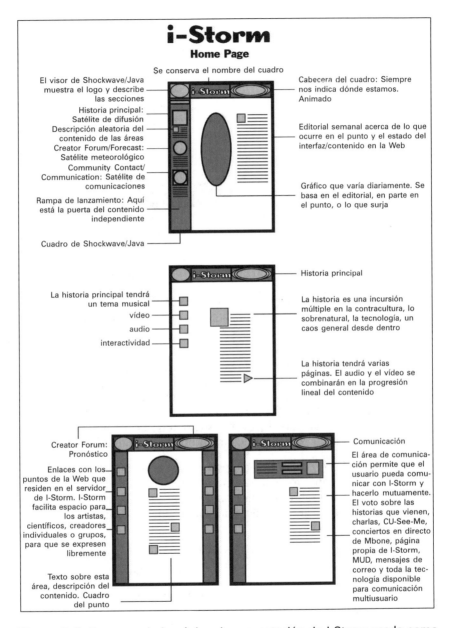

Figura 5.2. Esquema de la página de presentación de I-Storm usada como plan de trabajo por Beach y su equipo. Observar los "satélites" dispuestos en el lado izquierdo de cada página. Estos iconos enlazan la página de presentación con el contenido de LVLi, mientras el paso de lanzamiento (etiquetado Launching Path en la esquina inferior izquierda de la página de arriba) enlaza con el contenido independiente.

Figura 5.3. Boceto del icono de un satélite. Los iconos como éste enlazarán la página de presentación de I-Storm con las colecciones de contenido.

¿De dónde proceden los creadores de contenido? De todas partes, dice Beach. La Web está cargada de talento creativo que solamente necesita de un reconocimiento, algún dinero, y algún soporte técnico para irrumpir en el embriagador mundo del éxito de la publicación en la misma. Recogiendo e incubando este talento, I-Storm, en cálculos de Beach, podría fomentar la creatividad en la Web y cosechar un beneficio redondo.

El patrocinio de AT&T en el espectáculo de Indiana Jones en Disneylandia, podría servir como modelo de empresa de diseño de la Web, sustituyendo la tendencia actual entre las páginas de empresas que ponen un logo y la foto del presidente de las mismas, y algún producto fotográfico, básicamente un folleto comercial.

Beach utiliza el tema de la casa hawaiiana con techo de paja, una cabaña patrocinada por Dole Food, para ilustrar su modelo de patrocinio.

"Cuando vamos a la cabaña de Dole, no vamos a su cuartel general", dice Beach. "Vamos a un lugar que realmente representa el sello de Dole. Bien pensé, Dios, que así es cómo se debe hacer contenido para los clientes de la empresa. Si una compañía desea verdaderamente crear un punto en la Web, lo último que deseamos ver es el aspecto del edificio y cómo fabrican el zumo de piña. Queremos algo distinto. Si estamos realmente interesados, accederemos a la información. Así que en Dole, lo que hicieron fue presentar un contenido que encerraba el marchamo de Dole.

"En este momento existe un problema con el contenido en la Web", dice Beach. "Lo que está sucediendo es que el contenido comercial la está tomando. Está inundando completamente la Web. La gente está llegando a un punto en que no sabe distinguir la diferencia entre un contenido comercial y uno independiente".

La solución está en animar el crecimiento de pequeños creadores de contenido dotándolos de patrocinadores.

"En efecto, podríamos convertirnos en productor/distribuidor", dice Beach. "Una vez hecho este sitio, está funcionando, está creciendo, está viviendo gracias a ellos. La gente que yo espero, tendrá una idea de su propio contenido para crear su propio sitio. Estaremos para ayudarles a producirlo y mantenerlo, y les cederemos espacio si lo necesitan, y les proporcionaremos patrocinadores".

Los patrocinadores podría buscarlos en primera instancia a través del departamento de ventas de comunicaciones de LVL, dice Beach. Lo que suscita la cuestión de si una compañía bastante grande como es LVLi, filial de LVL Communications, la segunda mayor empresa de publicidad en Silicon Valley, puede verse envuelta en tareas de pequeño contenido sin torcer su personalidad fuera de ellas. Según Beach, se puede hacer, y verdaderamente se tiene que hacer.

"Corporate America se tiene que involucrar", dice Beach. "Tienen que soportarlo, porque no puede sobrevivir. Cuesta demasiado mantener un sitio en la Web".

Pone como ejemplo de creador de pequeño contenido el Archivo de música underground de Internet, que según dice podría desarrollarse como parte del sitio I-Storm.

"Sitios como IUMA tienen que ser capaces de utilizar sus recursos para mantenerlos vivos, en lugar de hacer el tedioso trabajo, día a día, de tratar de vender espacio para anuncios", dice Beach. "Se trata de un continuo círculo vicioso en el que están metidos".

Un punto como I-Storm podría liberar a los creadores de contenido como IUMA del hastío de tener que conseguir dinero y les permitiría centrarse en la creación de más contenido, dejando los aspectos financieros para la administración de I-Storm.

Este concepto no es nuevo, puntualiza Beach. Algunas compañías bastante grandes se han visto envueltas en asuntos de creatividad desde los albores del cine y el teatro.

Según Beach, él ve I-Storm como la lógica extensión de aquellas antiguas tradiciones.

Aumentar la creatividad

I-Storm no está solamente para ganar dinero, dice Beach. El ve una oportunidad de estimular el proceso creativo en los visitantes del sitio y animar a la gente a utilizar su imaginación de una forma que no hacen los puntos estáticos de la Web, herederos de un entendimiento tradicional de los medios de comunicación.

"Tenemos la esperanza de que la gente entenderá que todo es posible y que su inspiración creará sus propias cosas y disparará la chispa de su imaginación", dice Beach. "Es lo que ocurre cuando entramos en Disneylandia. Por desgracia, según vamos creciendo nuestra imaginación resulta pisoteada por nuestros maestros, nuestros padres u otra gente. Cuando vamos a un lugar como Disneylandia, todo el mundo se siente elevado. Yo quiero crear un sitio como aquel en la red".

NOTA

Medios cálidos y tibios

Marshall McLuhan, autor de *El medio es el mensaje*, vería la conexión entre Disneylandia y el proyecto de sitio de Beach. El llamaría, tanto a la Web como al parque de atracciones, *medios tibios*, los medios que tienen que ver con más de un sentido. El teléfono es un medio cálido; la televisión es un medio tibio.

Los parques como Disneylandia son medio tibios, aún más tibios que la Web, porque involucran muchos sentidos al mismo tiempo. Se puede estar escuchando una banda que toca, mientras se experimenta la desorientación visceral inducida por una montaña rusa, o se contempla al ratón Mickey mientras se saborea un helado de menta. La Web se está haciendo cada vez más fría, debido a la aparición del vídeo en tiempo real y cosas así, pero por ahora, no puede competir con un parque físico, en términos de estimulación sensorial.

Beach

Quizás inopinadamente, Beach ha dedicado su vida a la manipulación de varios medios. Estuvo en la escuela de cine, pero se retiró de la fiera competencia de esa industria para ir al igualmente competitivo negocio de la música. Comenzó Quagmire Records en 1.991 con un grupo de amigos, pidiendo prestados 50.000 dólares, y distribuyó cuatro álbumes de música alternativa. También colaboró con revistas de poca difusión, publicaciones de aficionados que imprimía de noche cuando salía de trabajar en una cafetería.

"Siempre quise ser músico", dice Beach. "Lo pensé. Mi hermano es músico y yo nunca tuve paciencia para serlo. Mi vida es un cambio de canal. Clic,

clic, clic. Sobre la marcha. Estuve interesado en ello, pero nunca tuve paciencia".

Beach responde al teléfono de LVLi con su apellido solamente, un lacónico saludo que desmiente su amistoso trato y su tendencia a explayarse con sus asuntos favoritos. Se trata de un hombre corpulento de pelo canoso, con una perilla roja, sin bigote. Lleva una finas gafas negras, y tiene tendencia a recostarse en su silla mientras habla.

En 1.993, la industria musical liquidó Quagmire de mala manera, y la compañía fue abandonada sin un medio de distribución de los albums a los almacenes. Beach comenzó a anunciarlos en los grupos de discusión de Usenet y a través de correo electrónico y obtuvo algunas respuestas. Eventualmente, se enganchó al Archivo de música underground de Internet, uno de los primitivos usuarios de mapas familiares para los nuevos campos cibernéticos, y ayudó en el diseño de aquel sitio. Produjo sitios para los Beastie Boys y Metallica, integrándose en LVL a últimos de 1.995.

LVL Communications, dice, le da libertad de creación, pero con el respaldo de un compañía de un tamaño decente. Además, la compañía entiende la Web, dice Beach.

Steve Venuti, que contribuyó a fundar LVL Communications en su garaje, "Creía que…..la comunidad era muy importante para hacer sitios de la Web", dice Beach. "Y es lo que era Internet para empezar, compartir y dar información en ambos sentidos. Era una gran cosa. Ahí estaba el porqué la gente se sentía atraída para empezar. LVL aún cree en ello".

I-Storm descubre la vida real

Las ideas de Beach no se detienen en la Web. Desea hacer el medio tibio aún más tibio, rompiendo con las barreras establecidas y dotándolo de tres dimensiones y tiempo real. Desea incorporar I-Storm a la vida real.

Imaginemos una exposición de automóviles, pero que en lugar de coches haya material de Internet de todas clases, desde terminales de estaciones de trabajo Indy de Silicon Graphics hasta ordenadores personales. Mezclemos esta imagen con la de una cafetería, con la gente sentada en grupos de dos o tres por cada mesa redonda, quizás leyendo o escuchando un conjunto que toca en un estrado. Por encima de todas estas imágenes, superpongamos el concepto de una clase, un lugar donde acude la gente para adquirir nuevos conocimientos y relacionarse con expertos en cualquier campo.

Si Beach encuentra el camino, pronto podremos pasear por un entorno híbrido como aquel. Beach está trabajando para establecer una encarnación física de I-Storm, un lugar físico donde pueda ir la gente para aprender y usar Internet y Web y disfrutar de las representaciones en vivo del contenido que se encuentre en la versión de I-Storm de la red.

"Es un lugar de encuentro para la hipergeneración", dice Beach. "Resulta divertido compararlo con la revolución Beatnik de los años 40 y 50 en San Francisco. La cafetería. Algún individuo que no abrió una cafetería, dice, voy a abrir este sitio y van a acudir los poetas y grandes escritores para hacer sus cosas". Ellos abrieron una cafetería y resultó un gran lugar para que esta gente viniera, se conociera, se reuniera e intercambiara ideas. No era obligado. Y después dijeron 'construyamos una planta'. Nosotros estamos tratando de hacer lo mismo. Pretendemos crear un lugar que invite, que esté abierto y permita a la gente conocerse, reunirse, compartir ideas y hacer lo que les apetezca. Esto lo va a crear la gente. Además, con el sitio de la Web, es más global, pero debe ser lo suficientemente atractivo para que ven-ga la gente y no solo experimente, sino que se sientan inspirados para crear algo que....confiamos en que funcionará. Contamos con ello".

En I-Storm podemos examinar y probar hardware y software de la Web, tanto como podríamos hacerlo si vamos a un vendedor de coches a probar el que estamos pensando comprar. Pero I-Storm, en la visión de Beach, podría ser además un centro social. Podríamos ir a tomar un café y un sandwich, o a ver el concierto de una banda. El lugar "podría realmente reservar este espacio para las mentes en esta área, que quizá necesitan un sitio donde estar", dice Beach.

La administración de I-Storm—la localización de I-Storm operaría como compañía asociada a LVL Communications—podría ofrecer clases y seminarios. Las compañías de software y hardware podrían usarla como centro de 'beta testing' (prueba preliminar a la entrega de productos) y desarrollo de mercado. La empresa ya ha hecho planes para construir un edificio de servicios de 5.000 pies cuadrados de superficie en la esquina de las calles University y Cowper en el centro de Palo Alto, California. El edificio, de tres plantas, también albergará a LVL Communications y LVL interactive.

Eventualmente, podría haber una cadena de cafés/exposición de I-Storm. Boston sería un buen lugar para establecer uno, dice Beach, como también lo sería Austin. Se manosea la barba con expresión ausente buscando más ciudades que le suenen.

En la forma que lo ve Beach, existen cuatro grupos demográficos a los que podría atraer la apariencia física de I-Storm:

- **Adictos impenitentes a la red.** "Estarán allí porque hay buen café y de todo", dice Beach. Por eso, y porque pueden usar montones de herramientas avanzadas y una conexión T3 super rápida con la Web. Este grupo podría propagar noticias sobre I-Storm por toda la comunidad de la Web, dice.

- ☐ **Usuarios esporádicos de la Web.** A esta gente le gusta navegar por la red, pero no sienten un especial afecto por la tecnología en sí. Podrían tener un rango de actividades, desde navegantes pasivos hasta participantes en un equipo de desarrollo de mercado.

- ☐ **Los curiosos o "aspirantes"**, para usar la palabra que usa Beach. "Son los niños o adultos o quienes sean, que quieren participar, o sienten que quieren participar en ello. Pueden ver (los usuarios más expertos)", dice Beach. También habrá seminarios de presentación y una biblioteca de libros para estas personas.

- ☐ **Cibermodelos.** Estas personas han leído algo sobre la Web en la revista *Spin* o en cualquier otra parte, y quieren participar en esta cultura que los medios populares han bautizado como "hip" (que está al día). Esta gente beberá gran cantidad de café.

Trasvase entre medios

Una de las cosas más importantes, es que las instalaciones de I-Storm serán un centro para el trasvase de información de un medio a otro, y viceversa. Las bandas que han codificado música en un lugar afiliado a I-Storm, música que originalmente fue tocada en la vida real, pueden dar recitales en la planta de I-Storm. Los artistas visuales pueden mostrar entre las paredes del lugar el trabajo que han exhibido en la red. Otros artistas pueden entregar versiones tridimensionales de su trabajo, que no podrán visualizar en la red. Los grupos de charlas podrían contener reuniones y conferencias de la vida real.

"Es traer esta clase de expresión digital a este lugar, darles una forma física para que ellos hagan lo que les apetezca", dice Beach. Cuenta que imagina eventos como IUMA Band Night, donde las bandas de IUMA serían conjuntos en I-Storm, y exposiciones de arte conservadas en IAMFREE, un centro de arte visual de la Web.

La competencia

Parece que cada ciudad de Estados Unidos tiene un Cyber Café. Generalmente, son bares dispersos de yupis que han instalado un PC equipado con un módem y ejecutando Netscape en lugar de un viejo tocadiscos u otra cosa.

Otros han instalado dos o tres terminales, con una disposición que nos permite transmitir electrónicamente, sin la molestia actual de levantarnos y pedirlo en alta voz.

I-Storm, como lo concibe Beach, no podría competir con estos estableci-mientos. Las empresas LVL fueron diseñadas alrededor del mundo de la red, más que constituirse como una idea tardía en la esperanza de capitalizar la promoción de Internet. Así, la versión física de I-Storm tendría que tener, en teoría, una arrolladora presencia para apoyarse en la red.

¿No es un sitio como Yahoo (capítulo 2) reflejo de las ideas de Beach acerca de un sitio central, apreciado con muchos sitios, creado para grupos de producción de contenido independiente? Realmente no, dice Beach. El punto LVLi sería cientos de veces más selectivo que uno como Yahoo, y los sitios enlazados a I-Storm serán claramente identificados como parte de la comunidad de I-Storm. Prácticamente, todos los sitios de I-Storm proporcio-narán contenido de esparcimiento de una u otra clase. Además, los que estén enlazados con I-Storm incluirán botones en sus páginas para guiar a los na-vegantes de la Web para volver a este punto, de igual forma que los caminos de Disneylandia llevan a los visitantes entre sus distintas áreas y el centro de la calle principal.

¿Se puede modelar en la Web un sitio como Disneylandia? No está del todo claro, pero es evidente que cualquier maestro de prospectiva de edición en la Web puede aprender un montón de las ideas de Beach.

Lo que sigue

David Beach comenzó su carrera en la Web en el Archivo de música under-ground de Internet, el sitio de música digitalizada que representa el tema del capítulo próximo. Al mismo tiempo que Beach cree que I-Storm va a fun-cionar, IUMA proporciona un lugar bien conocido por los artistas para de-positar sus trabajos y atraer la atención sobre ellos mismos.

6

Capítulo

IUMA balancea la nave

Allí se encuentra totalmente la economía.

—Rob Lord, cofundador de IUMA

El archivo de música underground de Internet (Internet Underground Music Archive, IUMA) comenzó con un par de excéntricos expertos en ordenadores y una banda llamada Ugly Mugs. Ahora representa un prototipo de la revolución en la industria musical. IUMA facilita a los pequeños conjuntos la publicación de su música, aunque no hayan grabado nunca. Gracias a IUMA, los grupos marginales, cuya música no atrae a la mayor parte de la audiencia, pueden conseguir una distribución masiva.

IUMA (http://www.iuma.com/) utiliza la Web para promover una expresión musical libre de una forma que antes no era posible.

Asentada en un molino acondicionado de Santa Cruz, California, IUMA tiene 10 personas empleadas y obtiene un cuarto de millón de accesos cada día. Archiva alrededor de 12 gigabytes de música digitalizada, y casi la mitad de esta cantidad es extraída diariamente de su archivo.

El cofundador de la empresa Rob Lord—que dejó la compañía en febrero de 1.996—explica la atracción del esquema de publicación de IUMA en términos de lo ilógico del sistema tradicional. "Ahora, el paradigma es grabar, posiblemente, decenas de miles de estos pequeños discos de plástico", dice. "Introducir en decenas de miles, cientos de miles, aún no estoy seguro cuántas tiendas....y si no los venden, los devuelven. ¿Qué vamos a hacer con ellos? Tenemos que romperlos, pulverizarlos y enterrarlos. Es una proposición excesivamente cara".

El voluminoso sistema músico-editor-tienda-consumidor ha ahogado la creatividad musical con la presión económica, dice, permitiendo solamente a las superestrellas hacer las grabaciones. "Creo que una de las razones por las que actualmente no tenemos una clase media de músicos es debido a lo caro de aquel....paradigma", dice Lord.

Según Lord, la industria musical tradicional está llevada por una locomotora descarrilada. "La industria de la música es estructuralmente incapaz de acoplarse con la clase de música que se avecina. Pongamos que entramos en la música de baile. Existen 50 variedades", dice. "Es música de boutique, sonido de boutique. Y estas cosas ya avanzan así de rápido, con la industria musical tradicional como está. Por aquí es donde está viniendo la ruptura".

"En la red, tenemos un maestro. El Acceso universal. Ya está hecho. Realmente, es algo fenomenal".

Al cortar varios eslabones de la cadena de publicación, reduciéndola a los músicos, un servicio no selectivo como IUMA, y el consumidor, ha establecido un prototipo factible para la publicación de la música por vía electrónica. IUMA se ha decidido por un esquema de publicación que desafía los modelos tradicionales del negocio. Y para más señas, está funcionando escandalosamente bien.

Geeks & Sawmills (excéntricos y aserraderos)

Lord, de 25 años de edad, es un ex estudiante de la universidad de California en Santa Cruz. Dado a describir historias pasadas, nervioso y típicamente vestido con camiseta, pantalón corto, camisa de franela desabrochada y barba de tres o cuatro días, habla con entusiasmo de su trabajo en IUMA. Le gusta inventar palabras para describir los nuevo fenómenos. Una de sus favoritas es el verbo "to geek" (ser excéntrico), que utiliza para describir tanto las actividades de los escritores a sueldo—que se esfuerzan en comprender la tecnología para explotarla a tope—y el acto de empaparse de la cultura que rodea las nuevas tecnologías y las empresas progresistas.

No existe mejor lugar para atribuirle el segundo significado de excéntrico que Santa Cruz. Anclado en un refinado ambiente de estudio que se centra en la universidad y en la cultura de silicona del área de la bahía de San Francisco, en un momento dado Santa Cruz puede presumir por lo menos de una docena de casas "geek". Estas casas combinan la estética paternal con la política de orgullo excéntrico y tienen nombres como Ant Farm (Granja de la hormiga), Armory (Arsenal), Schrödinger's Research Module (Módulo de investigación Schrödinger) y Spotted Dog Ranch (Rancho plagado de perros).

Fotografía de *Rob Lord*

La mayoría de las casas "geek" tienen servidores de la Web y conexiones permanentes con Internet, en forma de líneas ISDN o enlaces de 28.8 kbps dedicados. Echar un vistazo a http://www.geek.org/geekhouse.html para toda la información que deseemos sobre la cultura "geek" en Santa Cruz.

Seguro que sabemos que la densidad de la cultura de estudio popular se ha disparado cuando conocemos el catálogo del curso de ordenadores de la

Universidad de California en Santa Cruz colgado de la cisterna del baño de la compañía IUMA.

La encarnación física de IUMA está entre los estudios de los artistas y pequeñas tiendas de un remodelado molino, un edificio donde en una ocasión hubo hombres trabajando para convertir la madera del Norte de California en los componentes estructurales de una urbanización caótica. IUMA ocupa una parte de la planta superior del molino, una habitación larga y estrecha rodeada de cientos de pequeñas vidrieras. Aunque el servidor de IUMA se encuentra actualmente "en lo alto de la colina", en las oficinas de InterNex, un distribuidor de servicio de Internet de San José, el mantenimiento del sitio de IUMA se lleva aquí.

Al final de la habitación, enfrente de la puerta, hay una gran mesa que sostiene tres Silicon Graphics Indys, un potente Mac, y un armario de equipo de audio. Sobre esta mesa, las cintas analógicas, a menudo polvorientas, enviadas por los conjuntos impacientes por publicar en IUMA, esperan ser digitalizadas y preparadas para editarse. Tres sufridos estudiantes, vestidos con pantalón corto y camisa de franela, se sientan frente a los ordenadores a lo largo de la mesa.

La prensa

IUMA ha recibido más atención de la prensa popular que el resto de los contados sitios de la Web que la obtuvieron, y fue uno de los primeros recursos de Internet que consiguió atraer la atención fuera de la comunidad de la red. Publicaciones tan diversas como Rolling Stone, Newsweek, y el Times londinense se han ocupado de IUMA.

Todo lo empezó CNN. Después de recoger la historia de IUMA del San José Mercury News, que a su vez la había recogido del Santa Cruz Sentinel, donde apareció la primera historia de la empresa en Noviembre de 1.993, los reporteros del noticiario de Atlanta cayeron sobre Lord y Patterson. Ambos hombres, aún estudiantes trabajando en IUMA durante su tiempo libre, tuvieron que celebrar su entrevista con el reportero de CNN en medio de la semana del examen final. Entonces Lord tuvo que ir a casa de Patterson después de un examen, hacer la entrevista, y volver a clase para celebrar otro examen. "Desde entonces nos hicimos internacionales", dice Lord. "Todas las televisiones de Europa, y las de USA, y otras revistas y periódicos dieron con nosotros".

Lo que realmente consagró a Lord fue una historia en Internet de Popular Mechanics, una historia que protagonizó prominentemente IUMA, teniendo en cuenta que Popular Mechanics es la revista que explica a las personas de 60 años cómo funcionan los motores diesel y las correas de ventilador. Publicaron una historia sobre Internet, y sobre un archivo que contenía canciones de Rubber Nipple Salesmen y los Barking Spiders.

"En un mundo donde Popular Mechanics tiene portadas de historias en Internet, como Estoy alienado", dice Lord. "Soy viejo, Soy anciano. Todo eso no tiene sentido para mí."

El sitio

Además de uno de los árbitros de la sensibilidad en los gráficos de la Web, IUMA también es uno de los más sensibles al acceso de la gente con niveles de conexión lentos, como se puede ver al acceder al sitio (http://iuma.com/). Podemos elegir entre las versiones de banda ancha (gráficos completos, representados por la televisión en color) o estrecha (Gráficos reducidos, representados por la TV en blanco y negro), como muestra la figura 6.1.

Figura 6.1. Elección de nivel de ancho de banda (http://www.iuma.com/). Este tipo de consideración para los usuarios de la Web equipados con niveles bajos de ancho de banda, contribuye a hacer a IUMA más grande.

También se puede explorar un interfaz tridimensional para IUMA en http://www.iuma.com/IUMA-2.0/vrml/new-room.wrl, un cuarto de estar virtual como el que muestra la figura 6.2. Hacer clic en el estéreo, los pósters, o la cabina de grabación de la habitación y veremos las páginas normales de IUMA. Este interfaz es principalmente una novedad, pero es divertido jugar con él. La habitación está codificada en VRML, que ya hemos visto en el capítulo 3.

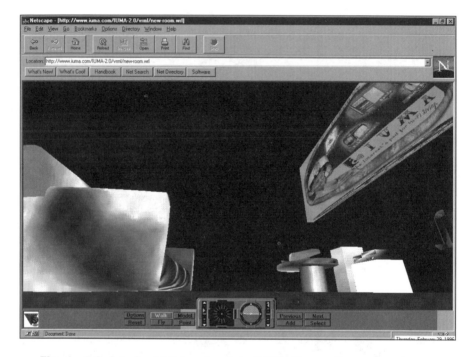

Figura 6.2. Interfaz tridimensional de IUMA. Hacer clic en el estéreo o en la cabina de grabación para explorar las tradicionales páginas de música de IUMA.

Mirando alrededor, encontraremos un ambiente de los años 50. IUMA, a su vez, es el "paso" para Hi-Fi en vivo, tostadores aerodinámicos, refrigeradores con pestillo, y otros iconos (con intención humorística) de artículos de consumo de la posguerra. Desde la página de presentación, véase figura 6.3, los visitantes se sentirán transportados a un patio de ventas de Cleaver's house.

Nota para los autores de la Web: Lo que hace al interfaz de IUMA más tibio no es solamente el aspecto profesional de sus gráficos, sino lo que es más, su *consistencia*. Cada página tiene el mismo ambiente de los años 50. La consistencia es conceptual, así como los gráficos; cuando se accede a la sección conjuntos, representada por el icono de una lavadora, los botones que encontraremos en el fondo de cada pantalla se parecerán a los de una lavadora.

Figura 6.3. "Plataforma de Hi-Fi en vivo" (http://www.iuma.com/IUMA-2.0/home.html). Observemos cómo las instalaciones de los años 50 le prestan un ambiente retro al sitio.

El ambiente retro rinde culto a la casa donde se crió David Beach, quien, junto con el estudiante de diseño de UC-Santa Cruz Brandee Selck, idearon su aspecto. Beach y Selck usaron los aparatos de la casa familiar de Beach como elementos gráficos, y el tema de los 50 también se traslada a la portada del álbum *Crunchy Smacks*, el primer CD lanzado por IUMA. Beach dejó IUMA por LVL Interactive (objeto del capítulo 5); Selck ejerció como oficial ejecutivo jefe durante un tiempo y luego dejó la empresa para unirse a Beach en LVLi.

Si necesitamos ayuda para saber cómo configurar nuestro sistema para acceder a la riqueza musical de IUMA, el botón Help ofrece acceso directo a las opciones disponibles, incluyendo los últimos reproductores estéreo MPEG con calidad CD. Una vez instalados y configurados adecuadamente, nuestro buscador de Web se arranca automáticamente y comienza a reproducir la música que hemos traído.

Suponiendo que nuestro buscador está adecuadamente configurado, desearemos escuchar alguna música. Podemos acceder a los tesoros musicales de IUMA mediante el botón Record Labels, que organiza algunas de las pistas por compañías grabadoras (incluyendo Off-Line Records, su propia marca). Pero si queremos acceder al ejemplo total de registro en la red—más que 825.2, como dicen ellos—hacer clic en el botón Bands, que nos permite buscar los conjuntos por su ubicación, reciente llegada y fantásticos extras, donde encontraremos las características de los conjuntos de IUMA (ver figura 6.4). Sin embargo, es probable que queramos seleccionar los conjuntos por su género, como A Capella, College/Indie/Lo-Fi, Funk, Heavy Metal, Surf (¡realmente!), Weird y el intrigante None-Other. Alternativamente, podemos teclear el nombre de algún artista. El botón Advanced nos trae una lista de los conjuntos que hicieron famosa a IUMA. Y si nos sentimos aventureros, podemos hacer clic en el botón Random Band (Conjunto al azar).

Una vez que hemos accedido a un conjunto, encontraremos una página de información y algunas opciones de sonido (ver figura 6.5). Para sacar una impresión sobre el sonido del grupo sin pasarnos todo el día trayendo música, es posible acceder a un extracto de sonido AU relativamente compacto (si se trata de Lo-Fi) o a alguno menos compacto (pero que suena mejor) mono MPEG.

Para escuchar toda la melodía, tendremos que estar conectados bastante rato; un estéreo MPEG de 3,3 minutos ocupa 5,5 MB de espacio en el disco duro. ¡Vaya!, pero es gratis, y el sonido es bastante bueno, asumiendo que estemos equipados con buenos altavoces. Además, podemos hacer otra cosa mientras se está cargando la música.

Algunos conjuntos tienen un extracto de canciones en formato RealAudio, que nos evitan esperar a que se cargue un gran archivo. Sin embargo, la opción RealAudio generalmente es de baja calidad.

Figura 6.4. Página de conjuntos de IUMA (http://www.iuma.com/IUMA-2.0/
olas/). Hacer clic en la sala de estar de los 50 para explorar los artistas.

Un pequeño paseo por IUMA revela cómo hacen dinero los expertos de
la Web, y no precisamente mediante los 240$ recaudados entre los conjun-
tos. IUMA ha estado buscando patrocinadores activamente, de modo que
encontraremos algunos anuncios. Y lo que es más, encontraremos una página comercial que contiene (en el momento que escribimos esto) solamente
una camiseta de IUMA, que no se puede pedir por la red (pero que está en
marcha).

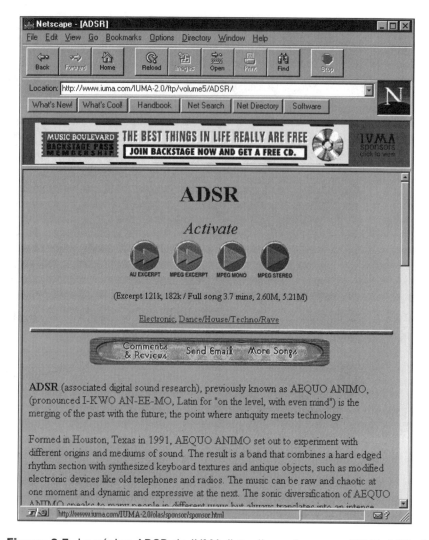

Figura 6.5. La página ADSR de IUMA (http://www.iuma.com/IUMA-2.0/ftp/ volume5/ADSR/). Esta página describe el conjunto y nos proporciona varias opciones para traer su música.

IUMA enseña cómo está hecha la edición multimedia en la Web. El aspecto consistente del sitio, la metáfora del "estilo años 50" que se encuentra expertamente tejida en cada página, la de multimedia, los diversos métodos de búsqueda y exploración y el nivel de consideraciones hacia los usuarios con equipos de bajo nivel, todos estos elementos, trabajan juntos para definir lo que significa la vanguardia de la Web.

El descubrimiento de un medio

Como ocurre con muchas empresas, IUMA nació casi por accidente. Lord y el cofundador Jeff Patterson estudiaban informática en la Universidad de California, en Santa Cruz. Patterson tocaba la guitarra por la noche en un grupo llamado los Ugly Mugs (los Caras feas). Entonces, un día, coincidieron ambos a través de una tecnología de compresión de audio MPEG mientras navegaban por la pre-Web de Internet.

Con esta forma característica de describir el pasado en clave de presente, dice Lord, "lo hicimos, lo compilamos, comprimimos una de las melodías y comenzamos a funcionar con ella. Le sacamos todo lo que pudimos".

Colocaron una de las melodías de los Mug, un himno llamado *Arbeit Macht Frei*, que Patterson describe como "carnaval-punk-caprichoso", en un directorio público de un ordenador de UC-Santa Cruz y pegaron mensajes diciendo que estaba allí para algunos grupos de discusión de Usenet.

"En el término de una semana, ya teníamos una docena de respuestas", dice Lord, "una desde tan lejos como Hungría, donde decían, 'Oye, esto suena de maravilla. ¿Sois excéntricos que estáis siempre por aquí? Lord y Patterson explicaron a sus admiradores húngaros que los exámenes excluían por el momento a los visitantes europeos.

Pero se había plantado la semilla de la inspiración. Internet se ha convertido en un medio viable de divulgación de texto, software y gráficos, ellos lo vieron, y Lord y Patterson se dieron cuenta de que una información algo más complicada, como el sonido, sería lo siguiente. Comenzaron a crear el Archivo de música underground de Internet.

"Underground, no refiriéndose necesariamente al tipo de música, sino a los medios, la promoción, la distribución, la edición que sería posible", dice Lord. "En este momento, no teníamos idea de lo que podría suceder".

Ambos, junto con su común amigo Jon Luini, se pusieron en contacto con los operadores de SunSite, un servidor de la Universidad de Carolina del Norte en Chaped Hill patrocinado por Sun Microsystems, y pidieron un espacio.

Los administradores de SunSite estuvieron de acuerdo en que un archivo de música sería fantástico.

Al principio, fue un archivo File Transfer Protocol (FTP) modelado tras OTIS, una galería de arte visual de Internet. La gente podía entra con FTP en los archivos, ver los directorios y recoger lo que quisieran. Todo era muy sencillo, con un interfaz de texto y solamente una docena, más o menos, de conjuntos. Era suficiente.

"Teníamos este mensaje, la música en la red", dice Lord. La comunidad de conjuntos de garaje recogieron el mensaje y comenzaron a fluir peticiones de publicación por los buzones de IUMA.

Al principio, la compañía publicaba toda la música que recibía; pero en Abril de 1.994, los tres decidieron que lo que tenían era un negocio. Adquirieron su propio servidor, y IUMA se decidió a cobrar una cuota por la publicación. Ahora, los músicos pueden publicar en IUMA por 240$, lo que cuesta aproximadamente una corta cinta de demostración de baja calidad que los ejecutivos de estudio probablemente tirarían. IUMA no rechaza ninguna música; si pagamos la cuota, la compañía publica nuestra grabación para todo el que quiera escucharla.

Pero, qué pasa con las cosas obscenas, como la música tradicionalmente independiente ("indie"), cargada de material que funde una barra de hielo, por ejemplo las canciones del cantante kiddie-folk Raffi. IUMA no edita este material artístico, dice Patterson.

Para protegerse legalmente, la compañía obliga a los artistas a firmar un documento en donde dice que la música representa su trabajo, no el de IUMA.

"Nuestros abogados dicen que en tanto no estamos editando, no estamos publicando", dice Patterson.

Actualmente, IUMA ocupa una posición dominante en la parcela musical de la Web, y la compañía intenta explotarlo en su provecho, lo que evidencia el hecho de que haya rechazado las ofertas de compra y asociación de varias casas de grabación y compañías de ordenadores, dice Lord.

¿Qué es lo que motiva a IUMA para volar de cara al establecimiento de la grabación? "Creo que toma partido por la visión", dice Lord. "Si, eso es realmente. Es una compañía con visión, que lo que está haciendo es ir a su aire".

La Web musical

La Web imploraba por un sitio como IUMA, no sólo porque la tecnología estaba madura para ello, sino porque el audio se presta por sí mismo a muchos medios diferentes de reproducción y distribución.

"Pienso que lo grande de la música es que ya la hemos usado procedente de variedad de fuentes", dice Lord. "En cuanto sale de los altavoces, somos felices. Puede proceder de la televisión o de la radio; puede venir de CD pregrabados, cintas y obras de teatro, espectáculos en directo. Después de todo es audio".

Otras formas de expresión artística no se prestan tanto al medio de la Web, puntualiza Lord. La escultura, por ejemplo, está basada en la masa. Las masas de bronce, madera, barro, o cualquier otro material, son escultura. Aún asumiendo el desarrollo de unos medios tan avanzados como los hologramas (proyecciones tridimensionales de copias de objetos), la escultura no se puede trasladar al campo electrónico. Depende de la información táctil, cosas como textura y temperatura de su superficie. La transmisión de cosas como éstas está fuera del horizonte de la Web.

¿Por qué no ha venido en manada a la Web la comunidad de músicos, abandonando todos los canales tradicionales de venta? Por una parte, la tecnología no ofrece aún una forma práctica. Traer una canción del catálogo de IUMA a 14,4 kbps, velocidad típica de una conexión de módem, puede llevar media hora. Y por otra, no estamos adquiriendo ninguna joya, ni obra de arte, ni siquiera una grabación que podamos reproducir en otro medio que no sea un ordenador. IUMA todavía no constituye una opción realista para los intérpretes que tienen acceso a los estudios tradicionales de grabación.

"No podemos acabar con el rock and roll", dice Lord. "Parece no morirse nunca. Mientras que la tecnología cambia rápidamente, el bagaje cultural no. Este último, supone realmente la definición de lo que usa la mayoría, y resulta convincente en cierto grado".

Reconociendo este hecho, IUMA inició su propia marca de registro, llamada 'What else?', fuera de la red, y en Enero de 1.996 lanzó el *Crunchy Smacks*, un CD que contenía una recopilación de las canciones interpretadas por los conjuntos de IUMA. El CD funciona como CD-ROM y como registro de audio, de modo que podemos ponerlo en nuestro ordenador y ver vídeo clips y entrevistas con los artistas.

Pero el cambio de lo físico a lo electrónico es inevitable, dice Lord.

"Mi metáfora es el glaciar", comenta. "Como él, se mueve y se lleva las cosas por delante....como una mole, es lento y se mueve torpemente. Pero, ¿qué ocurre? Que es barato. Allí está toda la economía".

Si la economía está totalmente allí, ¿qué pasa con los ingenieros que hicieron posible ganar dinero con la distribución de la música en Internet? Durante años, los sistemas telefónicos y las cadenas de televisión fueron empresas dirigidas tecnológicamente, a menudo regidas por ingenieros que hacían su trabajo desde alguna división de operaciones o algo parecido. En algún punto, llegó la remodelación a estas industrias y los ingenieros fueron relegados al asiento de atrás. ¿Qué ocurre cuando los ingenieros como Lord y Patterson, acostumbrados a diseñar y manejar complejos sistemas se estrellan contra un animal tan impredecible como el mercado de la música popular?

"Yo creo que vamos a ver algo de eso sucediendo en la Web", dice Lord. Pero tener un margen de competencia en el mercado de la Web, siempre necesitará de un soporte técnico que sólo pueden aportar los ingenieros. "Creo que el ingeniero todavía puede decidir fundamentalmente", dice. "No tendremos la ABC, NBC y CBS", dice, "[pero en cambio,] conjuntos de equipos de ingeniería realmente buenos".

La competencia

Los imitadores de IUMA, sitios como Addicted to Noise, que está orgulloso de Luini, quien abandonó IUMA en 1.995 como miembro de su plantilla, no pueden competir con el original, dice Lord. "Existen docenas, y he visto algunos, pero no tienen ni la décima parte de conjuntos y probablemente menos de la décima parte de accesos que nosotros. Nosotros comprendemos el valor de lo que hemos creado, el nombre, el marchamo, la posición".

Addicted to Noise, en http://www.addict.com/, combina la metáfora de una revista musical con la idea de piezas de música disponibles en archivos. En la figura 6.6 se muestra la página de presentación de Addicted to Noise. En la revista, podemos ver una relación del trabajo de los conjuntos, con iconos de archivos de sonido repartidos por el texto (ver la figura 6.7). Podemos hacer clic en estos iconos para escuchar las canciones, muchas de las cuales están en formato RealAudio. Pero Addicted to Noise tiene muchos menos archivos de sonido que IUMA. Elegir entre ambos es escoger entre una cantidad generalmente indiferenciada y pequeñas piezas cuidadosamente empaquetadas.

De alguna manera, IUMA también compite con Eyeneer (http://www.eyeneer.com/). Aunque Eyeneer no coincide con la clase de música favorita de IUMA—en su lugar, está enfocado al Jazz, folk y música clásica moderna— utiliza clips de música extraíbles. La figura 6.8 muestra la página de presentación de Eyeneer.

El futuro del rock and roll

Desde los primero tiempos de la música grabada, las fortunas de los artistas han dependido de las enormes casas de grabación. Estas compañías controlan los medios de producción y distribución de grandes cantidades de discos. Esencialmente, consisten en bancos que financian el desarrollo y promoción de los músicos. Con el gusto nacional de la música dictada por los medios de comunicación, pequeñas marcas ofrecen música por otros intérpretes que no pueden competir con los que aparecen en MTV y se escuchan en los 40 principales.

Figura 6.6. La página de presentación de Addicted to Noise. Combina archivos musicales extraibles con revistas de música.

Lord estima que la cantidad de firmas, aquellos que tienen contratos de grabación con los grandes estudios, es de menos del uno por ciento del número total de músicos que les gustaría que su música tuviera una audiencia mayor.

Si Sony y Warner y Virgin representan la vieja historia de la publicación de la música popular, IUMA es, para emplear una frase de la película *El hombre de la lluvia,* el futuro del rock and roll. "Lo fantástico sería la distribución comercial electrónica de la música", dice Lord.

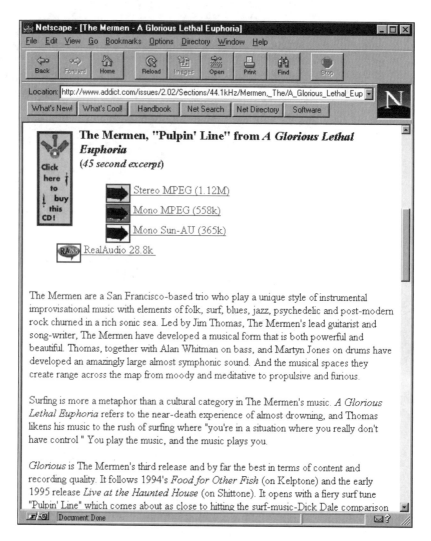

Figura 6.7. Una revista típica de Addicted to Noise. El sitio, lanzado en parte por Jon Luini, quien colaboró en el lanzamiento de IUMA, incorpora iconos enlazados con archivos de sonido en medio del texto de la revista.

Con un esquema de edición electrónica, "Va a haber un montón de opciones aparte", dice Lord, al margen de la oferta de los gigantes. "Estas opcio-

nes serán aquellos artistas que puedan proporcionar el campo electrónico".
Y mucho más, los artistas que sean capaces de proporcionar el campo electrónico que pueda dar policarbonato y vinilo y óxido de hierro.

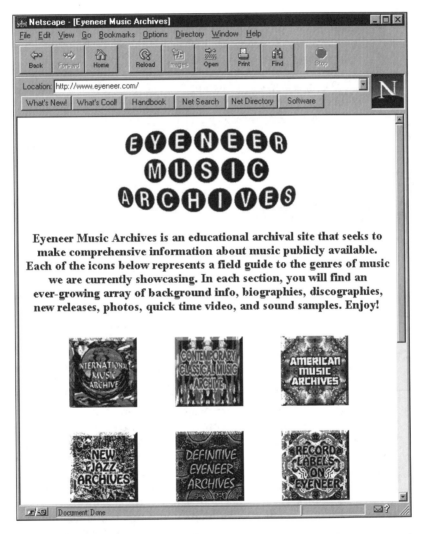

Figura 6.8. Página de presentación de Eyeneer. Representa una especie
de IUMA para jazz, música clásica y folk.

"Creo que da una oportunidad para, como decimos nosotros, la clase media", dice Lord. "Aquellos que no puedan dar una promoción, distribución y publicación tradicionales, podrán dar una promoción, distribución y publicación electrónica".

Administración musical

Lord y Selck dejaron a IUMA en Febrero de 1.996 tras una organización administrativa. ¿Afectará su partida al éxito constante de IUMA? Probablemente no, dicen ellos y los que se quedaron en la compañía.

"IUMA, en este momento, está por encima de las personas", dice Selck. "La gente llega y se va". Actualmente Selck es el diseñador mayor de interfaz en LVL Interactive. Lord dice que está buscando trabajo en otras compañías.

Patterson permanece en IUMA, y dice confiar en que la empresa continúe teniendo éxito.

El futuro de la Web

Si IUMA ha dado a conocer algo, dice Lord, es que la Web tiene atractivo para la gente. La extensión de este general atractivo sigue creciendo, dice.

"Cuando se lea el próximo veredicto de O.J, el mismo número de ordenadores pueden estar sintonizados para obtener las noticias desde un puñado de lugares, como sucedía con la televisión", dice.

El atractivo de la Web crecerá, dice, a medida que llegue el contenido en forma de aplicaciones "verticales", herramientas de software que manejen todos los aspectos de una sola tarea muy rápidamente y de forma fácil de comprender. Las aplicaciones verticales ya existen en algún software muy especializado, como los programas que ayudan a las compañías de seguros a calcular el riesgo o a los agentes de viajes para la reserva de billetes de avión. Una aplicación vertical basada en la Web podría permitir que un usuario contactase con un fabricante de sistemas de ordenador, describir las especificaciones de la máquina que necesita, obtener el precio, y pedir la máquina después de haber comparado las ofertas de varias compañías. En el caso de IUMA, se podría diseñar una aplicación vertical para permitir que los visitantes del sitio escuchen, adquieran y extraigan álbumes enteros, proyecto que no tendrá nada de irreal cuando los módem por cable (Módem que se comunican vía línea de televisión por cable, en lugar de líneas telefónicas) u otras comunicaciones aceleren la velocidad de acceso a la Web.

Las aplicaciones verticales también se llaman aplicaciones "turnkey" (vuelta de llave), como si abriésemos con una llave metafórica y funcionase, sin necesidad de conocimiento técnico.

"Yo la veo (a la Web) no como un lugar de convergencia, sino como una clase de agrupación de tecnologías llevadas a un punto donde se puedan realizar las soluciones 'vuelta de llave'", dice Lord. "Esencialmente, lo que la Web consiguió poner en marcha fue un buen grupo de tecnologías Internet, si contemplamos el Mosaic como un procesador de texto pobre que tenía una pequeña capacidad de Red y una etiqueta de imagen. Reuniéndolo todo, se creó verdaderamente un torrente de actividad".

Estas aplicaciones vuelta de llave darán entrada a los negocios, incluyendo el de la industria de la grabación, en el mercado de la Web. Incluso la especie de caja electrónica estándar, citada a menudo por los expertos de la Web como el único gran obstáculo para extender su comercio, será superada por las aplicaciones verticales, dice Lord, y servirán para tender un puente en el vacío hasta que exista una solución genérica de uso corriente.

"Yo no quiero que haya un ciberdólar", dice. "No quiero tener un digicéntimo. Lo que quiero es tener mi propia cuenta de banco familiar y poder pagar algo electrónicamente. Ya tengo una tarjeta. Mi tarjeta ATM".

En una transacción electrónica, el comprador tecleará en un formulario su número de cuenta y su palabra clave (password, o PIN), o podría conocerlos ya el buscador, y los números serían transferidos mediante un método seguro. Todo lo que separa esta idea de la realidad, es el nodo de uno de los cajeros automáticos de las redes. "Una vez que Intralink o Plus decida, 'de acuerdo. Lo vamos a hacer', yo creo que no habrá ningún problema", dice Lord. Pero esto solamente acelerará el proceso comenzado por las soluciones vuelta de llave. "Podemos crear un medio completamente nuevo… enormemente emocionante como una solución de vuelta de llave, sin tener aquel componente de caja".

Últimamente, dice Lord, el futuro de la Web reside en las operaciones pequeñas, los movimientos rápidos, los grupos técnicamente agudos que pueden ser más listos que las grandes compañías. Aún Netscape Communications, quizá especialmente, no es invulnerable. "El ojeador de mercado en este momento es extremadamente furtivo", dice Lord. Todo lo que tiene que ocurrir para que caiga Netscape es que venga una compañía con un producto mejor y lo distribuya libre de gastos. Cuando llega a la Web un producto nuevo, su aceptación general consiste en un "clic", dice Lord.

En el pensamiento de los fundadores de IUMA, está tan cerca como al alcance de la mano una revolución en la publicación de la música.

Lo que sigue

IUMA demuestra el valor de la ruptura con las barreras de los medios tradicionales. Al poner música en la Web, para traerla libremente, IUMA ha enseñado que es posible hacer un diferencia en la industria musical sin una enorme planta de grabación y una red de distribución.

Ron Britvich y Worlds, los creadores de AlphaWorld, objeto del capítulo siguiente, también rompen con las barreras de los medios tradicionales. Proporcionando a la gente la forma de construir un ciberespacio tridimensional interactivo, AlphaWorld destruye la frontera entre la realidad física y la realidad virtual.

7
Capítulo

AlphaWorld, pionera
de una sociedad virtual

Ésto es una auténtica sociedad. Es el comienzo de una sociedad. De momento tiene una capacidad muy pequeña, pero a medida que le añadimos más y más funciones, va a ser una sociedad en todo el sentido de la palabra.

—Ron Britvich, Worlds Inc.

En AlphaWorld, como en la vida real, hay un buen número de personas que no saben a dónde van. En el campo de la red de AlphaWorld, un espacio de realidad virtual basado en Internet creado y mantenido por Worls Inc., la gente que no tiene ni idea son los que pululan alrededor del mundo virtual, tropezando unos con otros y tratando fuertemente de pasear por las paredes de cristal, sorprendiéndose todo el tiempo de cómo hay otras personas en el mundo que pueden levitar para pasar por encima de los obstáculos y por qué algunos tienen palabras flotando sobre sus cabezas. En ocasiones, individuos atolondrados cuajarán en grupos como los últimos Cereales flotando en un tazón de leche y explorando juntos AlphaWorld.

"Hola", tecleará alguien, dando una voz textual a su representación virtual, llamada avatar, en AlphaWorld.

"Hola", responderán los otros, girando como borrachos mientras tratan de dominar los, en ocasiones arcanos, comandos de navegación de AlphaWorld.

Se intercambiarán saludos entre los miembros del grupo. Se conocerá que el profesor Krinklemeyer del Instituto politécnico de Rensselaer está haciendo un examen para el que no se ha preparado un miembro del grupo, que otro está manejando un ordenador de la Fuerza aérea en Texas, y que, según un tercero, en Toronto está haciendo más frío del que creíamos.

"Entonces, ¿qué hacemos aquí?", preguntará algún miembro del grupo. Quizá, llegados a este punto, cada uno habrá dominado el concepto de buscar al resto de la gente, de manera que sea posible conversar.

Entonces alguien, que puede estar leyendo un listado de la guía de navegación o que puede haber dado con el procedimiento correcto, informará a los otros de cómo hacer volar sus avatares. Entonces se podrá iniciar la conversación con sus participantes volando 40 pies por encima de los puntos verdes que representan el suelo.

"He oído que aquí se pueden hacer estas cosas", dirá uno de los miembros del grupo.

"¿Como qué?", preguntará otro.

"Casas y jardines y estadios y cosas", será la respuesta. Esta persona habrá leído el New World Times, el periódico publicado por un ciudadano de Alpha-World cada pocas semanas, o el artículo de Alphaworld en Enero de 1.996 distribuido por la revista GQ.

El grupo decidirá, como los pioneros en los primeros días de los Estados Unidos, trabajar juntos para aprender el interfaz de AlphaWorld y construir estructuras. El avatar controlado por la persona que tiene el listado de instrucciones, tratará de construir algo, una sección de ladrillo, quizás. AlphaWorld probablemente rechazará su intento de construcción, diciendo que ya existe alguien ocupando el terreno en el que pretende construir.

Y así, en una encarnación en la red de destino manifiesto, el grupo tachará terrenos, a la caza de parcelas de la base de datos de AlphaWorld que tengan alguna propiedad vacante. AlphaWorld siempre está creciendo, de modo que encontrar una tierra abierta puede requerir un largo paseo, o un viaje a través de los telepuertos que enlazan los puntos distantes en AlphaWorld. Eventualmente, estos visitantes encontrarán tierra libre, aprenderán a construir y, de este modo, establecerán otra colonia de habitación virtual.

De esta forma, crece AlphaWorld. Ron Britvich, el diseñador y mantenedor del mundo virtual, lo ama.

Britvich y el resto de Worlds están facilitando un servicio en Internet con una tecnología que sobrepasa la madurez y están haciendo un trabajo fantástico con ella. Están empujando el desarrollo de la tecnología con su creación de realidad virtual, pero están yendo más allá de la misma y creando elementos de sociedad virtual, derechos de propiedad virtual y un gobierno virtual. La gente de AlphaWorld está viviendo el medio.

Protagonista

En AlphaWorld, Britvich es el protagonista. Es su *handle* (manija), el nombre que utiliza para identificar su avatar para moverse por el espacio verde de su mundo virtual. En la vida real, casi se parece a un Bill Gates, con gafas de aviador y pelo lacio y semi largo. Es oriundo del sur de California, donde pasó su niñez en las playas y colinas del área de Carlsbad. Allí vive actualmente con su mujer.

El apodo de protagonista es apropiado, dado su parecido con el Protagonista Hiro, personaje principal de la epopeya de realidad virtual *Snow Crash* de Neal Stephenson en 1.990. En la novela de ciencia ficción, los personajes se relacionan en la metaesfera, un detallado mundo de realidad virtual que es inquietantemente parecido a AlphaWorld, el cual, incidentalmente, también tiene un ciudadano llamado Hiro y otro llamado Hero.

Britvich mantiene y amplía AlphaWorld en un estudio de su casa. Su distancia al trabajo es de unos 30 pies. Antes hacía trabajos en bases de datos y diseño de redes para varias compañías de California. Ahora trabaja en solitario la mayor parte del tiempo, rodeado de cientos de libros, una conexión telefónica de alta velocidad con Internet, modelos articulados de cuerpo humano de un pie de alto, y su gato Pico. Detrás de su oficina hay un jardín de estilo japonés completo con un estanque y una cascada de 12 pies de alto.

A Britvich le gusta el retiro, dice, aunque algunas veces echa de menos la compañía y energía creativa que proporciona una oficina.

"Vuelo a San Francisco cada dos semanas para tener algún contacto humano y que la gente sepa que aún existo, y algo así", dice Britvich, "La mayor parte de lo que hacemos, podemos muy bien hacerlo en casa. Definitivamente, echo de menos las ideas fuertes. Salgo en blanco y parto de cero con alguien más".

La gestación de Alpha

AlphaWorld tiene sus raíces en un sitio de la Web llamado Web World, una representación en mapa de ciertos puntos de la Web. Si echamos un vistazo por Web World, podremos ver montañas y bosques y praderas y una serie de pirámides. Podemos hacer clic en una de las pirámides, ver lo que hay dentro, y ver representaciones gráficas de enlaces con las páginas tradicionales de la Web. El interfaz era bastante hueco, pero la idea estaba clara. Web World proporcionaba una representación física de la Web, un medio con una dimensión física intrínseca.

Fotografía de *Ron Britvich and Pico*

"Aquello es lo que yo llamo una representación 2½-D de las páginas de fuera de la Web", dice Britvich. "No contenían las páginas de la Web. Cuando, por fin, llegábamos al más bajo nivel, como aquí está el Departamento de química de Carnegie-Mellon o algo así. De modo que hacemos clic en esto y nos llevará a la página de la Web. Es una forma de representar un espacio compartido en 2½-D".

Britvich creó Web World como un proyecto para distraerse mientras diseñaba potentes bases de datos para Paragon Systems. En Paragon, nadie sabía lo que estaba haciendo y, aunque eventualmente se lo mostraba a su jefe, los oficiales de la compañía no estaban especialmente impresionados. No mucho después, Britvich fue cesado.

Dave Goble, presidente de una compañía de redes, se fijó en Web World, y en seguida contrató a Britvich.

"Me contó que esto es lo que él quería hacer", dice Britvich, señalando a Web World en su monitor. Tomando algo de código de Web World y ampliándolo dramáticamente, Britvich creó la entrega preliminar de AlphaWorld en 1.994. Casi inmediatamente, bastante antes de que fuera una página tradicional de la Web para promocionar el experimento de la realidad virtual, la gente comenzó la "inmigración". La respuesta desde la primera entrega ha permanecido estable, y los 30.000 ciudadanos de AlphaWorld naturalizados a mediados de Enero de 1.996.

El ímpetu por AlphaWorld tiene su paralelismo en la tendencia que existe en el mundo real hacia la exploración y el pionerismo.

"La gente ama, se vuelven locos por ser capaces de construir su propio espacio", dice Britvich, "es algo que les entusiasma y de lo que se muestran orgullosos. Saben el e-mail completo; mucha, mucha gente dice ahora 'Alpha-World Home', y da sus coordenadas. Es donde ellos existen en cierto sentido. No hay ningún lugar donde existir en Internet, otro que no sea como éste. Es fantástico para un montón de gente".

Realidad virtual

AlphaWorld es un entorno de realidad virtual. La realidad virtual, dada a conocer principalmente por los medios populares y plasmada en películas como *Disclosure* y *The Lawnmover Man*, consiste en la simulación de los aspectos físicos de la realidad, como ver escenas en tres dimensiones y moverse paseando alrededor, con tecnología de ordenador. Algunos creen que la realidad virtual, llamada a menudo *VR* (de Virtual Reality), será el próximo gran paso en el entretenimiento y la comunicación. Sus argumentos son potentes: imaginemos que estamos viendo el drama de televisión *ER* desde el punto de vista de un médico o un paciente y que somos capaces de comunicar con una distancia relativa, o de amante, con toques y gestos, en lugar de la voz solamente. Por ahora, no obstante, la realidad virtual está en un estadio experimental, y permanecerá así durante varios años, o más, antes de que se convierta en un medio útil de comunicación.

El concepto popular de realidad virtual implica un equipo sofisticado, tal como monitores provistos de cascos, ruedas conectadas con procesadores, y "guantes de datos" conectados con sensores de movimiento y servo motores. AlphaWorld funciona sin ninguno de estos equipamientos; se navega con el teclado y el ratón, y se absorbe el impulso sensorial del mundo solamente a través del monitor de nuestro ordenador y nuestros altavoces. Sin embargo la realidad virtual no necesita ser una proposición de intenso hardware, dice Britvich.

"En verdad, la realidad virtual no es nada nuevo", continúa Britvich, citando una de las charlas de Goble. "Cuando leemos un libro estamos convirtiendo pequeñas cosas de tinta negra en realidad virtual, precisamente leyendo esas cosas. Nosotros hacemos lo mismo. Tomamos puntos de colores que se mueven alrededor y creemos que nos proyectamos en ellos".

Las aproximaciones de Britvich salvan muchos de los problemas que continúan teniendo que ver con las investigaciones de realidad virtual, puesto que la mayoría son cuestión de ancho de banda y coste. El ancho de banda, como recordaremos del capítulo 6, es la capacidad de un enlace de comunicaciones para transportar datos. Mover información entre un monitor que proyecta imágenes en tres dimensiones y un procesador es difícil; tienen que pasar montones de datos entre ambos dispositivos. Tal cantidad de datos no puede enviarse sobre una conexión de Internet en ninguna forma rápida, y aunque se pudiera, un sistema así necesitaría que el usuario tuviese toda clase de sofisticado y costoso hardware, además de un ordenador muy potente.

AlphaWorld dota la Web de una realidad virtual, pero no lo hace sobre la base de una tecnología compleja. Utiliza suficientes características de realidad virtual para enriquecer algunos aspectos del uso de la Web, pero no empantana al navegante en una carrera enloquecida. AlphaWorld le da dimensión a la Web.

"Para mí una página de la Web, por ejemplo, no tiene un lugar", dice Britvich, "no es física en ningún sentido. Eso no existe entre la proximidad de nuestra página de Web y la de otro. No se encuentran físicamente relacionadas en ningún sentido. Pero cuando vamos a AlphaWorld, podemos construir un museo de arte, por ejemplo, y justamente a su lado podría haber un quiosco de revistas. Ahora sí existe el factor físico, y se puede decir, 'si, estoy en la calle con todo lo que se quiera'. Posiblemente podría imitarse esto en dos dimensiones teniendo páginas comunes. Pero el realmente tridimensional [el aspecto de AlphaWorld] permite esta clase de cosas".

Interactividad y vecindad también impulsan lo tridimensional, el interfaz que acerca a la vida real.

"Ahora también podemos ver a otros, lo que no hacemos generalmente en una página de la Web", dice Britvich. "Podemos hablar con ellos y relacionarnos de muchas maneras". Esencialmente, dice, "lo que estoy haciendo es tratar de crear un lugar para que compartamos nuestra existencia de la manera más rica posible. Compartir nuestra creatividad, pero la palabra 'compartir' es realmente importante, porque vamos a tratar de exponer nuestra creatividad de forma que todo el mundo pueda verla inmediatamente".

El interfaz de imitación de la realidad impulsa los aspectos de las relaciones humanas de la exploración de la Web, pero no se ajusta bien a la extracción de datos y análisis que es la llave para otras aplicaciones de la Web. Observaremos que la mayoría de las herramientas de búsqueda en la Web, incluyendo DejaNews, que trataremos en el próximo capítulo, se basan en el texto o en interfaces mínimamente ilustrados. Esta forma, encuentra menos desorden entre los navegantes y la información que se necesita, y la potencia del procesador se puede dedicar a la búsqueda y no a mejoras de cosmética.

"La metáfora 3D, de todas maneras, es una ventaja", dice Britvich. "Podemos representar mucha información, especialmente si es animada. Pero también es negativo en el sentido de que a veces es difícil localizar algo. Si todo lo que vamos a tratar de hacer es algo como buscar cosas, es un medio estúpido, mucho. Si lo que vamos a hacer es crear un lugar para ir, ahí es donde parece excelente. Si tratamos de crear una comunidad donde puedan coexistir dos cosas, por supuesto creadas por dos entidades separadas, eso es lo que yo estoy tratando de explorar con AlphaWorld. No hay nada en la Web que sea un lugar; tampoco es un punto en el espacio. No representa nada físico".

La realidad virtual no es una solución para todos los problemas de relaciones humanas, dice Britvich. En realidad, él prefiere usar el término "surrogate reality" (realidad sucedánea) para describir los mundos creados por una tecnología como la que está tras AlphaWorld.

"Es otro medio", dice. "No vamos a ser capaces de sustituir cosas como ir a la playa o ir a esquiar, bajar el río Colorado haciendo rafting con nuestro amigos. Nosotros podemos representar ciertas cosas. Se puede juntar gente con intereses parecidos, cuando normalmente no podrían estar juntos. Esto es una ventaja. Es una cosa positiva. Pero la riqueza de la experiencia no está en ninguna parte cerca de la realidad. De modo que yo no intento reemplazar la realidad; lo que trato es de crear un medio para cuando nos encontremos muy lejos".

El sitio

Nuestra primera visita a AlphaWorld (http://www.worlds.net/products/alphaworld/), ilustrado en la figura 7.1, es un poco traumática, dado que los controles son, si lo son, algo oscuros y difíciles de usar. Pero así es como lo quiere Britvich. El interfaz de AlphaWorld es "idiomático", y es lo que lo hace bueno. "Cuando lo vemos por primera vez [un interfaz idiomático]", dice, "no tenemos ni idea de lo que hace, pero en cuanto alguien nos enseña cómo funciona no lo olvidamos nunca".

"Un ejemplo", continúa Britvich, "es una barra de desplazamiento. Cuando enseñamos a la gente una barra de desplazamiento por primera vez se quedan como mirándola fijamente. Entonces vamos, les enseñamos a arrastrar el ratón por la barra, y desde ese día ya conocen lo que es la misma durante el resto de sus vidas. Se trata de un idioma. O una barra de deslizamiento, o de división. Toda esta clase de cosas. Los botones son idiomas. Mientras que con los interfaces metafóricos sabemos dónde estamos siempre, tratando de emular algo del mundo real, ellos tienden a romper....yo tengo todas estas luchas internas....porque esto no es todo lo que significa AlphaWorld. No consiste en un interfaz metafórico para hacer algo. Se trata de un lugar, que es mucho mayor que un interfaz metafórico".

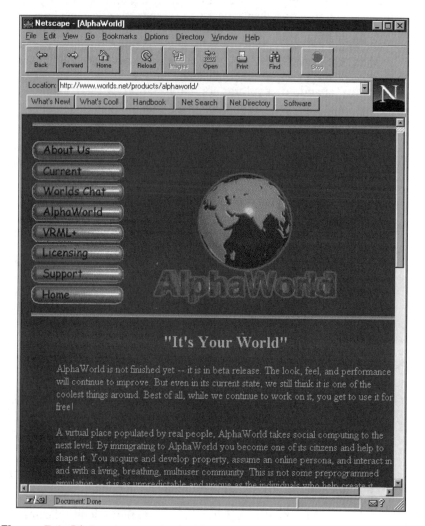

Figura 7.1. Página de entrada de AlphaWorld, lo que vemos antes de traer el buscador especial AlphaWorld e inmigrar.

Cuando se llega a AlphaWorld, después de completar los procedimientos de inmigración (que incluyen la carga de un buscador especial y recoger un avatar, como se llama en la representación de nuestra pantalla), nos encontraremos en Ground Zero (el nivel cero), que aparece como una pista de aterrizaje, como muestra la figura 7.2. Veremos otros avatares, tan confundidos como nosotros, tratando de aprender lo básico para navegar.

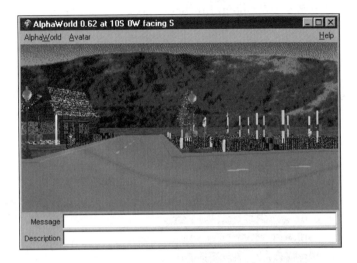

Figura 7.2. Ground Zero, donde se entra en la realidad virtual de AlphaWorld. Se trata de un lugar difícil para obtener juntos un equipo de baile de precisión, ya que mucha gente aquí aún no ha aprendido a caminar (virtualmente).

Verdaderamente un lugar enorme, como descubrimos en seguida. Rodeado por las inconfundibles colinas de la costa de California (figura 7.3), los planos de AlphaWorld, una alfombra verde uniforme, a menos que alguien construya algo, parecen infinitos: nunca podemos llegar a las colinas y, cuanto más nos acercamos, más retroceden. (No apostemos a que los valores de la tierra sin explotar suban mucho en AlphaWorld, la tierra no es un recurso escaso.)

Navegar no tiene tanta dificultad como dice Britvich. Los controles del ratón son suficientes para hacerlo: se mueve el ratón a la izquierda para desplazarse en este sentido, adelante para avanzar, y así. Pero hay algo más: la gravedad no existen en AlphaWorld. Para subir, presionamos la tecla + y, si la ascensión es muy vertiginosa, presionamos la tecla - para descender.

Estemos o no estemos arriba, podemos usar teclas adicionales para acelerar nuestro curso y salvar obstáculos. Para avanzar más rápidamente, podemos presionar la tecla Control. Si presionamos la tecla Alt obtendremos "warp speed" (velocidad sesgada), pero no lo recomendamos, ya que acabaremos completamente alejados de nuestro punto de entrada y pasaremos un buen trago para desandar el camino. Esto sucede porque el servidor de Alpha-World solamente proporciona el escenario de la inmediata vecindad. Si queremos volver realmente a un lugar determinado, seremos juiciosos si apuntamos las coordenadas, que vienen listadas en la barra de título. Si nos encontramos absolutamente perdidos, podemos volver al Ground Zero, el punto de entrada, moviéndonos hacia las coordenadas 0,0.

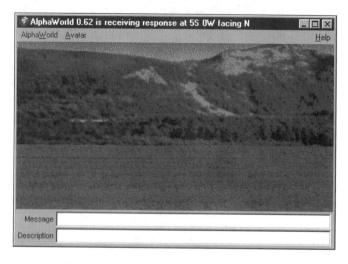

Figura 7.3. Las colinas de AlphaWorld. Los programadores de World usaron las colinas del sur de Los Angeles como modelo para estas.

La primera impresión al explorar AlphaWorld, es que es precioso. Todo lo que ya está construido crea un ambiente cien por cien revista Sunset, con cantidad de vidrieras, piedra labrada y árboles frondosos (ver figura 7.4). Es para darse un viaje por todo ello, especialmente si recordamos que cada cosa que vemos ha sido construida por alguien. Abundan los impulsos religiosos y domésticos, encontraremos montones de pequeñas casas pintorescas y enormes edificios para ceremonias. Más allá de inventar una sociedad del futuro, los residentes en AlphaWorld parecen haber recreado el ambiente de Teotihuacán, la increíble ciudad ceremonial de 2.000 años de antigüedad en las afueras de México.

Una vez que hayamos conseguido una tierra propia, podemos construir copiando simplemente algo que hayamos visto, un trozo de calle, parte de un edificio, un tiesto, etc., depositándolo en nuestra propiedad. Un anfitrión de comandos de teclado nos permite colocar los objetos como queramos. Cuando ya tengamos colocados los objetos con los que vamos a comenzar, podemos añadir uno de los que contiene la base de datos de AlphaWorld, es decir, en el directorio de nuestro disco duro /AWORLD/MODELS. Además, es posible asignar varias acciones a los objetos. Por ejemplo, uno puede emitir un sonido cuando hacemos doble clic en el mismo, o puede visualizar una página de la Web, siempre que la persona que haga el clic tenga activada una copia de Netscape Navigator.

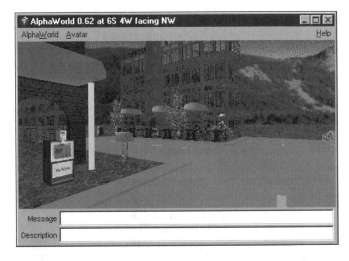

Figura 7.4. La vida mejor en AlphaWorld. Una bella arquitectura cerca del Ground Zero.

Pero el punto fuerte de AlphaWorld es la interacción con la gente. Cuando dejamos algo en el buzón del correo, cualquiera que lo tenga "al alcance del oído" verá nuestro mensaje, como podemos comprobar en la figura 7.5.

La conversación tratará lo que queramos, desde lo superfluo hasta lo libidinoso, pasando por cualquier cosa.

Si nos encontramos cansados de vagar por AlphaWorld en busca de alguien con quien hablar, dirigirse a Louie's Bar & Grill, en 36N 65W, y ver la figura 7.6. Encontraremos un montón de tipos simpáticos que están deseando hablar. También podemos escuchar música en unos bonitos archivos compactos de MIDI, pero tendremos que configurar nuestro buscador para reproducir sonido MIDI automáticamente. También hay un bar, pero estemos advertidos: ¡no hay sitio donde sentarse!

Figura 7.5. Una conversación en AlphaWorld. Sobre nuestra cabeza aparece nuestro nombre durante un instante después de hablar, y luego desaparece.

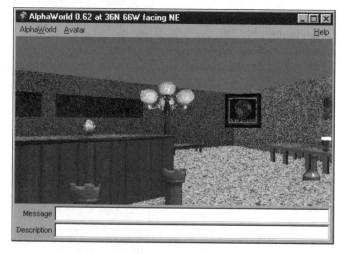

Figura 7.6. Louie's Bar & Grill, el sitio donde engancharse para hablar en AlphaWorld. La música es especialmente buena.

Ley y orden

AlphaWorld es una sociedad, de manera que por definición tiene delincuentes, lo que en una tierra sin gobierno parece definirse como gente cuyo comportamiento es inaceptable para el resto de la población. El enemigo público número uno en AlphaWorld es un neozelandés que atiende por el nombre de King Punisher.

King Punisher lidera la Orden, un grupo de gamberros virtuales que aterrorizan a los inocentes ciudadanos de AlphaWorld vandalizando sus trabajos y arengándoles verbalmente, tras robar sus palabras clave y pretender ser miembros respetados de la comunidad, como Britvich. King Punisher y sus seguidores han empujado a otros ciudadanos de AlphaWorld a formar un cuerpo de policía que persigue a la Orden y evita los estragos de su venganza.

"El problema con esto, es que resulta demasiado fácil en un entorno de ordenador desmantelar el duro trabajo que ha hecho alguien", dice Britvich. "Es difícil para Vd. venir y derribar mi casa ahora mismo. Tendría que tener un bulldozer, y yo estaría gritando y llamando a la policía. Hay un montón de cosas que yo puedo hacer. Pero en AlphaWorld, puede apuntar y borrar, borrar, borrar, y sin escándalos. De manera que, especialmente con estos niños de 13 años pululando por aquí, debe existir alguna fuerza de orden tecnológico".

Britvich dice creer en la responsabilidad personal, y que sería mejor que la gente se comportara en lugar de tener que disponer de algún escuadrón Orwelliano que cuide de que se respeten las normas sociales en AlphaWorld.

"Estoy tratando de reducirlas (las fuerzas) al mínimo", dice Britvich. "En realidad, he pensado mucho en disponer de un registro de quién hace cada cosa. Así, podemos hacer lo que queramos. Lo que sea, pero que podamos reproducir el registro y decir ¿quién ha borrado mi casa? Y que podamos ver que ha sido aquel chico de allí y podamos traerle o preguntarle ¿por qué has hecho eso? Y tratar de resolverlo".

Britvich ha cambiado el programa de AlphaWorld tras un incidente en particular.

"Un chico construyó un gran cruce en su mundo, y vino otro y construyó un muro de ladrillo a su alrededor", dice. "Igualmente, lo rodeó de modo que no lo pudiera ver nadie. Esto produjo un gran escándalo. Vueltos a aquel punto, resultó que había una intrusión en el código que permitía invadir la propiedad de otra gente. De modo que hubo que arreglarlo".

Las futuras alteraciones en el código, que en AlphaWorld constituyen la fábrica social sobre la que han escrito los filósofos durante tantos años, pueden incluir modificaciones que aumenten la responsabilidad personal de constructores, destructores y otros ciudadanos que puedan tomar sus propias acciones.

"Nosotros no identificamos quién construyó algo en el mundo, pero debemos decir que los usuarios sí pueden ver quién hace las cosas; entonces, puede ponerse en contacto con ellos y decir: eh, ¿puedes quitar eso?", dice Britvich. "Así, pueden resolver sus problemas entre ellos mismos en lugar de recurrir a alguna autoridad central. Estoy tratando de hacerlo de manera que no tengamos que intervenir, que los ciudadanos puedan resolverlo todo entre ellos. Les damos las herramientas para que puedan hacerlo".

La cuestión es que AlphaWorld está empezando a desarrollar una política y una estructura social parecida a como lo hace la gente en la vida real. La mayor diferencia es que en la realidad virtual, un inútil no puede hacer un daño real, físico. Una persona así, no obstante, puede dañar o desfigurar el producto de nuestro trabajo y hacer que perdamos prestigio en una sociedad en la que el estatus está basado ampliamente en las cosas que creamos.

De este modo, se están formando grupos políticos en AlphaWorld. Estos grupos representan a los partidos, si queremos llamarlos así, y facciones. Hay una fuerza de policía que representa cada uno de esos grupos; la Orden representa otro. Esto hace perfecto el sentido de la lógica de Britvich, y el ve un esquema de futuro, en el que los líderes de la comunidad adquirirán poderes especiales dentro del sistema.

"Cuando nos apuntamos, o en cualquier momento, podemos pertenecer a alguna asociación", dice. "Una vez que cierto número de personas ha decidido pertenecer a cierta asociación, entre todos eligen al líder del grupo, y una vez elegido comienza a tener poder. El sistema le transmite poder, como la capacidad de borrar cosas o moverlas. Como aportamos una economía de cierto poder, representa esencialmente un mecanismo de voto para que la gente traiga otra gente al poder. Si obtenemos suficientes votos para nosotros mismos nos haremos poderosos. La gente decide en un instante cuánto tiempo disfrutaremos de aquel poder. Si abusamos de él, habrá un montón de gente que cambie su afiliación y seremos menos poderosos. Nos echarán. Como si nos movieran la silla. Se acabará. Pero si la gente nos tiene por un líder, somos un buen líder de la comunidad y hacemos buenas cosas, retendremos aquel poder. Realmente, se trata de un mecanismo muy sencillo. Es una democracia de tecleo en tiempo real. Eso es lo que es.

"Es necesario", continúa Britvich, "porque se necesita tener un buen/limpiador/policía/algo, una persona en varias comunidades que mantenga las cosas limpias, que refuerce ciertos estándares, y cada comunidad tiene que tener el suyo propio. Puede haber un grupo fuera de la ley que diga que todo marcha bien. Se podrá hacer lo que se quiera y la gente querrá pertenecer a este tipo de comunidad. Otros pueden preferir otro más rígido, con el espacio organizado, y elegirán pertenecer a él. Ésto también está bien. Habrá un montón para todo el mundo".

Después de todo, es una comunidad.

"Ésto es una auténtica sociedad", dice Britvich. "Son los principios de una sociedad. Por el momento tiene poca capacidad, pero a medida que le vayamos añadiendo más y más funciones, va a ser una sociedad en todo el sentido de la palabra".

Los peligros de vivir el medio

La actividad "criminal" de algunos de los residentes en AlphaWorld va más allá de los riesgos que supone estar envuelto en una comunidad de información. Aunque es importante estar íntimamente sumido en una comunidad para sacarle el máximo provecho, se corre el riesgo de ser dañado, no física sino emocionalmente, cuando otros abusan del poder que les proporciona la realidad virtual. Creaciones en la red como AlphaWorld nos permiten contactar con muchos miles de personas estupendas, pero también le dan acceso a muchos miles de indeseables para que puedan contactar con nosotros.

¿Cuál es la solución? Ser astutos. No creamos todo lo que vemos en la red, lo mismo que no creemos todo lo que vemos en la vida real. Guardar para nosotros mismos nuestras palabras clave y nuestros detalles personales. Y si vemos a alguien abusando en la comunidad, hacer algo por pararlo o pararla. Hay un montón de ciudadanos de AlphaWorld involucrados en organizar gobiernos y otros reglamentos para su mundo virtual.

Leer *A rape in Cyberspace* (Violación en el Ciberespacio), de Julian Dibbell, (disponible, entre otros lugares, en http://www.portal.com/~rich/texts/dibbell.html), que supone un excelente cuento acerca de cómo lo virtual y lo físico pueden chocar con un efecto perturbador.

La competencia

AlphaWorld no es, estrictamente hablando, un servicio de la Web. Tiene algunas páginas de soporte en la Web, y la mayor parte de la gente la usan para encontrar AlphaWorld, pero no está basada en el HYperText Markup Language (HTML), Virtual Reality Modeling Language (VRML), ni HyperText Transport Protocol (HTTP). En lugar de todo esto, AlphaWorld usa un protocolo de Internet propio para transmitir información entre las bases de datos del sitio y los usuarios, y viceversa, y entre un usuario y otro (las conversaciones en AlphaWorld se manejan directamente) para evitar cualquier tentación del Gran hermano y salvar tiempo, Britvich amañó su sistema para que las palabras vayan directamente de un usuario a otro, sin pasar por el servidor de AlphaWorld). La realidad virtual de AlphaWorld se diferencia de la que se hizo posible mediante VRML, el estándar de VR de Internet generalmente aceptado, coinventado por Mark Pesce como se vio en el capítulo 3, en que VRML usa HTTP para comunicar información entre un ordenador y otro.

¿Cuál es la importancia de este conflicto? No mucha, si consideramos que AlphaWorld no aspira a ser un estándar de realidad virtual para Internet, como son VRML y algunos otros lenguajes. Worlds quiere hacer de Alpha-World un excelente espacio tridimensional en la red, útil para la gente que quiera pasearse y charlar y para los negocios que quieran anunciarse entre esa gente. Los campeones de VRML quieren hacer de aquel lenguaje el HTML del diseño tridimensional, y citan el hecho de que se trata de un estándar abierto que emplea algunos protocolos existentes, como razón de que está más en línea con la ética de Internet de compartir que el sistema propio de AlphaWorld.

Hasta que las versiones futuras de VRML proporcionen a los diseñadores del sitio la habilidad de animar objetos e incluir opciones como esas y sonido y conversaciones en tiempo real—se han propuesto varias de esas versiones y una de ellas puede haber marcado un estándar cuando leemos esto—AlphaWorld permanece como la única realidad virtual que se puede elegir en Internet. La auténtica prueba de su poderío vendrá cuando tenga que competir con una docena de puntos con capacidad parecida, basados en futuras versiones de VRML.

El futuro virtual

En la misma medida que se agrupan en racimo los ciudadanos de AlphaWorld para formar grupos sociales, Britvich anticipa el día en que también agruparán sus creaciones por contenido. Imagina un tiempo en el que exista una comunidad deportiva en el territorio de AlphaWorld, y una comunidad de ordenadores, y así sucesivamente.

Las ideas de Britvich relativas a dar una organización y dimensión a la Web muestran un fuerte parecido con las de David Beach y su punto I-Storm, que ya vimos en el capítulo 5.

Beach modeló su punto tras Disneylandia, con distintas clases de contenido agrupadas en conjunto, como los conjuntos de Disneylandia relativos a las atracciones agrupadas en "territorios". Lo novedoso de la idea de Britvich es que se lanza a trabajar en tres dimensiones, y puede emular el estado real actual con más fidelidad de lo que podía Beach solamente con páginas planas de la Web.

"Ésto ayuda realmente a dar a la gente que quiere una experiencia enfocada a la realidad", dice Britvich. "Es hermoso tener planeados lugares a lo que pueden acudir. De modo que, si somos auténticos deportistas, vamos al sitio de los deportes. Allá hay gente hablando del tema. Hay sitios para ver cosas relacionadas con el deporte. Hay otros como el rey del Wild West (el salvaje oeste). Pueden meterse por todas partes y explorar".

"De momento, somos como una especie de gigante del salvaje oeste", dice. "Tenemos alrededor de 168.000 millas cuadradas de espacio y tierra. De todo eso, menos del 1 por ciento… es difícil de creer, pero menos del 1 por ciento está ya construido. Hay cantidad de terreno en todo el lugar".

Ahora viene la cuestión del dinero. AlphaWorld necesita hacer dinero pronto para sus creadores, y Britvich está considerando dos maneras, por lo menos, de hacerlo. La compañía piensa vender en las tiendas de ordenadores un equipo de miembro de AlphaWorld, completo con software e instrucciones. Worlds también está planeando comenzar a vender anuncios que se colocarían en AlphaWorld y promocionarían los artículos y servicios de los anunciantes entre la ciudadanía.

"Éste es un modelo de uso para aquellos que les gustaría una clase de anuncios de tipo no intromisión", dice Britvich. "Lo mismo podría ser un puesto de venta de periódicos situado en la esquina de un globo en lo alto del cielo, o una cartelera o una pequeña oficina o edificio anunciando algún servicio".

La organización del territorio en sí, dice, también ayudará para la promoción de los productos de los anunciantes.

"Lo más ingenioso está en la vida real, la mejor manera de tener buena competencia es poner las cosas que se relacionan unas junto a otras", dice Britvich. "De modo que si vamos a vender PC o cualquier otra cosa, podríamos querer tener toda una calle llena de vendedores de PC donde podríamos ir y poner la tienda. Cada uno construye con una compañía distinta en igualdad de condiciones. Pero, ¿Cómo hacemos esto ahora en la Web? No existe ningún sitio para poner esta clase de información. Podemos hacerlo en un sentido comercial y también en uno no comercial. Es lo mismo. Gente que tiene una información que quiere exponer. Una de las cosas que queremos hacer es organizar áreas, comunidades, por temas, de modo que tengamos una zona de deportes, por ejemplo. O una zona de ordenadores".

Mediante la introducción de un lenguaje de escritura en el entorno de AlphaWorld, los ciudadanos pueden escribir programas sencillos para hacer tareas, como rompecabezas operativos y juegos. Un ciudadano ha escrito un juego con el lenguaje de escritura, en el que el jugador tiene que apagar una serie de luces en secuencia.

AlphaWorld solamente es parecido al I-Strom de Beach en el sentido de que sus creadores quieren inspirar creatividad y participación en la gente que explora el sitio. Las próximas actualizaciones del interfaz de AlphaWorld harán más fácil la creación de objetos con un mínimo de tiempo de programación y experiencia.

"Deseo hacerlo accesible a todos los niveles", dice Britvich. "Para la gente que quiere sumergirse en ello y para los que quieren quedarse quietos en su casa. Una de las cosas que vamos a hacer en la próxima actualización es disponer de más objetos prefabricados, de modo que habrá una oficina o casa completamente construida, y podremos plantarla. No tendremos que equiparla en absoluto. No vamos a tener una construcción tan estupenda como alguien que empleó diez horas en hacerla, pero podemos estar allí con un mínimo de esfuerzo".

Lo que sigue

Britvich, con AlphaWorld, ilustra la importancia de impulsar la tecnología y vivir el medio. Se decanta por aplicar estos dos principios a la realidad virtual, y está teniendo un éxito maravilloso. Pero, ¿qué pasa cuando la gente que vive el medio aplica las tecnologías de punta a las comunidades textuales de información? Que tenemos DejaNews, la herramienta de búsqueda de Usenet que veremos en el próximo capítulo.

8
Capítulo

DejaNews inventa un martillo

Aquí tenemos la sensación de estar en la frontera.

—George Nickas, DejaNews Research Service

El problema con Usenet, el vasto servicio de discusión en Internet que permite a la gente intercambiarse mensajes de miles de temas, es su enorme tamaño. Cada día circulan a través de los grupos de discusión de Usenet cientos de megabytes de información, muchos sobre materias útiles y otros muchos sobre cosas sin sentido. Podemos seguir cuatro o cinco grupos de discusión, atendiendo a lo que se dice en ellos y contribuyendo regularmente al flujo de información de los mismos. Pero nosotros, si somos como la mayor parte de los usuarios de Internet y estamos limitados a 24 horas por día, tenemos mejores cosas que hacer que seguir las conversaciones en rec.pets.cats o comp.virus.

Pero, ¿qué pasa cuando nuestra gata desarrolla un extraño sarpullido en sus orejas y, al encender nuestro ordenador, dice: "Se ha detectado agua en la unidad D:" y se niega a funcionar?

En alguna parte de la base de datos de Usenet existe una respuesta, allí siempre hay una respuesta para todo en alguna parte, lo que hace falta es encontrarla. Sin embargo, no podemos entrar en el servidor de Usenet y recorrer todo su volumen de información. No es posible por dos razones.

Primero, porque leer todos los encabezamientos de todos los correos de los posibles grupos útiles podría llevarnos todo el día. Segundo, porque la mayor parte de los servidores de Usenet conservan los mensajes durante un mes y luego los borran. Con suerte, las respuestas a nuestras preguntas aparecerán en los documentos de Frequently Asked Questions (preguntas más frecuentes, FAQ), publicaciones informativas que destilan lo más sensato de un grupo de discusión particular en una apretada serie de preguntas y respuestas. Lo más probable es que nuestra pregunta haya aparecido y la respuesta estuviera en alguna parte de Usenet, pero que hubiera ocurrido hace tres meses, que no estuviera en un FAQ y que el servidor de Usenet que usamos no disponga de ella en el disco duro.

Entremos en DejaNews. Mediante este servicio basado en la Web, es posible buscar el equivalente a un año entero de mensajes de Usenet por contraseña. Buscando en DejaNews por "cat ear rash" (gato oreja sarpullido) podría traernos un artículo que apareció el pasado verano en rec.pets.cats, describiendo una especie de mosquito al que atraen los gatos, con una picadura especialmente tóxica. Si buscamos por "water detected virus" (agua detectado virus) nos podría traer un mensaje acerca del virus Neptune XII que circulaba por comp.sys.ibm.pc.hardware.misc hace cuatro meses, un mensaje que incluye un hiperenlace con un punto que contiene un programa de "cura".

Estupendo. DejaNews convierte Usenet, que ya ha sido descrito como la mayor herramienta de referencia en la historia de la humanidad, en un valioso cuerpo de información. DejaNews influye en el contenido de dominio público con grandes resultados. Representa el producto de DejaNews Research Service of Austin, Texas, además de un pequeño equipo de programadores dedicados a hacer el mejor servicio de búsqueda de noticias del mundo.

Una ratonera mejor

Los orígenes de DejaNews (http://www.dejanews.com) se remontan a 1.993, cuando Steve Madere, un programador de una casa de desarrollo de software de Austin, imaginó la manera de que los ordenadores buscaran grandes cuerpos de texto. En una cáscara de nuez, Madere encontró la clave para resolver uno de los más antiguos cuellos de botella en el proceso de datos: cómo hacer que un ordenador busque rápidamente un cuerpo de información de texto mucho mayor que la cantidad de memoria de acceso aleatorio con que está equipado el mismo. Desarrolló el nuevo método de búsqueda en su tiempo libre.

"Yo tenía un trabajo que era cantidad de hartura y hambre", dice Madere. "Cada vez que íbamos al modo de hambre, yo trabajaba en el método".

Fotografía de *Steve Madere*

En efecto, Madere construyó una ratonera mejor.

"Después de inventar un martillo, fui a por el clavo", dice Madere. "Las noticias de Usenet parecían el clavo adecuado. Es el mayor cuerpo de texto dinámico que existe. La suma de todos los periódicos y revistas del país, no es ni de cerca tan grande como Usenet".

Las noticias de Usenet parecen ser la mayor, y como tal inexplorable, base de datos, de modo que Madere dirigió directamente sus esfuerzos para aplicar su nuevo algoritmo a aquel cuerpo de información. Adquirió el equivalente a un año entero de noticias y comenzó a aplicarles su algoritmo, al mismo tiempo que pensaba cómo podría aplicar su invento para emprender un negocio en la Web.

El ingrediente más importante para el éxito de una aventura capitalista es una buena idea, y Madere lo sabía bien. Pronto se procuró ayuda en la persona de Matthew Mengerink, quien a su vez era todavía un estudiante senior de informática en la Universidad de Texas, en Austin. Madere asignó código a Mengerink mediante correo electrónico: "Resuélveme este conflicto" o "construyeme este interfaz". Mengerink contestaría a Madere, dando cuenta de sus progresos y pidiendo ayuda para los problemas engorrosos de programación.

Fotografía de *Matthew Mengerink*

En el transcurso aproximado de un año, ambos construyeron los dos componentes principales de la primera versión de DejaNews. Emplearon la mayor parte de su tiempo en el "back end" (fondo), que comprende los algoritmos de búsqueda y el código de manejo de memoria que permite a DejaNews recoger rápidamente entre gigabytes de noticias y devolver las respuestas a las preguntas en un formato adecuado. Rápidamente confeccionaron juntos el "front end" (primera línea), el interfaz de usuario que recoge el criterio de búsqueda del sistema del mismo. La primera versión de DejaNews, publicada en el verano de 1.995, reflejaba este plan de diseño. El dispositivo de búsqueda era asombrosamente rápido y el interfaz estaba bien, pero no tanto como para equipararse con el back end.

La gente de News (Deja)

La sede del original DejaNews estaba en el Violet Crown Shopping Center, un bloque bajo en forma de L en la parte sur de Austin. Se trataba de un lugar poco apropiado para lanzar una herramienta de búsqueda de la Web a nivel mundial, rodeado de una casa de venta de localizadores, un centro de Alcohólicos anónimos y de un lugar Checks Cashed Here (pago de cheques).

La presencia física de DejaNews en la Web, los servidores que lo conectan actualmente con Internet, todavía "viven" en el Violet Crown Shopping Center, en el cuarto de máquinas de un proveedor de servicio de Internet de Austin.

Los programadores, sin embargo, se mudaron en Febrero de 1.996 a un antiguo estudio de televisión. Allí, en una gran habitación que sirvió para albergar a los periodistas, técnicos de producción y escenario, está el personal de DejaNews (que se ha ampliado a 12 personas hasta el momento de escribir esto), sentados frente a los ordenadores, uno o dos en cada una de las mesas que circundan la habitación, rodeados de equipos amontonados, cajas de embalaje y material en general. Grandes ventanales, desde el suelo hasta el techo, enmarcan ambos lados de la habitación. Unas cortinas amarillas filtran el fuerte, el penetrante sol de Texas. En el extremo de la habitación próximo a la puerta, hay un refrigerador y una máquina de café en un hueco oscuro.

A cualquier hora del día o de la noche, podemos acertar a ver un par de empleados de DejaNews alrededor del hueco, charlando con visitantes o tomándose un descanso. Pueden estar hablando de la cultura de Austin—la ciudad del centro de Texas es una Meca, tanto de clases de ordenadores (Dell, Texas Instruments y EDS están allí) como de gandules de veintitantos— o sorbiendo café con sus pajitas amarillo brillantes, o ambas cosas. Parece que siempre hay alguien en el departamento de desarrollo de DejaNews a todas las horas.

"Aquí tenemos la sensación de estar en la frontera", dice el User Liaison (enlace con el usuario) George Nickas. "Es un negocio de programador".

Madere establece un paralelismo entre la Web de hoy en día y la industria del ordenador personal en 1.981 o 1.982.

"Pienso que hay un montón de similitud", dice. "Es algo nuevo, y sabemos que es grande, y estamos dando pasos gigantes para competir".

Madere, delgado y con gafas, es físico de origen; está dedicando su vida al desarrollo de software de ordenador. Emplea su tiempo libre en el área de Austin haciendo excursiones y windsurfing con su esposa, una productora de televisión. Conduciendo su Mazda 929 marrón desde el cuarto de máquinas hasta el antiguo estudio de televisión, habla del equipo que está formando en DejaNews.

"Cuando se consigue juntar un equipo como éste, no se le deja escapar fácilmente", dice Madere. "Estamos tratando de poner en marcha un negocio que sea cien por cien de gente diez".

Él conocía a casi todos los de la compañía antes de contratarles, y parece muy orgulloso de lo duro que trabaja todo el equipo para entregar servicios de primera calidad en la Web. Su mayor satisfacción parece que sea hacer que los sistemas trabajen bien. Lo mismo reduciendo una rutina de C++ a su forma más básica y eficaz, que organizando mano de obra de primera calidad para hacer bien un trabajo urgente, Madere tiene un ímpetu que hace funcionar sistemas complejos en la forma que tienen que hacerlo.

Nickas, el tercer líder del triunvirato de la compañía, luce un pelo largo, negro y escribe cortos de ficción en su tiempo libre. Antiguo profesor de literatura inglesa, Nickas no es programador. Se encarga principalmente del soporte a los clientes y de detectar los fallos. Cuando escribimos al servicio de atención al cliente de DejaNews—y lo hacen 100 personas cada día, preguntando principalmente por nuevas opciones o solicitando ayuda para buscar— Nickas maneja nuestro correo. Trabaja como enlace entre los programadores y el mundo de la gente de la Web, a menudo mínimamente desenvuelta, que usa DejaNews como una herramienta de referencia.

Mengerink "ha vivido el último 'Austinite Dream' " obteniendo un trabajo en una compañía de ordenadores recién salido de la Escuela, dice Madere. "Normalmente, tenemos que sentarnos y estar desempleados por un tiempo". Mengerink, que aparenta su edad, pero tiene un apretón de manos alarmante, emplea casi todo su tiempo hurgando en las tripas de la máquina de búsqueda de DejaNews.

¿Quién usa DejaNews? He aquí una pista. En febrero de 1.996, las dos palabras que se usaron más frecuentemente en las peticiones a DejaNews, excepto palabras de "desecho", como "and" y "by", fueron "Sex" (sexo) y "Solaris", en ese orden. Ésto nos lleva al hecho de que además de la población general de Internet, que está notoriamente entusiasmada por el sexo y sus variadas representaciones en multimedia, muchos programadores usan DejaNews como fuente de localización de programas (Solaris es un sistema operativo de Sun Microsystems para estaciones de trabajo de alta gama).

Fotografía de *George Nickas*

"Es probable que nosotros tengamos una mayor frecuencia de programadores que otros puntos", dice Madere "porque existe cantidad de información sobre programación disponible en Usenet".

Adicionalmente, muchos usuarios de Usenet utilizan DejaNews para enterarse de la inteligencia de la gente con quienes debaten en los grupos de discusión y correo electrónico.

"Encontraremos que esa gente usa muy a menudo DejaNews como una cachiporra", dice Nickas.

"Quiero decir, tú dijiste esto o esto otro. En términos bélicos, actualmente es como un arma. No era un uso que hubiéramos previsto con anterioridad, pero es una de las razones por las que queremos incluir .alt y .soc y todo eso".

DejaFinance

DejaNews ha crecido, desde un proyecto seguido por Madere en su tiempo libre, hasta convertirse en un considerable grupo de la Web, no solamente apoyado en la idea de Madere. La compañía también ha sido capaz de asegurarse algunos grandes acuerdos financieros.

Madere ha financiado toda la operación él sólo, desarrollando, aportando y comenzando a aumentar su tecnología a su propia costa. En Agosto de 1.995, mostró a su familia y amigos que DejaNews era viable y obtenía una segunda aportación de los mismos. Ellos hicieron posible que el punto, que no ha hecho anuncios hasta hace poco, se extendiera lo bastante como para atraer unos pocos anunciadores e incrementar su población de usuarios regulares.

Una de las mayores oportunidades de la compañía vino en Diciembre de 1.995, cuando OpenText, Inc., la compañía de software de búsqueda que ya tenía Yahoo (ver capítulo 2), ofreció a DejaNews un puesto en su establecimiento de herramientas de búsqueda en Internet. La atención de OpenText trajo aún más dinero de la publicidad, y otro gran inversionista, a DejaNews.

Hoy en día, dice Madere, "aún no es del todo rentable, pero es principalmente porque nosotros todavía no hemos centrado toda nuestra energía en vender publicidad. Estamos tratando de aumentar la audiencia".

La compañía trabaja con un consultor financiero, un ex administrador estratégico VP de Salomon Brothers amigo de la familia de Madere, para ocuparse del crecimiento financiero de la empresa.

El sitio

Alrededor de cinco millones de veces al día, hay alguien que accede a la primera página de Netscape Communications Corporation en Menlo Park, California, por la sencilla razón de que esta gente está usando el software fijo de Netscape, y éste visualiza la página automáticamente. Y no esta lejos un enlace con DejaNews. Cuando hacemos clic en la barra del botón Netscape, en Net Search, veremos una página de enlaces con dispositivos de búsqueda, entre ellos DejaNews.

Una vez que hemos accedido a la página de presentación de DejaNews (http://www.dejanews.com/), no nos tropezamos con gran complejidad; veremos un sencillo cuadro de texto en donde podemos teclear los términos de nuestra búsqueda (ver figura 8.1). Después que tecleamos una o más palabras y presionamos Intro, vemos la página con los resultados de la búsqueda inteligentemente organizados, como se puede ver en la figura 8.2.

Figura 8.1. La página de búsqueda de DejaNews, la primera que aparece cuando conectamos con el punto. Hay que introducir nuestros términos en el cuadro de texto.

Cuando hemos obtenido una lista extraída, Usenet se pone de repente a nuestro alcance. Hacer clic en uno de los artículos y veremos el original, el inexpurgado artículo de Usenet en nuestra pantalla, tal como aparece en la figura 8.3.

En este punto, apenas hemos arañado la superficie de DejaNews, y eso es todo lo bueno. Un servicio de ordenador no llega a nosotros con toda su complejidad y poder. Podemos disponer de él si lo necesitamos, pero tendremos que hacer alguna exploración y experimentar.

Con DejaNews, la experimentación aparece en sí misma: un montón de texto visualiza en la pantalla el anuncio en azul de un hiperenlace Web, incluyendo el nombre de su autor. Si hacemos clic en éste, aparecen los mensajes de los últimos meses de todas las personas, agrupados por grupos de discusión (ver figura 8.4). Este potente sistema nos permite echar un vistazo a lo que alguien ha estado haciendo en la red.

Figura 8.2. Después de buscar en DejaNews se obtiene una pantalla parecida a la que vemos. Esta página de resultados en particular muestra lo que se obtendrá al buscar por "Catalina 34", un tipo de embarcación de tamaño medio.

Para desconectar el poder de DejaNews, podemos hacer clic en la pantalla Power Search (figura 8.5). En esta pantalla podemos construir nuestra búsqueda de muchas maneras, incluso restringiéndola, si queremos, a ciertos grupos o jerarquías de grupos. Mediante un filtro inteligente, es posible encontrar, por ejemplo, todo lo que dijo sobre el "sexo" cualquier miembro de nuestra organización.

Para algunos críticos, la capacidad de potencia de búsqueda de DejaNews confirma que esta tecnología levanta materias escabrosas, pero también destaca un hecho indiscutible: cuando colocamos un artículo en Usenet estamos haciéndolo público.

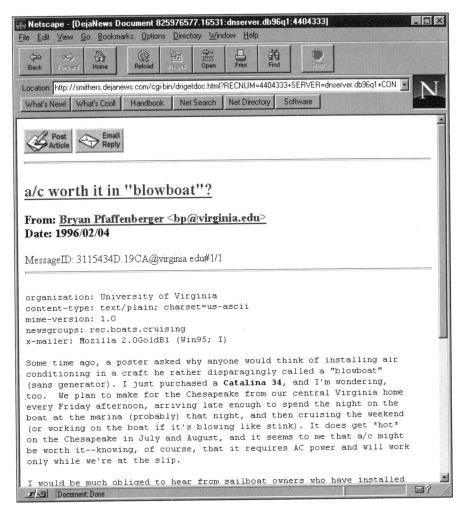

Figura 8.3. He aquí un artículo de Usenet visualizado por DejaNews tras hacer clic en su encabezamiento en la página de resultados.

Peculiaridades de una búsqueda

Cuando entramos en el punto de la Web DejaNews e introducimos algunas especificaciones de búsqueda, hay un montón de Pentiums ejecutando el software de DejaNews que atienden nuestra petición. Estos ordenadores, situados a lo largo de una habitación, conectados a las líneas de los módem del proveedor del servicio, constituyen un sistema, una mezcla de silicona y cable que funciona para dar respuesta a las cuestiones de cientos de navegantes de la Web cada hora. El sistema almacena, por separado, copias completas de la base de datos de noticias de Usenet, tanto como protección contra fallos de las unidades como para facilitar una búsqueda rápida, porque tener múltiples copias de la base de datos permite que un procesador esté buscando en una y otro en otra. Cada copia de la base de datos de Usenet aumenta la capacidad aritmética del sistema.

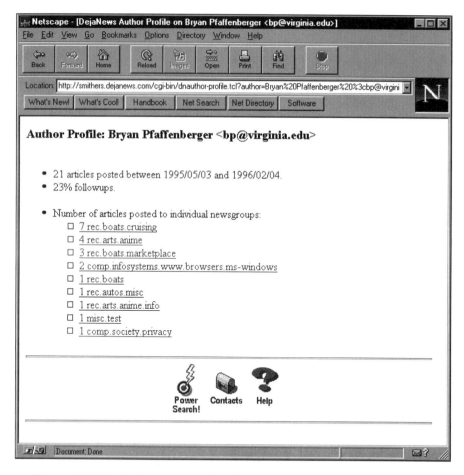

Figura 8.4. Perfil de un autor. Este sistema puede ser potente—ayuda a encontrar algo sobre un usuario de Usenet—o inquietante, ya que en estos perfiles vienen tanto los correos escabrosos como los agradables.

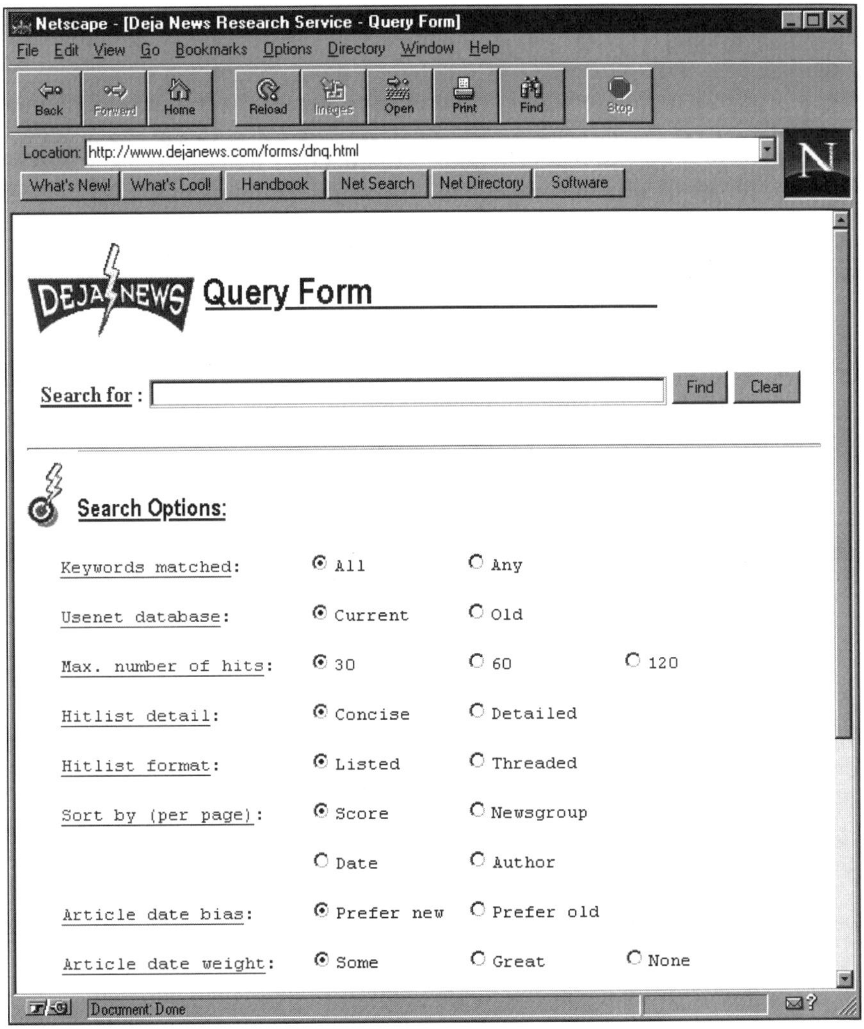

Figura 8.5. La pantalla Power Search de DejaNews. Usar este formulario para buscar noticias de más de dos meses o para confeccionar nuestra búsqueda con más fuerza.

Después de que uno de los Pentium, o más, hurgue en la base de datos y extraiga lo que nos interesa del cuerpo completo de noticias archivadas de Usenet, las máquinas envían el texto, sin elaborar, a otro conjunto de Pentiums. Éstos se encargan de elaborar el texto en un código HTML formateado correctamente con encabezamientos, separadores, y el URL que está actualmente hiperenlazado con las páginas de la Web a las que se refieren. Estas máquinas también envían la información formateada al navegante que inició la búsqueda.

El proceso completo, con las últimas versiones de búsqueda y proceso de software de DejaNews, llevan alrededor de un segundo. Este tiempo representa un progreso respecto a los primeros días de DejaNews en dos sentidos. En términos de pura velocidad, el tiempo que se necesita para realizar una búsqueda y formatear los resultados se ha dividido por diez. Este avance es impresionante, pero mucho más cuando consideramos que DejaNews también ha doblado el tamaño de su archivo durante el tiempo que se estuvo trabajando en el nuevo software. Al principio, el servicio sólo entregaba un archivo de los últimos seis meses en Usenet y no archivaba en gran volumen de los grupos de discusión alt.*, talk.* y soc.*. En la actualidad, DejaNews cataloga todos los grupos, excepto los que contienen gráficos ilocalizables o archivos de sonido, hasta Abril de 1.995.

No es para noticias

DejaNews no deja de tener sus detractores. Algunos miembros de la comunidad Usenet se quejan de que el servicio viola su derecho de privacidad, manteniendo efectivamente un registro de lo que dicen en los grupos de discusión de Usenet. Se puede introducir como criterio de búsqueda la dirección de correo electrónico de un empleado rival y obtener una relación de todos los mensajes que aquella persona ha puesto durante el pasado año, bonitamente formateado para poner sobre la mesa del jefe. Teóricamente, un fiscal también puede teclear la dirección de correo electrónico del demandado, pongamos, por un caso de abuso de drogas y obtener jerárquicamente todos los mensajes que tuvo éste en el grupo de discusión rec.drugs.*, útiles piezas de evidencia que el fiscal no hubiera podido encontrar fácilmente sin DejaNews.

"No quiero parecer paranoico, pero uno de los elementos de Internet que más valoro es la privacidad y el anonimato cuando los deseo", escribió un usuario de Usenet en misc.news.internet.discuss, cuyos correos localizamos mediante DejaNews. "El hecho de que exista (DejaNews) y de que cualquier cosa que yo lance pueda atribuírseme y ser localizada por cualquiera, me resulta inquietante".

Madere y Nickas defienden su servicio, diciendo que Usenet es un medio de difusión que está archivado, justamente como las cartas al director en un periódico o revista.

La diferencia es, según dicen ellos, que es mucho más fácil colocar un mensaje en un grupo de discusión de Usenet sin pensar, que escribir y enviar una carta a un periódico o una revista.

"Creo que la gente se equivoca", dice Nickas. "Pienso que como es tan fácil poner mensajes en Usenet, olvidan que tiene un montón de implicaciones. ¿Queremos salir a la calle y recoger información privada? Es un acto comprometido, que tenemos que saber que lo que hacemos. Pero sólo tenemos que hacer clic en un par de botones para enviar información a 20 millones de usuarios".

Madere escribió en una ocasión que la National Security Agency (agencia de seguridad nacional) y otras agencias del gobierno archivan las noticias de Usenet y las utilizan en su provecho (razón por la que muchos usuarios de Usenet terminan con cadenas de palabras con un sentido para confundir a los ordenadores del gobierno, "uzi", "militia", "car bomb", etc.).

DejaNews, escribió Madere, simplemente democratiza el archivo haciéndolo accesible a todo el mundo.

"Usenet es un sistema de publicación", dice Madere. "Es una forma de transmitir información a todo el mundo. Lo que nosotros hicimos fue ir a la biblioteca y hacer un catálogo de fichas catalogadas por autor. De manera que podamos decir, 'el mensaje que ha escrito este individuo es interesante; déjenme ver que otra cosa ha dicho'. El objeto no es ir a buscar los secretos de las vidas privadas de la gente. Si estuviéramos haciendo eso, tendríamos un índice de sus correos electrónicos. Se trata absolutamente de una cuestión pública".

La cantidad de correo electrónico y de mensajes airados de Usenet resulta pequeña comparada con lo que ha crecido la comunidad de Internet con el uso de la presencia de DejaNews, dice Nickas.

La Telecommunications Act (Acta de telecomunicaciones) de 1.996, que incluye una sección que pone fuera de la ley el contenido ofensivo en Internet (y que está protestando el *American Reporter*, como se puede ver en el capítulo 10) ha obligado a DejaNews a desarrollar unas normas para la distribución de mensajes que contengan material ofensivo. Básicamente lo hacen sin restricción, citando varios interdictos recientes contra la ejecución de la ley en las charlas en Internet, y la opinión de Madere es que resulta "patentemente inconstitucional". Además, están preparados para saber qué hacer si un usuario tiene un contratiempo con un mensaje ofensivo.

"Para cumplir con la ley, si tenemos conocimiento de que un mensaje es ofensivo, vamos a tener que borrarlo", dice Madere. "Estamos contando con los esfuerzos de la American Civil Liberties Union y la Electronic Frontier Foundation para hacer decir a los jueces...que la ley es inconstitucional".

El punto da una buena cantidad de publicidad gratis a EFF y le ha ofrecido la misma cantidad a la ACLU. Hasta ahora, dicen Mader y Nickas, nadie se ha quejado aún a DejaNews acerca de un solo mensaje ofensivo de Usenet.

La competencia

DejaNews tiene que luchar principalmente con tres competidores: Alta Vista, Infoseek y excite. También compite con el Stanford Netnews Filtering Service, un servicio basado en el correo electrónico. Ninguno de estos servicios tiene un índice de noticias tan grande como el que mantiene DejaNews.

Alta vista (http://altavista.digital.com/), mostrado en el figura 8.6, conserva en su disco algo como dos meses de noticias de Usenet.

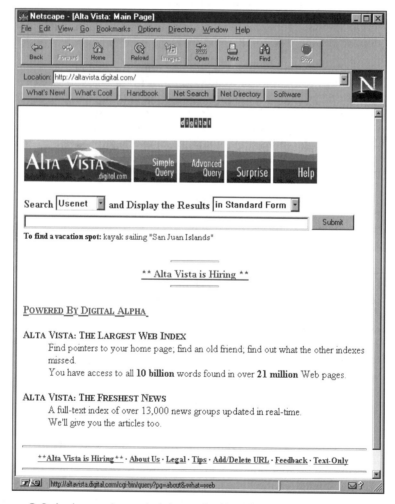

Figura 8.6. La herramienta de búsqueda Alta Vista, que contiene una buena cantidad de noticias de Usenet.

■ **Infoseek Guide** (http://guide.infoseek.com/), que se puede observar en la figura 8.7, tiene seis meses de noticias de Usenet. También tiene una fuerte relación de negocio con Netscape Communications Corporation, lo cual supone un gran empuje en su esfuerzo por abrirse mercado.

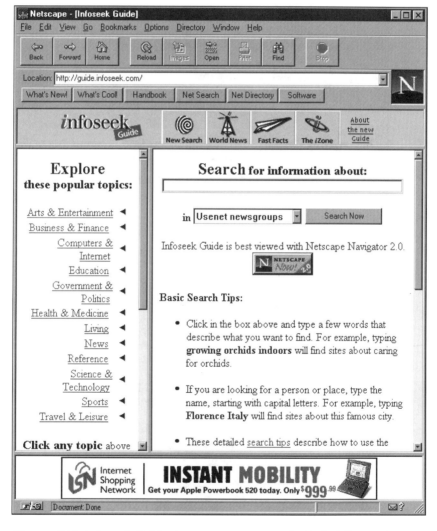

Figura 8.7. Infoseek Guide, la mayor competencia de DejaNews. Aunque ayudado por Netscape para abrirse mercado, tiene una base de datos mucha más pequeña que la de DejaNews.

excite (http://www.excite.com/), mostrado en la figura 8.8, solamente tiene las dos últimas semanas de noticias de Usenet, haciéndole una débil competencia a DejaNews. No obstante, se trata de una buena herramienta de búsqueda en la Web, y para compensar puede tener alguna noticia que no está en DejaNews.

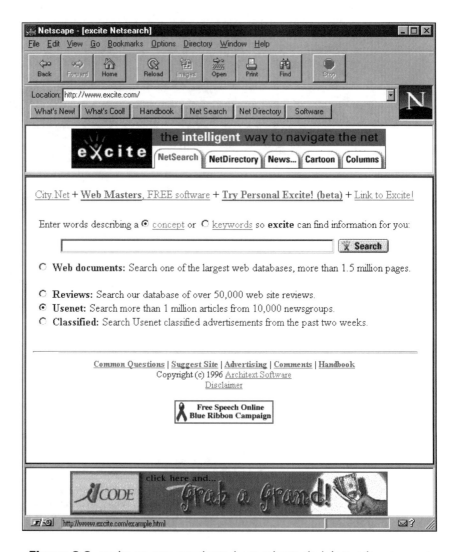

Figura 8.8. excite es una excelente herramienta de búsqueda y aunque conserva menos tiempo de noticias de Usenet (dos semanas), puede tener algunos contenidos que no posee DejaNews.

■ **Standford Netnews Filtering Service** (http://woodstock.stanford.edu:2000/), es el competidor menos serio que tiene DejaNews. Este servicio escudriña las noticias de cada día, buscando mensajes que contengan los términos que especificamos en una página de la Web. Entonces, el servicio nos envía una compilación de los mensajes, vía e-mail. Está bien usar este servicio con mucho tiempo para cosas puntuales, como el nombre de nuestra empresa, pero no es bueno para búsquedas urgentes.

A vueltas otra vez con DejaNews

¿El futuro? Madere y Nickas tienen algunas ideas sobre lo que podría resultar su servicio en los próximos meses.

Lo primero que están planeando hacer es influir aún más en la información de dominio público (ver capítulo 14) añadiendo perfiles de grupos de discusión, resúmenes del contenido de cada grupo, volumen, tendencias recientes y, lo que es más importante, sus colaboradores más frecuentes. Estos perfiles de grupos podrían proporcionar una herramienta instantánea de referencia para los usuarios de la Web que busquen expertos en un determinado campo. ¿Quién mejor para preguntar sobre los teóricos ratios de crecimiento cero de Hacienda que los contribuyentes que más frecuentan misc.invest.technical, o sobre el lado oscuro del oso Fozzie que los líderes de la discusión en alt.tv.muppets?

"Ser capaces de ver todo un año y medio de la historia de los mensajes de alguien nos otorga una foto mucho mejor de su personalidad", dice Nickas.

Los hombres también imaginan páginas de perfiles de estos expertos. Aunque algunas personas discrepan de este tipo de búsqueda (ver la sección "no es para noticias" más arriba), Madere y Nickas dicen que piensan que una colección semejante de páginas podría ser una herramienta útil de búsqueda, especialmente para bibliotecarios, que usan DejaNews casi tanto como los programadores y otras gentes del ordenador. Probablemente los bibliotecarios podrían ser los que usaran más el servicio, excepto por el hecho de que muchos no están aún conectados a Internet.

La charla en grupo en Internet permanecerá como fenómeno basado en texto, dice Madere, aunque aumente la capacidad de las redes para manejar sonido y vídeo. Las conversaciones entre individuos pueden manejarse a través de sonido o vídeo transmitido vía Internet, pero la discusión en grupo permanecerá ligada al texto, dice. El audio y el vídeo se pueden imponer en las charlas y en la clase de conversaciones que la gente tiene hoy vía e-mail, pero la búsqueda de estas comunicaciones no es importante, en general, como herramienta de referencia.

Lo que sigue

La gente de DejaNews toma el contenido de dominio público y aportado por el usuario, noticias Usenet, y lo hace más útil al proporcionar una herramienta de búsqueda para el mismo. Modifican la comunidad de Usenet, poniendo a disposición un número histórico de mensajes. Pero ¿qué sucede cuando un servicio de la Web toma la información de dominio público y construye una comunidad de información para husmear en ella? Ésto es lo que han hecho Mark Torrance y su servicio StockMaster. Lo veremos en el capítulo siguiente.

9

Capítulo

StockMaster construye una comunidad

Yo sólo era un inversor individual interesado.

—Mark Torrance, fundador de StockMaster

Quizás Ken y Eric de Henrietta, Nueva York, son los que mejor resumen el fenómeno StockMaster. En diciembre de 1995, estos dos niños de 10 años, mandaron un mensaje por correo electrónico a Mark Torrance, creador de StockMaster, el instrumento de estudio de inversiones de la Web, diciendo que tenían que hacer un trabajo sobre el mercado de valores para el colegio y necesitaban un poco de ayuda.

"Queremos saber lo que quiere decir todo lo de su página de valores, en palabras simples", escribieron los niños.

Torrance, para complacerles, contestó a Ken y a Eric explicándoles las paridades, los fondos conjuntos, los mercados financieros y los índices bursátiles, utilizando como ejemplo un puesto de limonada.

"Nunca hubiera pensado que mi comunidad incluyera a niños de 10 años", declaró Torrance.

La elección de sus palabras "mi comunidad" es importante. Lo que Torrance ha establecido es lo que se podría llamar una comunidad de información un grupo de personas que comparten una necesidad de información sobre títulos, valores e instrumentos de análisis, y por la cual interaccionan entre ellos.

Torrance decidió que su comunidad de información era lo suficientemente extensa y fuerte para permitirle lanzarse al terreno comercial, es decir, para comercializar un servicio que creó en el servidor Web del Laboratorio de Inteligencia Artificial del Instituto de Tecnología de Massachusetts. Básicamente, alteró sus planes de vida para nutrir la comunidad de información que recopiló, se podría decir, que casi por divertirse.

"Creo que el carácter de comunidad es muy fuerte y es sorprendente que así sea, pues son únicamente un montón de gráficos", mantiene Torrance.

Lo cual es cierto. Pero en la Web, facilitar aunque sea un único servicio útil puede ser suficiente para permitir que una comunidad de información se desarrolle y poder sacar un beneficio personal.

El nacimiento de una comunidad

StockMaster nació de los esfuerzos de Torrance para invertir el dinero de su familia a finales de 1993. Se acababa de casar y su novia, Leslie, tenía algún dinero en una cuenta conjunta que no rendía mucho. Torrance decidió interesarse por la financiación personal, las inversiones y los medios para hacer crecer el pequeño capital de Leslie.

"Empecé de cero, leyendo la revista *Money* y un libro de texto titulado Inversiones", dice. "Yo sólo era un inversor individual interesado".

Tomó también algunas clases en la facultad de Gestión del MIT pero ninguna de ellas especializada en finanzas.

En agosto de 1993, descubrió una correspondencia electrónica nocturna que era una fuente de cotizaciones que se archivaban en el servidor de Datos Generales de Internet de acceso público.

Pirateó un programa muy bueno para arreglar estos datos, los cuales eran clasificados por fechas y por un símbolo de panel automático. A continuación, adaptó un programa de software gratuito llamado Gnuplot para representar de forma gráfica, en unos ejes, la evolución en el tiempo de los precios y convirtió los resultados en un archivo de imágenes en formato GIF. El proceso entero le tomó aproximadamente dos semanas trabajando a media jornada.

"Me dije, 'Oh, creo que intentaré hacer algunos programas para representar de forma gráfica estas acciones' y, una vez hecho esto," dice Torrance, "se me ocurrió que ya que había hecho algunos gráficos para mi, podría intentar compartirlos con otra gente y ver cuántas personas los consultaban".

Pudo utilizar las cotizaciones gratis, puesto que estas eran ya básicamente inútiles para las empresas que las establecían, una vez transcurridos unos 15 ó 20 minutos. Construyó estos gráficos a partir de datos que tenían un día, disponibles en las áreas públicas, y los mostró en el servidor Web del Laboratorio IA del MIT. Su punto incluye ahora algunas informaciones históricas y unos 466 valores, la mayoría de áreas tecnológicas, y prevé añadir más en breve.

Eso fue todo. Un experimento empezó a transformarse en una comunidad.

Torrance decidió ignorar la página de ¿Qué hay de nuevo? en el NCSA, que era en su momento *el sitio* para mostrar información sobre los nuevos recursos de la Web, y que empezaba a atraer tanto tráfico que era imposible de monitorizar. El contó con el boca a boca y los buscadores para que se extendiera la noticia del StockMaster. Rápidamente, el punto se ganó la atención de los analistas amateurs de valores.

"Al principio, se triplicaba cada seis meses y ahora (a mediados de 1995) sigue creciendo y se duplica casi cada seis meses", dice Torrance. Cada día, entre 60.000 y 70.000 copias sobre páginas del punto llegan a los servidores de los visitantes, un número que se ha disparado gracias a un enlace con la página de finanzas de America Online.

Torrance sigue pasando diez horas o más por semana manteniendo y mejorando el punto. Recientemente añadió números suavizados, números que no presentan la irregularidad típica de los caracteres generados por ordenador, a los ejes del gráfico. Mejoras anteriores incluyen la utilización de una escala logarítmica y un gráfico de índice S&P 500 para todas las curvas de valores.

"Siento como un compromiso moral para con las personas que lo utilizan", declara Torrance.

Pero los días de los puntos de Web amateurs están contados, sostiene. El futuro de la Web es comercial, aunque no dominado por grandes compañías. Por lo menos no por las mismas que controlan hoy en día la distribución de la información.

"Creé esto cuando casi todo en la Web eran pequeñas cosas creadas por personas y ofrecidas gratuitamente, es decir, cuando la Web no era nada comercial," dice Torrance. "Últimamente ha tomado un nuevo rumbo muy claro. Es un gran negocio para compañías que están ofreciendo productos de Internet innovadores".

El sitio

Lo realmente sorprendente del StockMaster no es su interfaz, que es bastante soso, ni tampoco su contenido, que es de gran calidad pero limitado. Lo fantástico es la comunidad de información que se ha creado como resultado de un servicio directo. De todas formas, la estructura del punto merece ser examinada.

La página de presentación del StockMaster (http://www.ai.mit.edu/stocks.htlm), mostrada en la figura 9.1, se carga rápidamente, independientemente de la velocidad de la conexión Internet que se utilice. En su diseño sólo hay un pequeño gráfico por página, y todas las conexiones con otras páginas están representadas por hipertexto, barras de botones simples o iconos. La página presenta el mismo buen aspecto tanto en un servidor sin imágenes, tipo Lynx, como en servidores sofisticados como Microsoft Internet Explorer o Netscape Navigator.

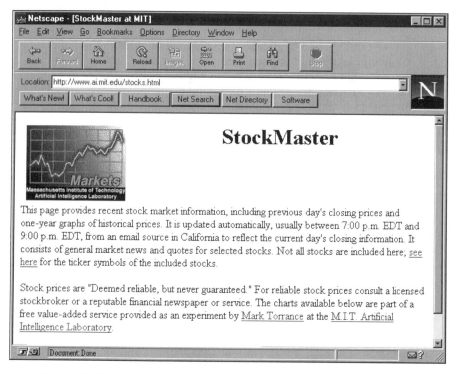

Figura 9.1. La página de presentación de StockMaster se ha hecho intencionadamente simple, con un pequeño gráfico y enlaces con otras páginas.

Conexiones en la página de presentación conducen a índices diferentes para valores y fondos conjuntos. Para utilizar estos índices (como los de la figura 9.2) hay que ir avanzando a través de una lista alfabética de temas o utilizar el dispositivo de búsqueda del servidor para encontrar el valor que interesa. Es bastante rudimentario, pero ese no es el objetivo del punto y Torrance planea actualizar el índice pronto.

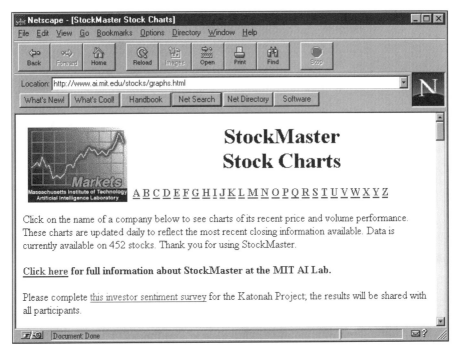

Figura 9.2. Un índice de StockMaster. Hay que avanzar a través de nombres de compañías o utilizar la función de búsqueda del servidor para encontrar el tema que interesa.

Lo realmente llamativo del punto son los gráficos, imágenes en formato GIF de precios y curvas de valor neto en función del tiempo. Se generan cada noche y son archivados en el servidor, listos para ser consultados inmediatamente.

Las versiones anteriores de StockMaster generaban los gráficos a medida que se pedían, pero la demanda rápidamente sobrepasó la capacidad del servidor de generar gráficos al instante. La figura 9.3 muestra un gráfico típico de StockMaster.

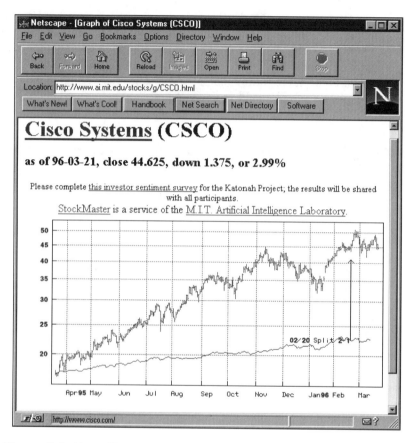

Figura 9.3. Un gráfico de StockMaster para Cisco System. Un programa genera un gráfico como éste para cada valor cubierto por StockMaster y lo archiva para recuperarlo cuando sea requerido.

Hay también una conexión entre la página de presentación y los "Top Stocks" del día, es decir, los valores cuyos gráficos han sido los más consultados por los usuarios a lo largo del día. Torrance observa que la presencia de una página de "Top Stocks" (ver figura 9.4) aumenta la popularidad de los valores que la encabezan, pues los visitantes del punto a menudo quieren ver esos gráficos para saber por qué son tan populares.

Torrance y el StockMaster compiten con otros servicios de gráficos. Sus principales competidores son el Daily Graph y en papel el Value Line que son instrumentos de análisis de tendencias.

"Mi objetivo es competir con ellos", dice Torrance, "y ofrecer información que haga posible que los inversores individuales estudien compañías y fondos conjuntos en los que se encuentran interesados, e investiguen sobre su historial".

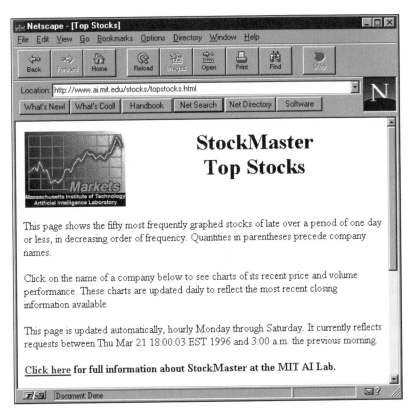

Figura 9.4. La página Top Stocks. Esta página enumera los gráficos de valores más consultados y, a su vez, atrae a más gente hacia los valores líderes, aumentando así su popularidad.

¿Por qué no hay un panel de cotizaciones en tiempo real?

Nos preguntaremos porqué no hay un panel automático de cotizaciones en el StockMaster o unos gráficos continuamente actualizados. Estos servicios suelen estar entre las principales capacidades del Java de las que hacen tanto alarde los técnicos de Sun. Es un problema de hardware, dice Torrance.

Cuando los clientes se den cuenta de que podrían tener en sus pantallas un panel automático de cotizaciones casi en tiempo real, o el gráfico del precio de las acciones de una compañía actualizado con cada transacción, pondrán una pantalla a tiempo completo solo porque queda bien. Nada es más codiciado, en un trabajo basado en la información, que lo que se consigue en tiempo real.

Sus ordenadores exigirán una conexión a tiempo completo con el servidor del panel automático, colapsando de esta forma los procesadores de los servidores y las vías de comunicación.

"Se van a dar cuenta de que básicamente sólo pueden tener un número limitado de conexiones abiertas simultáneamente con sus clientes" dice Torrance. "Tendrán que tener muchas máquinas" y el correspondiente gran número de vías de comunicación de gran ancho de banda.

Los requisitos técnicos de un servicio como éste elevarían enormemente el capital inicial necesario, eliminando pues uno de los atractivos principales de los negocios en la red.

Además, muchos servicios, en particular Bloomberg y Quotron, ya ofrecen información del mercado en tiempo real a corredores de bolsa, analistas profesionales y a otras personas que realmente la necesitan y pueden pagarla.

Siempre es posible e incluso probable, apunta Torrance, que alguien consiga idear un medio para solucionar el problema del flujo de tráfico. Cuando esto ocurra, dice, "me lanzaré de cabeza".

Hasta entonces, los paneles automáticos de cotizaciones y gráficos continuamente actualizados tendrán que seguir siendo del dominio de compañías a las que no le preocupa la perspectiva de comprar y usar unas cuantas docenas o más de servidores.

El StockMaster

Torrance es un pirata informático.

Esto no quiere decir se pase las noches entrando en el servidor de salarios del Kremlin o alterando la Receta Secreta del Coronel del Kentucky Fried Chicken, como quieren hacer creer los medios de comunicación. Significa que es un buen programador que siente una gran satisfacción haciendo que las máquinas se comporten como él quiere.

Su tesina para el MIT trataba sobre un robot que él diseñó. El robot puede aprender a desplazarse por varias habitaciones y encontrar el camino de una a otra mientras se comunica en inglés con un ser humano. Su tesis doctoral, que ha pospuesto para poder levantar el StockMaster, trata sobre el proyecto de la Habitación Inteligente del MIT y sobre el proyecto Sun Active Notebook.

Fotografía de *Mark Torrance*

La Habitación Inteligente será una sala de conferencias que incorporará características tales como videoconferencias con cámaras automáticas alternándose, brainstorming asistido por ordenador y agentes representados físicamente de forma virtual. El Active Notebook sigue siendo un proyecto secreto de Sun, pero tiene que ver con organizar información en la Web de forma instintiva.

En cualquier caso, a Torrance le entusiasma conseguir que las máquinas hagan cosas complicadas.

En su oficina, ningún póster adorna las paredes, ninguna música flota en el ambiente. El escritorio de Torrance se encuentra en una esquina, lejos de la puerta, cerca de un medidor de temperatura que emite constantemente un insidioso silbido. Tres estaciones de trabajo Sun ocupan el despacho enmoquetado en gris: dos en el escritorio principal de Torrance, y la tercera en el otro escritorio del otro lado del cuarto. Todas ellas conectadas con una conexión de Internet T3 muy rápida. Este despacho es el nirvana de cualquier pirata informático.

De hecho, dicho despacho está en el edificio considerado por muchos historiadores informáticos como la cuna del pirateo informático. En el Laboratorio de Inteligencia Artificial del MIT, entre los años 50 y 60 los estudiantes jugaban con los primeros ordenadores tales como el TX-0 y el PDP-1, llevando el hardware al límite y eventualmente desarrollando toda una industria. Este edificio es a la informática lo que Cabo Cañaveral es al programa espacial norteamericano.

Torrance es un hombre de ademanes suaves, con el pelo corto y rubio. Lleva pantalones vaqueros, camisa ligera y se refiere a Torrance, California, como su pueblo natal. En efecto, un pariente lejano prestó el apellido familiar para denominar un trozo del área de Los Angeles. Pianista entusiasta, principalmente de canciones de Broadway o de Billy Joel, a Torrance le gusta jugar al ajedrez, a juegos de palabras y leer libros que no sean de ficción.

En septiembre de 1995, él y su mujer Leslie tuvieron una niña, Allison Lynn, que ya tiene su propia página principal, que incluye una imagen de ultrasonidos y una cronología del parto.

¿No le asusta a Torrance la perspectiva de empezar un servicio comercial en la Web, sobre todo teniendo en cuenta el reciente nacimiento de Allison? Sí, admite, pero las satisfacciones potenciales que presenta compensan ampliamente los riesgos inherentes al comienzo de una nueva aventura.

"Tengo ésto entre manos que realmente se ha convertido en algo que, a mi parecer, representa una gran oportunidad financiera", dice Torrance. "Es para asustarse un poco, pero también es probablemente la posibilidad más fácil que me voy a encontrar jamás de empezar algo en la vida".

"Todavía no sé si estoy siendo muy confiado o, más bien, insensato sería la palabra", dice. "Estoy asustado. Pero también estoy muy ilusionado. Además, tengo la sensación de que soy bastante joven y si me aventuro por ahí fuera y no me sale bien, siempre puedo recuperarme y volver a esta facultad a trabajar en otra cosa".

La competencia

La Web rebosa de recursos para los inversores y algunos son mucho más eficaces que otros. El StockMaster ofrece los mejores gráficos de historiales de precios de acciones con diferencia, por lo cual no tiene por ahora ningún competidor directo. Sin embargo, los servicios del StockMaster son limitados y debería utilizarse junto con otros recursos de la Web para completar la colección personal de ayudas para la inversión.

Una de las mejores ayudas que hay es la Security APL, una sede de información. En un esfuerzo por que la gente se incluya en estos servicios de bolsa, la Security APL ofrece un montón de información ingeniosa, así como instrumentos de referencia. Para la mayoría de ellos hay que inscribirse y pagar una cuota, pero también se pueden encontrar algunos servicios gratis que están muy bien, entre ellos un servidor de cotizaciones diferidas de 15 minutos y una función de símbolo de panel automático, en http://www.secapl.com/cgi-bin/qs. No obstante en la sede de Security APL no se muestran gráficos de evoluciones de precios, de hecho incluye hiperenlaces con StockMaster para poder consultarlos ahí.

El StockMaster no ofrece gráficos del día actual, es decir gráficos que representan las fluctuaciones de un determinado valor durante una sesión de bolsa. Dicho tipo de gráficos se puede encontrar en Remedies (http://remedies.com/). Las tablas de Remedies abarcan los 30 Indices de Valores Industriales del Dow Jones, junto con los principales índices y algunas opciones, futuros e información sobre las tasas de cambio. Las tablas de Remedies cubren el día de cambio terminado más reciente, e incluye bastante cantidad de información sobre análisis técnico (datos que ayudan a los analistas a decidir cuándo las acciones están sobrevaloradas o infravaloradas). La figura 9.5 muestra el típico gráfico del día mismo de Remedies.

Las inversiones parecen ser un de los campos más florecientes del lado comercial de la Web. Se puede mantenerse al día de todos los nuevos recursos ofrecidos en la Web para los inversores gracias a la página Yahoo de Dinero e Inversiones en http://www.yahoo.com /Business_and_Economy / Markets_and_Investments/.

El siguiente paso de StockMaster

Torrance ha formado una empresa, Marketplace.net, Inc. y piensa comercializar StockMaster con esta empresa. Pronto la dirección URL de este punto será http/:www.stockmaster.com. Quiere imitar la trayectoria de los puntos educativos Lycos y Yahoo que se han hecho de oro cuando se han comercializado como empresas privadas.

El primer paso es encontrar patrocinadores. Los patrocinadores obtendrán un espacio en el punto de StockMaster y pagarán 30$ por cada 1.000 veces que su anuncio se envíe a un servidor.

"Me gustaría conseguir a Sun como patrocinador, pues podría obtener de ellos algunos equipos", dice Torrance. También está contactando con Netscape Communications.

Dice que contratará a un comercial o a una empresa de venta para recaudar lo antes posible los ingresos de publicidad.

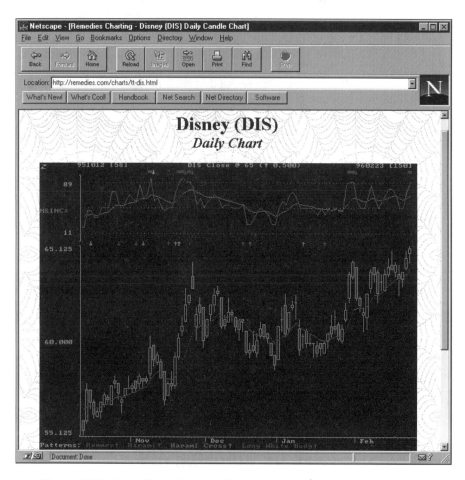

Figura 9.5. Un gráfico de Remedies que representa las fluctuaciones de las acciones de la compañía Disney Corporation durante una sola sesión de bolsa. Este gráfico incluye también un análisis técnico que no está incluido en los gráficos del StockMaster.

El servicio comercial seguirá ofreciendo los mismos servicios gratuitos que hasta ahora y, probablemente, añadirá cotizaciones diferidas de 15 minutos gratuitas para los usuarios que no estén abonados. Los usuarios abonados, que hayan pagado una cuota de suscripción, tendrán acceso a cotizaciones en tiempo real.

Además los abonados tendrán acceso a información fundamental, datos de la industria, listas de los directivos, y noticias, así como información técnica, precios y tendencias, que estará disponible sin ningún coste adicional.

Los abonados podrán también participar en debates en la red, complementados por la posibilidad de consultar datos relevantes. Por ejemplo: "Eh, dar un vistazo a lo que ha hecho este mes Bay Networks," en donde la frase subrayada dirige a unos gráficos sobre el precio de las acciones de Bay Networks.

"Uno de los mayores atractivos de la versión comercial de StockMaster," sostiene Torrance, "será un portfolio manager basado en Java. Cuando los usuarios se conecten al StockMaster, un Java script facilitará precios de valores y valor neto para fondos y calculará el valor del portfolio.

"Quiero que gracias a este portfolio manager la gente se enganche a usar este servicio, porque es el mejor portfolio manager que hay", dice Torrance. "Podrán pasar fácilmente de los gráficos al portfolio".

Además, el servicio podría proporcionar un dispositivo de búsqueda para ayudar a los abonados a encontrar inversiones adecuadas. Dicho dispositivo de búsqueda tendrá en cuenta factores tales como el capital inicial del usuario, los objetivos de ingresos, el marco de tiempo, el aguante en caso de volatilidad, y establece una lista de valores y fondos para que el usuario investigue.

El problema serían las cuestiones legales, afirma Torrance. Dice que piensa consultar a un abogado para saber cómo puede evitar cualquier responsabilidad civil en caso de que el dispositivo de búsqueda recomiende una inversión que haga que el usuario pierda hasta la camisa.

Aunque ha discutido ya su proyecto con la agencia de corredores Brown and Company, Torrance es contrario a trabajar con una sola compañía de bolsa.

"No quiero tener un trato en exclusiva con un agente de bolsa", dice. "No quiero que el servicio se convierta en el lacayo de algún agente de bolsa".

En cambio, dice, los visitantes del punto podrán combinar los análisis del StockMaster y las funciones de búsqueda del portfolio con los servicios de cualquier agente de bolsa que ellos elijan.

Lo que sigue

Torrance, con el StockMaster, ha creado una comunidad de información. ¿Qué ocurre cuando una comunidad de información se involucra en el mundo de la política y de los conflictos violentos? Nace el American Reporter, un periódico descrito en el próximo capítulo, que extrae información de primera mano de su comunidad y la difunde por todo el mundo.

10 Capítulo

American Reporter crea un periódico con cuatro cuartos

No sé qué va a ocurrir cada día, y aún así creamos un periódico... es un milagro semanal.

—Joe Shea, American Reporter

En el pueblo de Hebrón, en la costa mediterránea, una tierra disputada durante años, y que ahora está ocupada por ciudadanos israelíes, el reportero Stuart Hersh volvía a casa después de visitar a un amigo. Al doblar una esquina se paró en seco. Un grupo de hombres palestinos furiosos le bloqueaba el camino. Esta banda armada con piedras y botellas, empezó a perseguir a Hersh a través de las polvorientas calles del disputado pueblo. Él corría para salvar su vida.

Gritando en árabe la frase para decir "¡Periodista americano!", Hersh sacó una pistola de su chaqueta y lanzó un disparo al aire mientras corría, esperando llamar la atención de alguna patrulla militar israelí. Con la banda pisándole los talones, Hersh se metió en una cafetería, y le restregó frenéticamente en la cara al dueño palestino sus credenciales de prensa, implorándole su ayuda.

El patrón empujó a Hersh al cuarto de atrás. Hersh se acordó de la escena final de la película "Dos hombres y un destino", en la cual los títulos de crédito eran clavados en un establo por federales bolivianos.

El dueño le dio la espalda a Hersh y empezó a gritar a la banda cuando irrumpió en el local. Rápidamente les explicó en árabe que Hersh no era un israelí sino un "amigo de Palestina". Estos hombres furiosos bajaron sus improvisadas armas y salieron por la puerta.

Agitado, Hersh le dio las gracias al dueño de la cafetería y después cogió un taxi para volver a su casa. Encendió su ordenador, y escribió un artículo contando su experiencia (del cual hemos sacado los detalles anteriormente citados), y lo envió, pero no a Associated Press, Reuters, o a un periódico como el New York Times. Hersh contó sus experiencias a los lectores del American Reporter, un periódico que se edita seis veces por semana, exclusivamente en Internet. Esta historia presenta una perspectiva de la política de Oriente Medio que no se encuentra en otros medios de comunicación tradicionales.

Cada edición del American Reporter (registrado en http:// www.click-share.com:9999/cgi.bin/signup) proporciona al lector historias como la de Hersh, artículos que transmiten la emoción y la acción desde el corazón de la noticia. Evitando el estilo frío y aséptico que caracteriza a otros medios de difusión, el American Reporter permite a sus docenas de corresponsales transmitir la esencia de la noticia. Le ha devuelto el corazón al mundo del periodismo.

El American Reporter y su gente defienden la verdad, la libertad y el buen periodismo. Llevan a cabo esta defensa en la Red.

Árboles de raíces fuertes

En un bungalow de tres habitaciones, en un vecindario un tanto desolado de Los Angeles, un hombre de 51 años llamado Joe Shea está sentado frente a su almuerzo, una enorme ensaladera llena de Cereales. Corta un plátano con un cuchillo y lo echa en los cereales, a los que añade también gran cantidad de leche. Empieza a comer, tragando enormes cucharadas de la mezcla y mastica cuidadosamente mientras habla.

Shea dirige el American Reporter. En calidad de redactor jefe, recibe historias de corresponsales del mundo entero. Revisa su gramática, su estilo y contenido, y los reparte en las diferentes secciones para la edición diaria. Es el mediador de los conflictos entre los consabidos frágiles egos de los periodistas. Escribe los editoriales del periódico. Lleva todo esto a cabo desde un rincón de su diminuta casa.

Fotografía de *Joe Shea*

Shea sigue comiendo sus cereales y hablando. Es un irlandés puro, dice. Su linaje se remonta hasta las verdes praderas y páramos de Irlanda, donde sus antepasados vivieron durante miles de años. Como buen irlandés, continúa diciendo, tengo tendencia a tener visiones, sueños de comunidad y cosas así.

El nombre de "Shea" deriva de las mismas raíces celtas que "shee" el final de la palabra "banshee", el profético y lloroso fantasma.

En el verano de 1995, Shea tuvo una visión.

"Era como si estuviera mirando al ordenador y allí estaba ese árbol", dice Shea, describiendo lo que vio. "Era como uno de esos secoyas del Norte de California. Son enormes. Éste era un árbol realmente enorme, y unas poderosas raíces se dirigían al árbol desde todas las direcciones. De todos los lados del reloj. Pero yo sólo podía ver hasta aquí", dice, indicando un punto justo encima de mi cabeza. "Era como si mi campo de visión se parara a unos 40 pies del suelo".

"Supe inmediatamente, lo sentí fuertemente, que el American Reporter iba a ser una publicación muy importante. Que tendría muy buenos artículos y noticias procedentes del mundo entero, que sería algo así como un árbol. ¿Pero por qué no podía ver la cima?".

La respuesta vino de Arun Mehta, un lector del American Reporter que había venido a Los Angeles desde la India, y se pasó a ver a Shea el 10 de octubre de 1995.

"Obviamente, tiene que quitar la parte de arriba de su ordenador", le dijo Mehta.

La visión de Shea de su periódico como un poderoso árbol es muy representativa. El American Reporter tiene sus raíces en las mentes de sus reporteros y editores del mundo entero, y extiende sus ramas hacia el cielo, hacia un núcleo de leales lectores.

Los orígenes de un periódico

La simplicidad del mensaje de Shea, hombre grande y sociable, así como su gran franqueza, contrastan fuertemente con otros líderes más herméticos y más enfocados hacia áreas tecnológicas que protagonizaron la revolución de la edición en la Web.

Shea habla alegremente de su vida, de su carrera, de su posición en el periodismo y en las comunidades de la Web, siempre haciendo agradables referencias a otras personas.

Empezó en el periodismo, con 23 años, probando la validez del axioma según el cual una persona blanca paseando por el barrio de Harlem en Nueva York sería asesinada, así que él lo hizo, mientras Martin Luther King, Jr se estaba muriendo en Memphis, y estallaban disturbios por toda la nación. Escribió a mano su experiencia, envió su escrito al Village Voice, y vio cómo se lo publicaban 2 días después bajo el título "Un blanco en Harlem". Ya enganchado, siguió como corresponsal internacional para varios periódicos y pasó la mayor parte de su carrera escribiendo notas desde Irlanda del Norte, Vietnam, Filipinas y la India.

Shea ha convertido al American Reporter en una eficaz operación informativa. Sin embargo, la idea del periódico vino de la comunidad de reporteros de la Sociedad de Periodistas Profesionales de la lista de Internet.

Cuando se extendió el rumor del traspaso del Milwaukee News, un cierre que le costó el puesto a un buen número de periodistas, a la lista de direcciones, surgieron debates sobre el futuro de los periódicos y del gremio de periodistas. La comunidad se dio cuenta de que entre los altos costes de la impresión y la tendencia de los editores a la fusión, el futuro de la prensa en papel parecía sombrío.

"Me di cuenta de que todos estos buenos escritores no tendrían adonde dirigirse", dice Shea. "Toda esa comunicación iba a desaparecer, o por lo menos la mitad. Tal vez la otra mitad podría dirigirse a otra publicación, pero el número de personas cuyas voces eran escuchadas disminuiría considerablemente".

La tendencia que se observa de pasar de informar en publicaciones locales y agresivas a organizaciones para informar a nivel nacional está amenazando a la sociedad libre, mantiene Shea.

"Si un periódico publicaba 30 artículos al día, estaría publicando 25 unos meses después, y 20 más tarde, y después 15 y así sucesivamente, y a cada paso el pueblo americano estaría perdiendo, porque estas voces y su expresión son la democracia", dice Shea. "Si no se les oye, no oyes a la democracia. No oyes al pueblo americano y estás caminando en la oscuridad. Vas a tropezarte con los árboles y te vas a encontrar con gobiernos herméticos, y consecuencias catastróficas como la que tuvo lugar en Oklahoma City".

Los periodistas y editores de la lista decidieron luchar por su profesión y por el servicio que proporcionaban, llevando a éste desde la prensa en papel y sus distribuidores, a la Red. Tenían todos una amplia experiencia periodística, pero muy pocos conocimientos técnicos y poco dinero. Han luchado mucho y ahora parece que su esfuerzo empieza a dar sus frutos.

La financiación de un sueño colectivo

Shea vive de una forma simple. Su diminuta casa no tiene agua caliente, ni calefacción. En estos momentos, no tiene coche, lo cual es un problema aún más grave en una ciudad como Los Angeles, y debe más de 5.000 dólares de alquiler. En cuanto a empleo, todo lo que hace es dirigir el American Reporter y escribir historias como corresponsal a tiempo parcial para la prensa en papel.

Aún así, ha sido capaz de mantener a flote el periódico y, de hecho, ayuda a que se desarrolle. ¿Cómo lo saca adelante?

Paga casi todos los gastos de su bolsillo. Además ha ideado un sistema de pagar con acciones que le permite eludir su incapacidad de pagar al contado a los periodistas del American Reporter. Cada vez que el reportero escribe una palabra para el periódico, se gana una pequeña parte de las acciones del periódico, de esta forma se convierte, en parte, en propietario de la empresa.

Shea, como redactor jefe, obtiene el 10% del número de acciones con cada historia. Cualquier miembro del American Reporter que atrae a otro miembro consigue el 10% de las acciones obtenidas por este nuevo colaborador.

Cuando tienen ingresos, en teoría, Shea los utiliza para pagar la cuenta de teléfono y la cuota del Netcom, el resto se distribuye entre los propietarios de las acciones, proporcionalmente al número de acciones que poseen. Sin embargo, hasta la fecha, se ha recaudado muy poco dinero.

Con acciones del American Reporter no se llega muy lejos a la hora de comprar comida. Sin embargo, algunos contratos recientes han empezado a aportar algún dinero a las arcas del American Reporter y es casi posible que llegue el día en el que los accionistas, los escritores, reciban un cheque mensual del periódico.

El 24 de enero de 1996, 113 puntos de la Web en la red de suministradores de Internet Unlimited Vision On-Line (UVOL), puntos de la Web establecidos por Max Bertola, un empresario de Utah, contrataron las fuentes del American Reporter. Dicha red paga 500 dólares mensuales por incluir el trabajo de Shea y sus colaboradores en puntos locales de la Web dirigidos por el UVOL, proporcionando de esta forma un contenido ameno y profesional a estos puntos. Bertola le ofreció a Shea un contrato mucho más jugoso por los derechos en exclusiva del American Reporter, pero éste rechazó la oferta.

Lo más fascinante de la suscripción del UVOL es el hecho de que las historias del periódico se difundirán en 16 estados, desde Pennsylvania hasta Alaska. Esto es muy importante, si Shea considera seriamente incluir publicidad en su periódico.

Construir una edición

El American Reporter no se crea en una redacción enorme con docenas de editores. Por el contrario, las notas de toda la colección de escritores repartidos por todo el mundo son recolectadas por Shea con la ayuda de un 386SX/25, un ordenador funcionando con el programa Windows 3.1 en un rincón de su sala de estar. Maneja todo el tinglado con su cuenta en Netcom, un gran suministrador de Internet. Repasando una pizarra "Villeda", Shea recita las historias que serán incluidas en la edición del día siguiente.

"Esta es la columna *En vanguardia*...esta es una carta al editor...éste es un artículo sobre un nuevo sistema láser...éste es un artículo sobre la ballena Keiko...ésto es un trozo sobre el Super Bowl...éste es un artículo de Joan Silverman...éste es un artículo sobre la censura...ésto es algo sobre la Defensa de los Derechos Humanos en China". Shea lee la lista de los componentes del American Reporter como si leyera su carta a los Reyes Magos.

"Cada vez que llega una buena historia, me siento muy afortunado", dice Shea. "Me siento como si me hubiera tocado la lotería, sobre todo si es una historia realmente buena. Shea sólo tiene que hacer leves correcciones, es la ventaja de trabajar con un equipo de periodistas experimentados, que eligen sus propios artículos y que trabajan por amor al arte y no por dinero. Recalca sus propias cualidades, deja que otros recalquen las suyas, y deja que la combinación de todas ellas se una con cada edición del periódico".

"Lo que ha ocurrido, y en algunos momentos ha llegado a ser un poco inestable, pero en general se mantiene, es que la gente contribuye siguiendo sus propios ciclos, a su tiempo, a su ritmo, y no al mío", declara Shea. "No hay un solo editor de periódico en Estados Unidos que pueda decirse a sí mismo: 'Pues yo dejo a mis escritores hacer lo que quieran cuando quieran.' Ni uno sólo, únicamente yo, porque eso es lo que yo mismo quiero hacer como escritor. No quiero escribir un montón de basura sobre un tema insustancial, sólo por el mero hecho de que todos los demás periódicos están tratando ese tema. No es razón suficiente para mi. Ya sabes cómo la prensa infla y desinfla en papel cada noticia que surge en la picota".

Shea construye el periódico con el programa de correo electrónico Pine, un software público, gratis, en UNIX, que no fue concebido para dirigir un periódico. Revisa las historias y las archiva bajo un nombre que identifica la edición en la que se incluirán y el tema que tratan. Cuando todas las historias de una determinada edición han sido revisadas, las compila en un sólo mensaje de correo electrónico y lo envía a una dirección que representa la lista de suscriptores.

También le manda copias de esta compilación a Newshare, el punto donde aparece la edición básica del American Reporter y al Unlimited Vision On-Line, quienes retocan el periódico y le dan un formato más llamativo y apropiado para el HTLM y lo distribuye a los 113 servidores locales de la Web por todos los Estados Unidos.

El "Periódico"

Observando el American Reporter (antes hay que inscribirse, gratis, con Newshare en http://www,.clickshare.com:9999/cgi.bin/signup), se puede quedar muy decepcionado después de haber visto, en otros capítulos, algunas de las otras publicaciones de la Web que son gráficamente impresionantes. En este caso, prácticamente todo el periódico está escrito con espacios simples. Un rudimentario dibujo aparece en la parte superior y, sólo la Frase del Día, una corta frase inspirada, aparece como titular en una etiqueta HTML.

Obsérvese la figura 10.1. Una historia del American Reporter de un punto del Unlimited Vision On-Line, en un formato algo más elaborado, aparece en la figura 10.2.

"Obviamente, si quisiéramos incluir fotografías y utilizar los códigos HTLM en el periódico, sería más atractivo a la mirada, pero añadiría muy poco a la sustancia, al contenido", dice Shea. "Por lo cual hemos simplificado el estilo. Lo hemos mantenido de forma que casi todos nuestros autores sean leídos".

Las copias del American Reporter guardadas en los diferentes puntos Unlimited Vision On-Line utilizan más códigos HTLM, pero el texto sigue siendo el protagonista en estas ediciones.

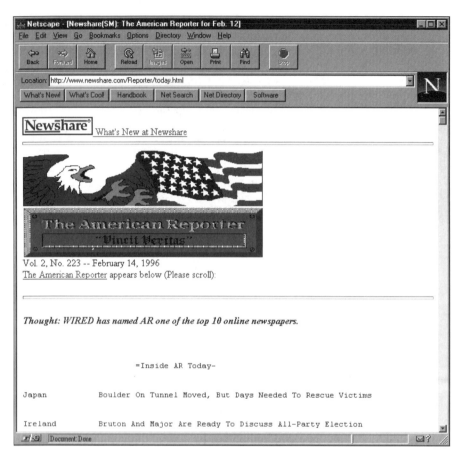

Figura 10.1. El punto de la Web de American Reporter. Efectivamente es muy sobrio, pero es el contenido y no el aspecto lo que determina la calidad de un periódico.

Para ir del principio del periódico a la historia que se quiere leer, hay que avanzar línea a línea a través de todos los artículos hasta llegar al artículo que interesa. En teoría, se puede utilizar la función de búsqueda del servidor con la palabra clave, llamada *slug*, de la historia que interesa. Estas palabras clave aparecen a la izquierda de la descripción de la historia, en el índice. En la práctica, la misma palabra clave aparece en varios artículos antes del que se quiere, de forma que habrá que utilizar repetidas veces la función Encontrar Siguiente.

Pero ni Shea ni sus colaboradores diseñan el American Reporter para que sea una maravilla de diseño hipertexto. Son arquitectos del lenguaje y ésta es su máxima preocupación. A pesar de contar sólo con un editor y un rudimentario software de edición, los errores de ortografía y las erratas son raras; sin embargo la calidad del estilo y del periodismo son excelentes.

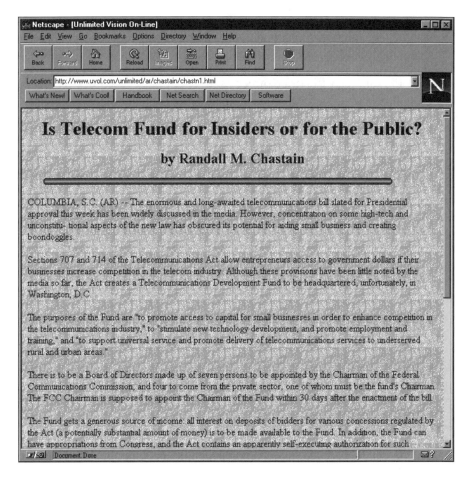

Figura 10.2. Una historia del American Reporter en el Unlimited Vision On-Line (UVOL). UVOL utiliza un formato más llamativo que la versión básica del American Reporter, pero las palabras siguen siendo lo más importante del periódico.

"Si alguien ojea el periódico, no le quedará más remedio que mirar todas las historias, aunque sólo sea durante un minuto", sostiene Shea. "No pueden ir dando tumbos y después adiós. No nos interesan los lectores que van dando botes y después adiós".

Shea defiende que los artículos del American Reporter difieren mucho del estilo estándar que caracteriza a los actuales periódicos americanos.

"Las historias del American Reporter tienden a ser más personales, más caprichosas, más directas, más sentidas, más desde la base que desde la superficie", declara. "Hay mucha expresión en nuestro periódico, que no se encuentra en ningún otro sitio y, desde luego, no es porque muchos americanos no la sientan igual. Sino, más bien, porque no forma parte la mezcla fácil de asimilar.

El American Reporter ofrece también algunas secciones regulares, sobre todo noticias del Pinkerton Risk Assessment Service (ver figura 10.3), etiquetados con datos como "ARGELIA (Riesgo Extremo)". Las cuatro o cinco frases de la propaganda de Pinkerton detallan sucesos, a menudo violentos, en los cuatro puntos cardinales. Las noticias urgentes aparecen en la parte superior de la página, seguidas por el editorial de Shea, seguido a su vez por noticias menos urgentes y los artículos. Las columnas y las reseñas están al final de la página.

También se pueden ver ediciones anteriores del periódico en http://www.newshare.com/Reporter/archives/ (mostrado en la figura 10.4). Obsérvese que varias ediciones están enumeradas para cada día (en efecto, Shea a menudo actualiza la edición varias veces al día, a medida que llegan las noticias) y que no hay ningún dispositivo de búsqueda disponible. De ahí que buscar un número atrasado sea una cuestión de ensayo y error.

En ocasiones, algunos lectores le han preguntado a Shea, por correo electrónico, porqué no alegra un poco sus páginas Web. El 23 de enero de 1996, Shea escribió en el editorial, "Nos gustaría ser bonitos. En cambio, somos hermosos. Eso es todo".

La competencia

Los periódicos de la Web siguen siendo una zona gris. La Web ofrece servicios de noticias, boletines informativos, pero la mayoría de los periódicos de la Web son publicaciones especializadas, que se ocupan, por decir algo, de los sucesos en la industria informática, o noticias que interesan sólo a los fans de un determinado músico.

Algunos periódicos de la prensa en papel presentan parte de su contenido en la Web, pero estas ediciones son suplementos de los periódicos en papel. Hasta donde sabemos, el American Reporter es el único periódico que se publica seis veces por semana exclusivamente en Internet. En febrero de 1996, la revista *Wired* incluyó al American Reporter en su lista de los 10 mejores periódicos de Internet.

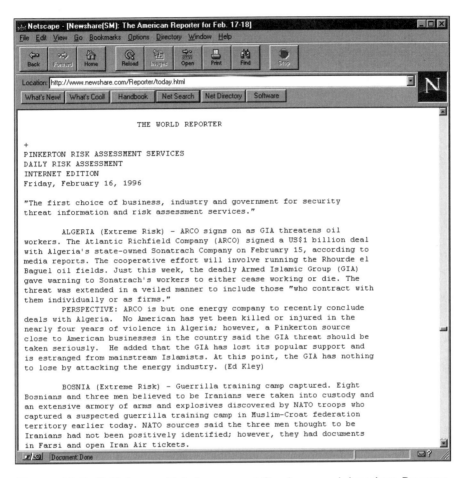

Netscape - [Newshare(SM): The American Reporter for Feb. 17-18]

File Edit View Go Bookmarks Options Directory Window Help

Back | Forward | Home | Reload | Images | Open | Print | Find | Stop

Location: http://www.newshare.com/Reporter/today.html

What's New! | What's Cool! | Handbook | Net Search | Net Directory | Software

```
                    THE WORLD REPORTER

+
PINKERTON RISK ASSESSMENT SERVICES
DAILY RISK ASSESSMENT
INTERNET EDITION
Friday, February 16, 1996

"The first choice of business, industry and government for security
threat information and risk assessment services."

     ALGERIA (Extreme Risk) - ARCO signs on as GIA threatens oil
workers. The Atlantic Richfield Company (ARCO) signed a US$1 billion deal
with Algeria's state-owned Sonatrach Company on February 15, according to
media reports. The cooperative effort will involve running the Rhourde el
Baguel oil fields. Just this week, the deadly Armed Islamic Group (GIA)
gave warning to Sonatrach's workers to either cease working or die. The
threat was extended in a veiled manner to include those "who contract with
them individually or as firms."
     PERSPECTIVE: ARCO is but one energy company to recently conclude
deals with Algeria. No American has yet been killed or injured in the
nearly four years of violence in Algeria; however, a Pinkerton source
close to American businesses in the country said the GIA threat should be
taken seriously. He added that the GIA has lost its popular support and
is estranged from mainstream Islamists. At this point, the GIA has nothing
to lose by attacking the energy industry. (Ed Kley)

     BOSNIA (Extreme Risk) - Guerrilla training camp captured. Eight
Bosnians and three men believed to be Iranians were taken into custody and
an extensive armory of arms and explosives discovered by NATO troops who
captured a suspected guerrilla training camp in Muslim-Croat federation
territory earlier today. NATO sources said the three men thought to be
Iranians had not been positively identified; however, they had documents
in Farsi and open Iran Air tickets.
```

Document: Done

Figura 10.3. El Pinkerton Risk Assessment Services en el American Reporter.
¿Desea saber qué pretenden los insurgentes de izquierdas en Perú?
No busque más.

Otros servicios de noticias de la Web incluyen los puntos de USA Today (http://www.usatoday.com/), mostrado en la figura 10.5, y de la CNN (http://www.cnn.com/US/index.htlm). El Mercury Center, el servicio en la Web del *San Jose Mercury News* (http://www.sjmercury.com/), mostrado en la figura 10.6, es uno de los más antiguos y uno de los mejores periódicos basados en suscripciones de la Web. Estos puntos también comprenden otros servicios de noticias.

Shea toca el tema del diseño sofisticado de los periódicos en la Web. "No puedes conseguir que te lean en un contexto en el cual la gente trata a tu periódico como si fuera una puerta giratoria de gran velocidad", afirma Shea.

"Eso es lo que ocurre con la HTML, en la mayoría de los casos. Incluyes hiperenlaces en 5 ó 10 historias, y la gente lee una y después se van. O ni siquiera leen una. Leen los titulares y se van. Nosotros no estamos aquí para eso. Estamos aquí para contarles las noticias del día. Queremos que las lean. Si se han suscrito a nuestro periódico, tienen que ser lectores. No estamos aquí por las noticias vacías de impacto".

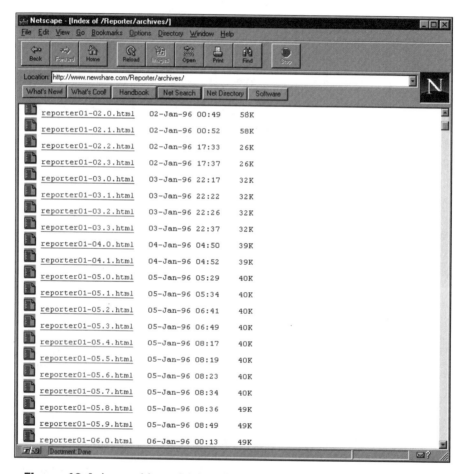

Figura 10.4. Los archivos del American Reporter. A menos que se sepa la fecha exacta de la edición que interesa, hay que prepararse para tardar algún tiempo, pues no hay ningún dispositivo de búsqueda.

Algunas personas pueden aducir que el verdadero competidor del American Reporter son los medios de comunicación en audio, vídeo o en papel, contra los cuales las noticias en Internet tendrán que competir pronto, si no lo están haciendo ya.

Steven Herman, el corresponsal del periódico en Japón, dice que no considera que haya una rivalidad entre la Web y las otras formas de comunicación.

Herman es también el corresponsal en Japón de la CBS Radio y es el productor de Globe Net Productions K.K., una cadena de radio y televisión de ámbito mundial que trabaja para, al menos, una docena de organizaciones informativas.

Figura 10.5. El punto de USA Today en la Web. A pesar de estar magníficamente ilustrado, aquí se puede uno saltar el texto.

" Se ha promocionado la Web a bombo y platillo; parte de este despliegue ha sido exagerado, parte ha sido justificado, y en parte fuera de lugar", dice Hermann.

"Yo no veo a la Web como una entidad aparte, más bien la veo integrada en los medios de comunicación existentes. Ya hemos visto como ha ocurrido esto con la televisión por cable. Creo que las publicaciones tradicionales y la Web encontrarán al final una feliz integración, ambas se necesitan para florecer. Lo maravilloso de AR, para mi, es que puedo alcanzar a los lectores rápida y directamente...y, llegado el caso, ellos pueden hacer lo mismo".

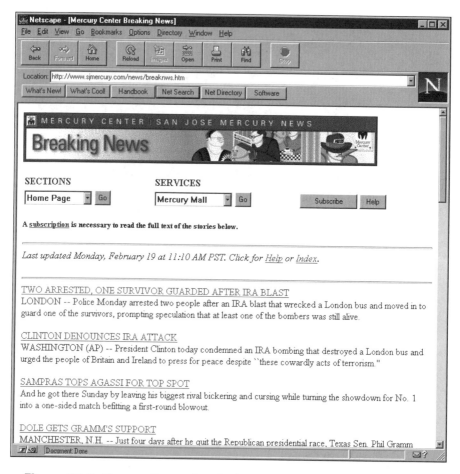

Figura 10.6. Mercury Center, la edición en la Web del San Jose Mercury News. En este caso el contenido es bueno, pero hay que suscribirse para tener acceso al mismo.

Combatiendo la censura indonesia

Cuando un equipo de biólogos fueron tomados como rehenes por guerrillas rebeldes de Irian Jay, en las tierras altas de Indonesia, en los últimos días de enero de 1996, el American Reporter consiguió la historia. Un escritor freelance llamado Andreas Harsono, que se había hecho freelance después de haber perdido su trabajo a causa de la restrictiva política de prensa indonesia, se adentró caminando en la jungla y contó la historia de unos investigadores y misioneros atrapados en una lucha civil.

Harsono comentó en una entrevista por correo electrónico mientras estaba en le aldea fronteriza de Wamena que consideraba al American Reporter y a otras publicaciones de Internet como vías cruciales para el flujo de información dentro y fuera de países con regímenes opresivos, como Indonesia. El gobierno indonesio prohibe trabajar como reporteros a los periodistas que no son miembros del sindicato controlado por el estado y los periodistas que critican al gobierno son despedidos o se les asignan trabajos de poca importancia en el periódico.

"Una página principal como el AR... es una manera sofisticada de burlar el bloqueo informativo impuesto por regímenes autoritarios", dice Harsono. "Para muchos periodistas indonesios, el Internet es una alternativa, un nuevo medio de comunicación para canalizar nuestro trabajo, para informar al público de lo que ocurre en las calles".

Compara al American Reporter con los samizdats, los periódicos clandestinos y otros escritos que ayudaron a derrocar a la Unión Soviética y a otros regímenes comunistas.

¿Funcionará?

"No me atrevo a asegurarlo", escribe Harsono. "Gobiernos como los que viven en Beijing o en Jakarta, tienen un poder inmenso y pueden hacer cualquier cosa. Me asusta esperar demasiado de Internet. Mi gobierno, así como el gobierno chino, podrían controlar ahora las antenas parabólicas".

"Hace una década, Murdoch (el magnate de la radio y la televisión) decía que las antenas parabólicas democratizarían Asia", continúa Harsono.

"Pero hoy, el Asian Wall Street Journal publicaba que la compañía de Murdock está negociando con la CCTV de China para retransmitir en ese país".

Ir a la guerra

El 8 de febrero de 1996, el presidente Clinton aprobó una ley de telecomunicaciones por la que, entre otras cosas, aplicaba un estándar de "decencia" en Internet. Esta ley declara ilegales en la red las llamadas "siete palabras sucias".

En opinión de Shea, esta ley representa una interferencia del gobierno, fuera de lugar, en los asuntos de Internet. En el editorial del American Reporter de ese mismo día, él declaró la guerra.

Justo encima de su editorial de ese día, Shea publicó un ensayo, escrito por Stephen Russell, un juez retirado de El Paso, Texas. Russell escribió este ensayo para criticar deliberadamente esta ley, utilizando las palabras prohibidas para insultar a los miembros del congreso que habían votado a favor de la aprobación de la misma.

Cuando Shea publicó su editorial y el ensayo, Randall Boe, un abogado de la firma Arent, Fox, Kintner, Plotkin & Kahn, el equipo que se ocupó del caso original de las "siete palabras sucias" en 1978, presentó una demanda en Nueva York pidiendo que una plantilla de jueces federales impidiera el cumplimiento de los recursos de censura aplicados por la nueva ley. La firma de Boe accedió a representar al American Reporter gratis, dada la gran importancia del caso.

El ensayo y la demanda, hicieron del American Reporter un protagonista del primer caso sobre el desafío a la censura en Internet. Si fuera necesario, dice Shea, él y Boe apelarían el caso y los llevarían hasta el mismísimo Tribunal Supremo, en donde argumentarían que esta ley es una violación de la primera enmienda y debe ser revocada por la justicia.

"Cada vez que hay una nueva tecnología, terminas volviendo a enfrentarte a las mismas viejas batallas de la primera enmienda", dice Boe. "Creo que eso es lo que ocurre con Internet".

¿Por qué iba el periódico, dada su precaria situación, a exponerse a problemas legales? ¿Y por qué Shea se arriesgó a que le pusieran una multa de 100.000 dólares o más, o incluso a cumplir una condena en una prisión federal? Normalmente, el American Reporter no publica nada gratuitamente violento, o explícitamente sexual. La ley no hubiera afectado en absoluto el desarrollo normal del periódico. Shea considera sus acciones como un deber frente al pueblo americano.

"Mis derechos son algo precioso para mí y nadie debería intentar arrebatármelos", declara. "Y no hay un derecho mayor que el de la libertad de expresión. Mi interés se deriva de mi obligación como ciudadano americano hacia todos los demás americanos y hacia este país, para proteger la primera enmienda y nuestra libertad de expresión. Y en cualquier tema que sea tan esencial para el carácter americano, mi dedicación no tendrá límites".

A veces, dice Shea, ve algunas de las cosas en Internet que le hacen pensarse dos veces si debería exponerse a fuertes multas o al encarcelamiento.

En ocasiones, parece que su cruzada beneficiará a pederastas y pervertidos más que a la causa de la libertad.

"Le escribí a Steve Russell preguntándole: ¿Qué es lo que estamos defendiendo?", cuenta Shea, "No estoy defendiendo la pedofilia" En Usenet es fácil encontrar debates sobre pornografía infantil, el uso de drogas u otras actividades ilegales.

"El me respondió", continúa Shea, "diciendo, 'No quieres que el gobierno meta las narices en lo que concierne a tus derechos. No quieres que se inmiscuyan y empiecen a disminuir tu libertad de expresión' ". Los traficantes de pornografía infantil pueden ser el primer objetivo del gobierno ahora, pero quién sabe cuál será el próximo grupo en el punto de mira del estado.

Shea, que es católico, lucha con su propia interpretación de la fe frente al activo papel que juegan los grupos religiosos en los movimientos por censurar Internet.

"No me gusta el papel que están asumiendo los derechos religiosos en este asunto", declara Shea. Ser católico, afirma, no significa convertirse en el depositario de los dogmas. "Es sólo una cuestión de fe, de intentar ser como sería Cristo", dice. "Misericordioso y generoso con el prójimo. Libre y entregándose a los demás. Cristo fue, ante todo, libre de actuar. Fue bastante radical para su época".

"Así que mi fe me dice ésto, y tengo mucha fe", dice. "No sé lo que va a ocurrir cada día y, sin embargo, aún así creamos un periódico".

"Como dije en mi primer editorial, es un milagro semanal".

Lo que sigue

El American Reporter es el último de los casos de la Web estudiado en este libro. Esperamos que se hayan disfrutado y que hayamos aprendido algo de la gente que empuja hasta los límites a la Web como medio de expresión.

Leer todos los capítulos de la segunda parte, en los que se destila información de primera mano, recopilada aquí en forma de consejos prácticos, que podremos utilizar para mejorar nuestra propia empresa en la Web.

II PARTE

El Tao de la Web

Las 10 claves para triunfar editando en la Web

11
Capítulo

El contenido tiene que ser Rey

La frase "el contenido tiene que ser rey" es una de las perogrulladas más repetidas de la Web, pero es que es verdad. Si no se está preparado para ofrecer un contenido rico, mejor olvidarse de la Web. Hay que dedicarse a otra cosa, como a vender coches o al telemarketing. Ahí fuera hay una audiencia inteligente, crítica, e impaciente; leer el capítulo 12 si no se cree, así que será mejor tener algo que ofrecerles.

Word y el American Reporter le ofrecen al visitante noticias de gran calidad y secciones que merecen ser incluidas en un periódico o revista. Radio HK dirige una cadena de radio, completada con música de grupos registrados. I-Storm es un lugar de juego diseñado para un contenido independiente y StockMaster facilita una gran profusión de información financiera disponible de forma gratuita. Todos estos maestros de la publicación en la Web han comprendido que la gente no se acerca a visitar un punto sólo por un buen diseño o por los trucos técnicos (aunque estas cosas también son importantes). Saben que tienen que proporcionar un contenido valioso, gratis.

Pero no es suficiente ofrecer toneladas de servicios gratis. A menos que se defina el punto como un servicio público, se necesitará idear una forma de ganar dinero, y esto se puede hacer de muchas formas, aunque se ofrezcan gratis las mejores bazas. Hay que mantenerlo al día, hacerlo animado, esmerarse por causar buena impresión, fraccionar la información en porciones manejables, organizar el material, y hacerlo fácilmente navegable. Este capítulo explora las dimensiones fundamentales del contenido, empezando por un repaso de los puntos de la Web más en boga, por si todavía no se está convencido. (¿El quid de la cuestión? "Regalar".)

Qué es lo popular y por qué

¿Qué puntos están cosechando más éxitos? Se pueden encontrar un montón de pistas ojeando la lista de Point's Most Visited (los puntos más visitados) (Http://www.pointcom.com/gifs/topsites/visited.htlm).

A continuación, enumeramos algunos de los puntos más calientes en este momento:

- **Aloha desde Hawaii** (http://www.aloha-hawaii.com/home_gc.htlm): un producto de Graphic Communications, Aloha desde Hawaii es un negocio en la Web de Hawaii basado en el diseño, que ofrece muchos gráficos magníficos y un contenido excelente sobre Hawaii. Hay que asegurarse de mirar la Gallery (la Galería), en la cual los que mantienen el punto han reunido información sobre artistas locales y otras personalidades. Véase la figura 11.1 y, como dice el punto, "Bookmark'em, Dano!" ("inclúyelo en tu lista de anotaciones, Dano").

- **Voyager Home Page** (http://voyager.com/): esta compañía vende CD-ROM interactivos, pero no son nada tacaños: este punto ofrece muchas muestras gratuitas de los discos de la compañía, incluyendo Starry Night (Noche Estrellada), un análisis en profundidad de la vida y obra de Vincent Van Gogh (ver figura 11.2). Se puede escuchar auténtica música a medida que se miran las presentaciones.

- **El Gigaplex** (http://www.gigaplex.com/wow/homepage.htlm): con más de 600 páginas de contenido muy original, esta revista de artes y espectáculos abarca todas las facetas del entretenimiento (ver la figura 11.3). Se pueden encontrar artículos originales, ensayos, y reseñas sobre cualquier tema imaginable relacionado con el ocio, incluyendo amor, sexo, teatro, fotografía, viajes, cine y golf (¿Golf?).

- **Internet Movie Database** (http://www.msstate.edu/Movies/welcome.htlm): en este punto se pueden encontrar reseñas de más de 50.000 películas y, lo que es más, se puede meter baza votando por las películas enumeradas en el índice. Un eficaz dispositivo de búsqueda permite encontrar actores, directores, miembros del equipo de filmación, nombres de personajes, títulos de películas y palabras clave (sacadas de citas, de resúmenes de los argumentos, bandas sonoras y datos biográficos).

Figura 11.1. Mucho contenido sobre Hawaii organizado en el punto Aloha desde Hawaii de Graphic Comunications, ganador de un galardón. No hay que perderse el extravagante enfoque de la vida cultural hawaiana.

Entrepreneurial Edge Online (http://www.edgeonline.com/): he aquí un punto, basado en una revista impresa, que ha acertado de pleno: mucho contenido gratuito, unos gráficos y una organización fenomenales. Como está repleto de información útil, se puede aprender cómo hacer anuncios impactantes, cómo actuar con los clientes a través del correo electrónico, cómo comprar un nuevo PC para la oficina y mucho más.

¿Está claro? Dependiendo de la franja demográfica elegida, entre 24 y 36 millones utilizan la Web. Y este público visita los puntos ricos en contenido.

Figura 11.2. Siempre hay cosas que hacer en el punto Voyager, que promociona productos en CD-ROM mientras entretiene al visitante. He aquí una escena de la Noche estrellada de Van Gogh, que aparece en uno de los títulos del Voyager.

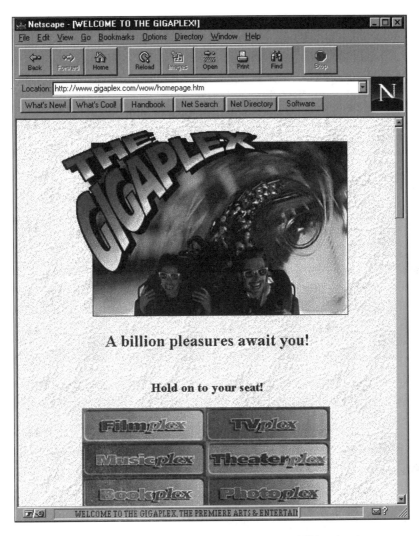

Figura 11.3. El Gigaplex puede que no contenga un billón de placeres como dice el eslogan, pero da gusto usar el bloque de control. Disfrutemos de los temas de cine y televisión que contiene este punto.

Tiene que ser gratis

Durante la mayor parte de su historia, Internet fue una red académica y no una red comercial. En muchos contextos académicos, se considera una falta de tacto cobrar dinero por las contribuciones al conocimiento universal. Mucha gente trabajó mucho para crear recursos de Internet ricos en contenido y sin ninguna pretensión lucrativa. La pertenencia a la Web era sinónimo de generosidad.

¿La moraleja? Muy simple. Si se quiere entra a jugar en esta partida de póker, hay que estar preparado para superar la apuesta. Lo cual significa regalar parte del contenido más valioso, aunque la gente vaya a copiarlo, distribuirlo o hacer con ello Dios sabe qué, sin ni siquiera pedir permiso.

¿Cómo ganar dinero entonces?

Regalar mucho contenido no significa no ganar dinero. De hecho quiere decir exactamente lo contrario. Esto es lo que se puede hacer:

- **Vender suscripciones a publicaciones basadas en medios impresos.** Varias revistas basadas en publicaciones impresas, ofrecen en la Web ediciones actuales, números atrasados disponibles para leer, curiosear y buscar. Los lectores pueden suscribirse a través de la red.

- **Vender publicidad.** Si el punto obtiene miles y miles de éxitos, se pueden vender espacios para la publicidad. En 1995, según un estudio, *HotWired*, la versión en la Web de la revista Wired, mostrada en la figura 11.4, facturó más de 2 millones de dólares brutos por la publicidad. Este no es un caso aislado; los puntos de la Web que aceptan incluir publicidad generan beneficios al menos cuatro veces mayores que los gastos. En 1995, las compañías gastaron 10 millones de dólares en publicidad en la Web; se espera que este número llegue a 2.000 millones en el año 2000. El gran problema: por el momento, no hay ningún medio reconocido para contar la cantidad de gente que visita un punto en un determinado día (los "éxitos" no son una buena medida).

Usar marcos para mantener los anuncios a la vista. Colocando una publicidad en un marco del estilo de Netscape (una ventana que avanza independientemente), se puede asegurar a los anunciantes que sus mensajes se mantendrán a la vista, aunque los lectores avancen arriba o abajo. Esto es importante, pues los lectores pueden avanzar antes de que aparezca el anuncio, que a menudo es un gráfico que se carga lentamente.

Publicidad en la Web: Cuestión de hacer un enfoque efectivo

¿Qué es mejor, gastar millones en difundir publicidad que la gente ignora, o dirigirse a unos consumidores que se sabe están interesados en una determinada área? Esto último es el mejor enfoque, el que más dinero aporta, y los anunciantes lo han sabido desde hace años, pero tiene una pega: hay que hacer un estudio demográfico, pagar por listas de direcciones, hacer un mailing dirigido, todo lo cual cuesta un montón de dinero. Pero Infoseek tiene un método mucho mejor, y se pueden ver muchos ejemplos de este enfoque en la Web. Una prueba: Haciendo una búsqueda para "vino". Si Virtual Vineyards (Viñas Virtuales) se sigue anunciando en Infoseek, ¿cuál es el anuncio que aparece? El software Infoseek examina el concepto buscado, y si coincide con algún anuncio que tiene en su base de datos, aparece el anuncio. ¡Una tecnología fantástica!

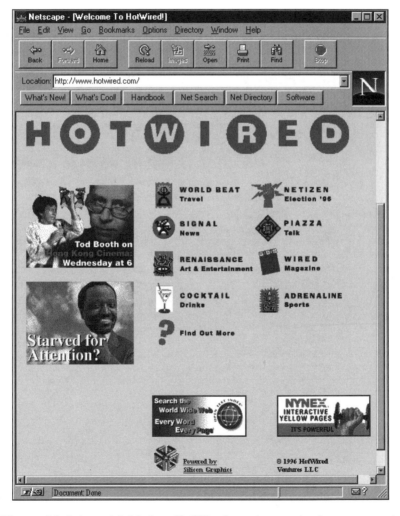

Figura 11.4. La publicidad en HotWired aporta grandes ingresos a esta reconocida revista de la red. Los anuncios, de tamaño moderado, no son molestos y son muy efectivos.

■ **Promocionar los productos o servicios de su propia empresa.** Proporcionando un contenido que demuestra profesionalidad, se puede impresionar a posibles clientes. En la figura 11.5, se puede ver el impresionante Ender's Realm (http://www.contrib.andrew.cmu.edu/~ender/home-er.htlm), uno de los mejores almacenes de virguerías gráficas que no se encuentran en ningún otro sitio de la Red, y muy bien diseñadas también. Ender está disponible, como dice una sutil nota de una de las páginas subordinadas, para diseñar puntos en la Web.

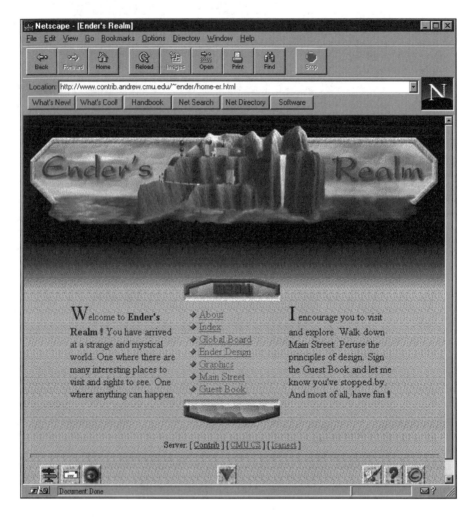

Figura 11.5. ¿En busca de gráficos? Hay que mirar el Ender's Realm, un asombroso punto cargado de toneladas de cosas gratis.

▢ **Vender en la red los productos o servicios de nuestra propia empresa.** No todo se puede vender en la Web. Las empresas que han tenido éxito son las que ofrecen productos difíciles de encontrar por otros medios, tales como vinos de reserva; programas de informática que nos se pueden comprar por teléfono; discos, libros o CD de colección; y productos de encargo como camisetas impresas o especias exóticas.

▢ **Pedir una cuota para el acceso a la versión "sofisticada" del punto.** Pedir una cuota es una batalla ardua, ya que los usuarios de la Web esperan disfrutar de todo gratis. Aún así, algunas empresas experimentando con este método han conseguido hacer progresos, según ciertas estimaciones industriales (las empresas que venden suscripciones son reacias a divulgar cómo les va). Por ejemplo, el San Jose Mercury News vende en la red, por una pequeña cuota mensual, una versión del periódico, pero sólo declara que el número de suscriptores se "cifra en miles".

Mantener actualizado el contenido

No es suficiente proporcionar toneladas de contenido valioso y gratis. Hay que mantenerlo siempre fresco. ¿Se busca estar en la cima? Eso cuesta: hay que actualizar la página frecuentemente, preferentemente cada día.

Enseguida se ve cuándo se está visitando un punto actualizado con frecuencia; esa es una de las cosas que incitan a volver a visitarlo. Por ejemplo, en SportsLine (http://www.sportsline.com/), uno de los puntos más populares de la Web, se ve rápidamente, por un montón de pistas, que esta página es muy fresca: noticias fechadas, un icono de "What's New" (Novedades), una etiqueta para avanzar que dirige a través de las últimas noticias más calientes (ver figura 11.6).

Hacer un diseño animado

Una de las reglas para hacer buenos gráficos en la Web es utilizar un motivo de diseño consistente, lo cual se consigue por medio de una plantilla que se usa en cada página de la presentación. Los entendidos de la web saben que la consistencia ofrece además otra ventaja: si el mismo gráfico aparece en cada página, los servidores no recargan el gráfico desde Internet, sino desde el disco duro del usuario, lo cual es mucho más rápido que recargarlo desde la red. ¿El resultado? Cuando la gente curioseando, navegue de una página a otra del punto, se sorprenderá de la velocidad a la que el punto

funciona. No se verán penalizados por hacer clic en los botones de navegación, pues la siguiente página aparece rápidamente. El punto incita así a la
exploración.

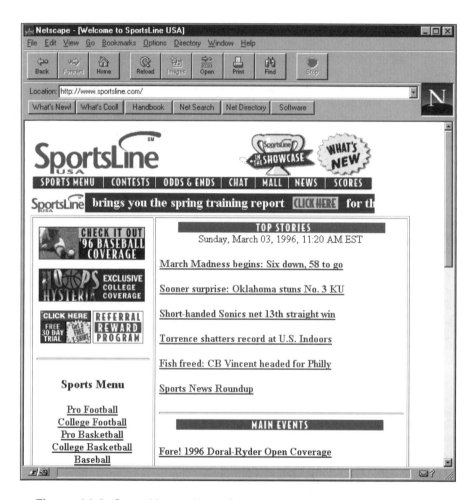

Figura 11.6. SportsLine realza su fresco contenido, del que hay mucho,
en su página de presentación. El bloque debajo de la barra de botón
de SportsLine es una etiqueta, con hiperenlaces incrustados, que permite
avanzar línea a línea.

Hay que hacer la prueba. A continuación, se muestran unos ejemplos de
puntos que utilizan este truco:

Infoseek Guide (http://guide.infoseek.com): el gráfico de la parte superior de la página es también un mapa, que permite un acceso rápido a las secciones del Infoseek (ver figura 11.7). Este gráfico aparece en cada página del Infoseek a la que se accede.

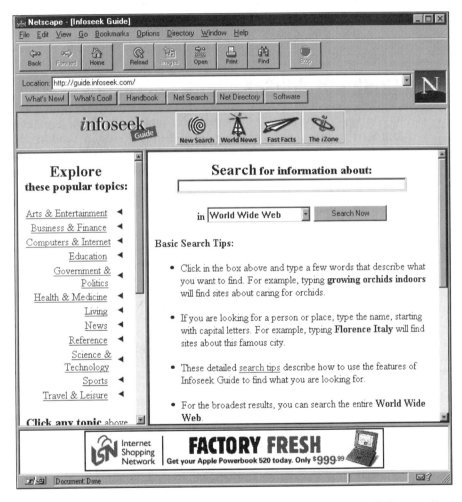

Figura 11.7. El mapa del Infoseek Guide en la parte superior de la pantalla facilita un rápido acceso a. las populares funciones de búsqueda. Además, queda muy bien.

Bank of America (http://www.bankamerica.com/): explorando este punto por debajo de la página principal, se puede encontrar que la barra de Bank of America se mantiene en la parte superior de la pantalla, pero aparecen gráficos y barras de botón adicionales. Este punto combina el efecto de animación de un gráfico estático con la conveniencia de unas funciones de navegación adaptadas al contexto. ¡Muy logrado!

- **The Weather Channel** (http://www.weather.com/): el ya familiar logo del Weather Channel aparece en cada página. Haciendo clic se ve lo rápido que aparece todo. ¿Entendido?

Esmerarse por causar buena impresión

En la América colonial, los caballeros sabían que había que "esmerarse por causar buena impresión" cuando se dirigían a algún superior. Hay que presentar su mejor sonrisa. Y aunque hoy en día la gente no es juzgada por su sonrisa, siempre es bueno impresionar de inmediato a los lectores con lo mejor.

He aquí dos excelentes ejemplos:

- **The Travel Channel** (http://www.travelchannel.com): uno queda pronto impresionado por toda una cantidad de secciones interesantes, incluyendo juegos y grandes viajes de premio.

- **Pathfinder** (http://www.pathfinder.com/): este ejemplo es fantástico. Nada más empezar se pueden ver enlaces a los que es difícil resistirse (ver figura 11.8) que llevan a las mejores revistas del enorme arsenal de la Time,Warner. Y, por si eso fuera poco para enganchar al lector, hay una ventana Java que permite avanzar a través de una lista de impresionantes historias nuevas.

- **Internal Revenue Service** (http://www.irs.ustreas.gov): aunque parezca increíble, este es uno de los puntos mejor diseñado de la Web. En la primera página se invita a entrar con un gráfico atractivo, que realza precisamente el mensaje que el IRS (Departamento de Hacienda) quiere transmitir; es decir, que es amistoso, que está disponible, que ofrece apoyo y ayuda, y que no recauda demasiados impuestos. Hay que explorar este magnífico punto de la Web.

Una sola página cada vez

En la teoría de hipertexto, la acción de fraccionar la información en porciones del tamaño de una o dos páginas se llama *chunking* (trocear). La idea de hipertexto es que se trocea la información y se proporcionan muchos enlaces para que el usuario puede elegir su propio camino a través de ésta. Además, el chunking reduce los enlaces de comunicación y la cantidad de información que se carga de los ordenadores de Internet, lo cual agiliza mucho todo el proceso.

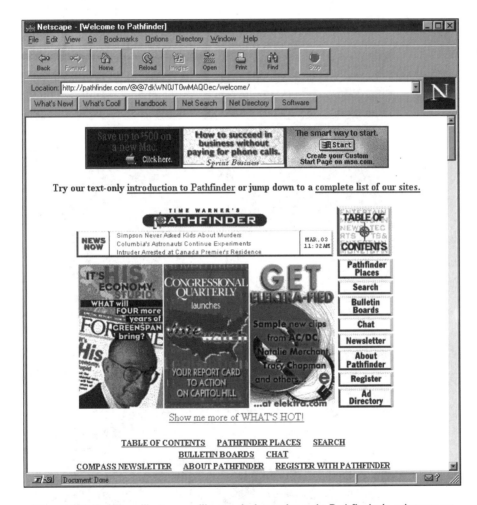

Figura 11.8. Los millones y millones de incentivos de Pathfinder's adornan su página de presentación, adentrando al lector en un contenido muy rico, lleno de cosas buenas.

Los diseñadores de los mejores puntos de la Web conocen esta teoría, y son muy conscientes de la cantidad de texto que puede aparecer en un monitor estándar 1024×768 VGA. Echemos una ojeada a algunos ejemplos bien troceados:

◻ **Toshiba America** (http://www.toshiba.com): el gigante japonés de la electrónica ofrece un bonito y atractivo punto fácilmente navegable, en el cual cada página es una porción de información muy manejable, presentada a su vez en una o dos páginas. Ver figura 11.9.

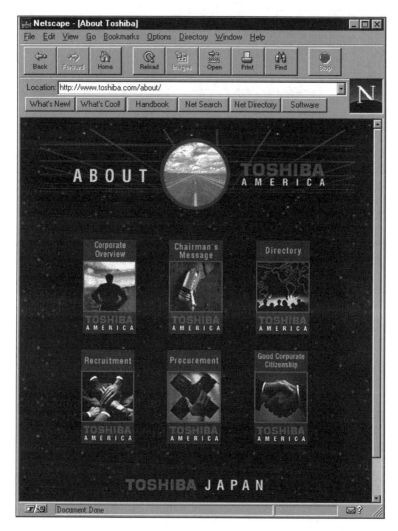

Figura 11.9. El punto de Toshiba America combina un diseño a la moda con un contenido rico, una combinación que, por desgracia, rara vez se ve en los puntos de la Web.

Out On The Salty Sea (http://www.home.sol.no/fanebust/salty-sea.htlm): los amateurs también pueden hacerlo bien, como se puede ver en esta presentación creada por un noruego enamorado de la navegación por las islas griegas.

 Guide to Web Style (http://www.sun.com/styleguide): esta bonita presentación, creada por el diseñador Rick Levine de la compañía Sun, muestra lo que es exactamente el chunking. Hay que estudiar este punto muy de cerca.

 A veces es conveniente saltarse las reglas del chunking. A la gente no le gusta tener que hacer varias veces clic para seguir leyendo un documento. Si se trata de un artículo relativamente largo, es mejor mantenerlo en una página.

Organizar el material

Independientemente de que la información haya sido troceada o no, a nadie le gusta un punto en el que la información viene presentada de forma caótica. Destacar los mejores puntos de la Web es un principio sagrado de la exposición técnica, que se conoce por el aburrido nombre de métodos de desarrollo. Con un método de desarrollo se elige entre varias opciones para distribuir el material en categorías y, entre estas opciones, se incluyen el orden *cronológico* (de lo más reciente a lo más antiguo), *de general a específico* (lo primero que se ofrece es una visión de conjunto), *secuencial* (explica el contenido paso a paso) o *espacial* (se empieza por la puerta principal). Si el método de desarrollo ha sido bien planeado y se utiliza de forma consistente, las personas que naveguen en ese punto se darán cuenta enseguida, y estarán encantadas.

Aún mejor, es organizarlo de varias formas y dejar que los usuarios elijan. Virtual Vineyards (HTTP://www.virtualvin.com/vvdata/632623508/index.htlm), uno de los puntos comerciales más calientes y más innovadores, permite ver su muestrario de vinos por variedad, por viñedo, o por franja de precios (ver figura 11.10).

Hacer que el contenido sea navegable

Hay contenido. Está actualizado, es animado, está troceado y está bien organizado. Pero falta una cosa más: tiene que ser navegable.

Lo ideal sería que la gente que visitara el punto se quedara en él, haciendo clic aquí y allá en sus enlaces, en vez de tocar el botón Back (volver hacia atrás) (o lo que es peor, tocar un enlace que les saque completamente del punto). ¿Cuál es el secreto? Es muy simple. Hay que proporcionar ayudas a la navegación y ponerlas delante de las narices de la gente. Las ayudas a la navegación funcionan de dos formas: proporcionan una visión de conjunto del contenido del punto, y permiten a los usuarios acceder a todas las páginas rápidamente.

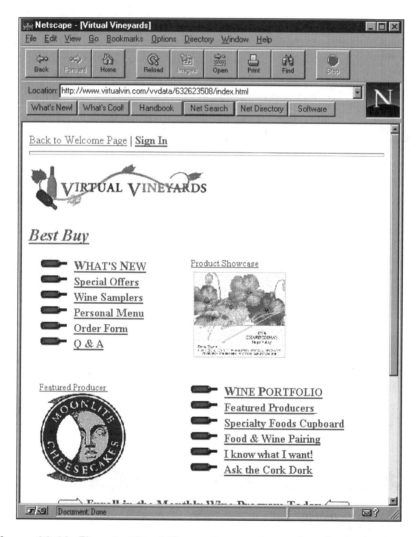

Figura 11.10. El punto Virtual Vineyards es un buen ejemplo de chunking, es decir, de información que ha sido troceada en segmentos manejables, en vez de servida en un desalentador bloque monolítico.

Observando algunas de las mejores ayudas a la navegación de la Web, estos conceptos quedaran más claros:

■   **HomeArts** (http://www.homearts /meta/mirror/meta18.htm): he aquí un ejemplo de un uso efectivo de ayudas verticales a la navegación (los botones en el lado derecho de la pantalla que se muestran en la figura 11.11). Se pueden ver en cada página y siempre quedan estáticos en su propio marco.

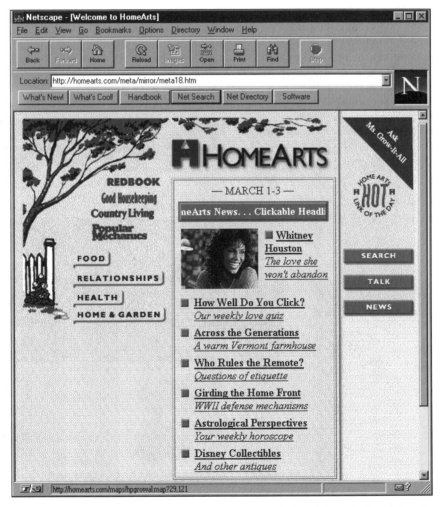

Figura 11.11. Obsérvense en la parte derecha de la página de HomeArts las ayudas verticales a la navegación creadas con su propio marco. Estas ayudas quedan estáticas aunque avance la parte izquierda de la pantalla.

iGUIDE (http://www.iguide.com/): la figura 11.12 muestra otro ejemplo de ayudas verticales a la navegación, en esta ocasión en la parte izquierda de la pantalla. Este se trata de un método de baja tecnología (leer:rápido). La página no utiliza marcos, en lugar de eso crea el efecto con tablas. Lo único malo es que si la página es demasiado larga, las ayudas desaparecerán de la vista a medida que se avanza la pantalla.

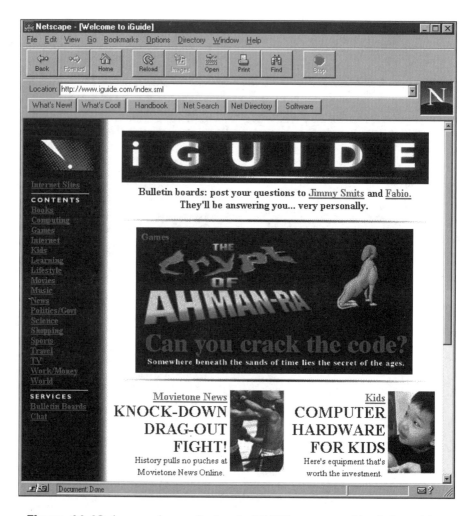

Figura 11.12. Las ayudas verticales de iGUIDE sacan partido de las tablas. Quedan muy bien, pero pueden desaparecer de la pantalla si se avanza. Es un equilibrio entre ventajas e inconvenientes.

Hay muchas formas de facilitar ayudas a la navegación, tales como barras de botones, iconos (en este caso no hay que hacer símbolos poco claros), y enlaces separados por paréntesis; esta última es efectivamente una solución de baja tecnología, pero a los usuarios de la Web les gusta mucho, pues no acaparan todo el ancho de banda.

Lo que sigue

El contenido tiene que ser el rey, pero sólo en la medida en que haya alguien que lo lea. Hay que manejar a la audiencia para saber cómo empaquetar el contenido del punto para ofrecérselo a la comunidad. De ello hablamos en el próximo capítulo.

12
Capítulo

Conocer a la audiencia

Una de las primeras reglas para sobresalir en la comunicación es conocer a la audiencia. Pero no es fácil imaginarse a la audiencia de la Web. Esta audiencia desafía los estereotipos, y llegar a ella requiere toda una nueva forma de pensar.

La prueba: una de las formas de conectar con una audiencia es observar a sus ídolos y celebridades, las figuras públicas que parecen representar las aspiraciones más íntimas de la audiencia. ¿Una de las personalidades más de moda en la Red en este momento? Según un artículo de Los Angeles Times, es un gato llamado Thumper. Es blanco y negro, pesa 6 kilos, habita en el Chestnut Street Law Center y llena de pelos a los abogados, los clientes y los archivos.

La compañía californiana Ventura decidió incluir al gato en su página Web, "Thumper´s Law Office and Flea Market" (http://www.fishnet.net/~chestnut/thump.htlm), como una forma de suavizar la imagen de la empresa. Pero el título de la página también refleja la importante posición del gato como socio de la firma. Thumper, un gato callejero encontrado hace seis años por Edward T. Buckle, uno de los abogados del bufete, es ahora un gato de oficina, uno de esos felinos que se instalan y se adueñan de toda la oficina.

Se puede mandar correo electrónico a Thumper y, de hecho, hay tanta correspondencia que uno de los socios tiene que venir media hora antes cada día para ocuparse de la avalancha de mensajes. Una de las cartas era de un apuesto gato manchado de Greensboro en Carolina del Norte, con aspiraciones de alcanzar el estrellato, que pidió a Thumper que su dueño llamase a su dueña.

Las expectativas de éxito de la empresa fueron ampliamente sobrepasadas. Thumper es el que más éxitos cosecha, pero los abogados no se quedan atrás.

¿Qué conclusiones se pueden sacar de la página de Thumper en cuanto a audiencias y cómo alcanzarlas? Muchas, al igual que se pueden sacar del Word I-Storm, IUMA y StockMaster. Empecemos por desenmarañar lo que se sabe de la demografía de la Web.

¿Cuánta gente utiliza realmente Internet?

No hay tanta gente utilizando Internet como se pensó en un momento, pero Internet está creciendo muy rápido, tan rápido que pronto alcanzará las estimaciones que se hicieron en un principio.

Un estudio llevado a cabo en septiembre de 1995 por Emerging Technologies Research Group of FIND/SVP ha revelado que aproximadamente el 7% de los hogares norteamericanos, es decir, unos 6,5 millones de personas, tienen acceso a Internet.

Según un estudió presentado por O'Reilly and Associates en octubre de 1995, la población americana con acceso a Internet sólo sumaba 5,8, un número substancialmente inferior al que se preveía. Otros 3,9 millones podían acceder a Internet a través de servicio en red. Este estudio confirmó el rápido crecimiento de Internet. Según sus estimaciones, aproximadamente 15,7 millones tendrán acceso a Internet a mediados de 1996, sólo en Estados Unidos.

¿Quién utiliza Internet?

La clase de gente por la que los especialistas en marketing perderían la vida: muchos usuarios de Internet ganan más de 50.000 dólares anuales. Pero esta audiencia da muchas vueltas y, si lo único que se ve en ella son sacos de dinero para gastar, nunca se conseguirá conectar con la misma.

En cuanto al sexo

Los primeros estudios revelaron que por cada mujer que utilizaba Internet había nueve hombres. Pero estas cifras están cambiando claramente, también porque aparentemente las técnicas de los primeros estudios se centraron más en la respuesta masculina. Cualquier estudio más reciente muestra que la participación femenina es más alta de lo que se creyó inicialmente y que está creciendo. El estudio O'Reilly reveló que aproximadamente un tercio de los usuarios de Internet son mujeres.

Internet ya no es un coto exclusivamente masculino, si es que alguna vez lo fue.

Inteligente, joven, soltero

Los usuarios de Internet se cuentan entre la población más joven y más educada que la media. Según una encuesta el 33% de los usuarios son universitarios, cuando esta cifra sólo alcanza el 19% en la población global. Son más jóvenes (35 años, frente a 43 para la población global) y, más probablemente, solteros (39%, frente a 25% de la población global).

No son vagos

Se trata de una audiencia de la Generación X: más de la mitad de la gente navegando en Internet tiene entre 18 y 34 años. Ahí está el problema: demasiada gente considera a la Generación X como un grupo de vagos semi ilustrados, cuya capacidad de atención es ínfima.

Según un perfil psicológico del usuario de Internet llevado a cabo por SRI International en Stanford, California, esta descripción no es acertada. Más de la mitad de los miembros de la Generación X, según este perfil, son ambiciosos, trabajadores y buscan recompensas materiales. Todavía no se han establecido y les está siendo muy duro conseguirlo; por eso rápidamente imitan el estilo de personas que han conseguido llegar a la cima en un sistema que ellos no acaban de entender.

¿Qué quieren?

La audiencia de Internet no está compuesta por antiguos adictos a los videojuegos buscando gráficos llamativos y emociones rápidas. Si solamente se deja uno llevar por estos estereotipos nunca se llegará a conectar con esta audiencia.

El público está formado por buscadores de información a los que les gusta sentir que están en la vanguardia de un medio totalmente nuevo de concebir la vida.

Son buscadores de información

La mayoría de los usuarios de Internet están convencidos de que les aporta algo valioso personal y profesionalmente. Consideran que la Web es como un tesoro escondido de información útil y que los proveedores de información tendrán que emigrar a la Web si quieren seguir activos.

¿Qué tipo de información buscan? Eso puede deducirse leyendo los newsgroups (grupos de discusión) de Usenet, mirando las páginas de la Web creadas por los propios usuarios o leyendo las listas de correspondencia. Toda esa gente quiere que les guíen a través de un confuso y complicado mundo; quieren que les ayuden a orientarse. Buscan información técnica que les ayude a resolver sus problemas. Buscan la camaradería de otras personas que se han enfrentado a los mismos retos a los que ellos se enfrentan ahora.

Son exploradores

La mayoría de los usuarios son exploradores. Creen que están explorando las fronteras de un fascinante mundo nuevo, un mundo que ellos mismos están creando. En este mundo, la tecnología va a cambiar la manera de entablar amistad, de encontrar pareja, de crear comunidades, de ir de compras e incluso de recordar a los muertos.

Este mundo está lleno de posibilidades y lo más importante es que es un mundo en donde el dinero o el tamaño no cuentan. Los usuarios no se quedan automáticamente impresionados por las 500 páginas Web del Fortune. Sin embargo, les impresiona la página de cualquiera que muestre cosas fantásticas.

Este nuevo mundo debe ser divertido.

Y lo que es más, en este mundo, los usuarios no tienen por qué estar solos. Esta exploración no tiene que hacerse en solitario. En este universo, toda una generación se dirige a un mundo de tecnología, que no puede ser entendido por la gente que se ha quedado estancada en la televisión, la radio o la prensa en papel.

Antes de continuar hay que recordar que no todos los usuarios pertenecen a la Generación X: uno de los grupos de usuarios que más está creciendo es el de ancianos relativamente acomodados. Es efectivamente una audiencia completamente distinta; sin embargo, tienen algunas cosas en común con los de la Generación X: la voluntad de resolver problemas preocupantes para la comunidad, el sentimiento de que el sistema está cambiando y quieren ser parte de este cambio, un ansia de exploración y tiempo libre para llevar a cabo todo ésto.

Conectar con la audiencia de la Web

Para conectar con la audiencia de la Web, algunas reglas son obvias. Las secciones siguientes hacen un repaso de dichas reglas.

No se necesitan millones de gráficos llamativos

Imaginemos un grupo de brillantes publicistas intentando idear cómo componer la página Web de un cliente. Probablemente se regirán por todos los estereotipos sobre los idiotas de la Generación X. ¿El resultado? Una página deslumbrante, pero sin contenido. En la Web sería un fracaso.

Los usuarios de la Web buscan información; buscan contenido. Los gráficos demoran la aparición de la página, aumentando así la frustración. A menos que estos gráficos sean necesarios para la navegación, están estorbando.

Las mejores páginas de la Web emplean gráficos pequeños, fáciles de cargar y los utilizan de forma inteligente. Es verdad, son llamativos y divertidos pero ante todo deben ser funcionales.

La página principal de c/net (http://www.cnet.com/), mostrada en la figura 12.1, ilustra muy bien esta idea. Los ligeros y ágiles gráficos identifican la procedencia y el objetivo de la página. Proporcionan avenidas, que se reconocen inmediatamente, hacia las opciones más utilizadas. Esta página bulle de gente.

Hacerlo ameno

La Web no tiene por qué ser un sitio horriblemente serio. Para crear una página que exprese la quinta esencia de la Web y su sincera postura en contra de un mundo aburrido, hay que tomar riesgos, visuales y de otro tipo.

Observemos la Afro Americ que se muestra en la figura 12.2, una página creada por la Afro-American Newspaper Company de Baltimore (http://www.afroam.org/). Esta página lo ha hecho casi todo perfecto, como se puede ver leyendo este capítulo. Para empezar, hay que fijarse en los impresionantes gráficos (para hacerse una idea de la audaz elección de colores hay que mirar esta página en la Web). Esta página se salta muchas de las reglas de tipografía y diseño, como por ejemplo demasiadas fuentes, pero esto lo hace como diciendo "Eh, ésto es un mundo excitante, exuberante y lleno de posibilidades para tí". Este mensaje se transmite, hábilmente, con unos globos que flotan entre continentes, uniendo el Viejo Mundo y el Nuevo Mundo, conectando América y África. Obsérvese también que no es un mundo solitario, pues hay varios globos. Un buen trabajo.

Figura 12.1. La página principal de C/net no deslumbra pero atrae muchísimo tráfico.

Definir claramente el objetivo

No es que los miembros de la Generación X tengan una capacidad de concentración pequeña, es más bien que las pantallas de ordenador son un medio pésimo para comunicar información en forma de texto. Por lo cual, para conseguir transmitir un mensaje hay que hacerlo rápidamente. ¿El mejor método? La página de presentación tiene que aclarar inmediatamente los objetivos, el propósito, el ámbito y la cobertura del punto.

Figura 12.2. Hay que hacer un contenido ameno y desafiar los límites. Afro Americ rompe muchas de las reglas tradicionales de diseño; esta página emplea esquemas con colores salvajes, pero transmite exuberancia y frescura.

Walt Disney World (http://www2.disney.com/static/News/docs/HTJM/travel.htlm) ha seguido con éxito este principio (ver figura 12.3). Las maletas de esta página muestran instantáneamente el objetivo del punto, es decir, viajar en el Mundo de Walt Disney. En caso de que esto no haya quedado claro, las ayudas a la navegación muestran el ámbito del punto, que se entiende perfectamente echando una simple ojeada a la pantalla.

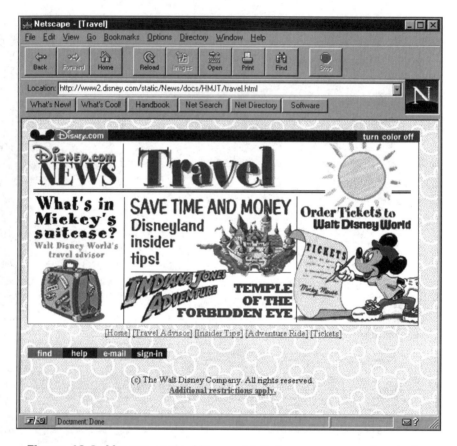

Figura 12.3. Muestra enseguida sus objetivos, una gran ayuda para los visitantes del punto. La maleta lo dice todo.

Centrarse en las necesidades de los usuarios

¿Cuál es la *cosa más importante* que los usuarios quieren y esperan del punto? Si no se sabe la respuesta a esta pregunta, no se puede crear una presentación Web con éxito.

Echemos una mirada a otro punto fantástico de la Web y veamos lo que significa centrarse en las necesidades del usuario. La figura 12.4 muestra el CyberMom Dot Com (http://www.thecybermom.com/). Aquí hay otro gráfico que lo dice todo instantáneamente: mamás con módems y con nuevos problemas que resolver (como, por ejemplo, contactar con un antiguo novio por correo electrónico). Esta página transmite hábilmente el mensaje que los usuarios quieren ver: "Hemos pensado en sus necesidades, en sus intereses, en sus aspiraciones, en sus problemas, y esto es lo que ofrecemos".

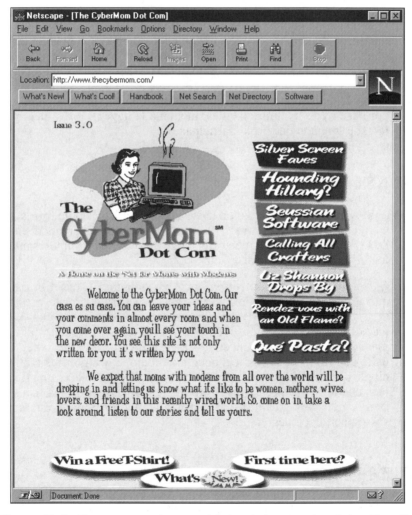

Figura 12.4. Al centrarse en las necesidades de los usuarios, Cyber Mom Dot Com tiene un gran éxito entre la población de mamás de la Web.

Hay que ser conciso

Parece haber una contradicción: a nadie le gusta leer en la pantalla, sin embargo todo el mundo quiere información. Para resolver esta contradicción, hace falta aplicar una filosofía taoísta: hay que conseguir un equilibrio entre el yin y el yan, encontrar la combinación adecuada de texto y de espacios en blanco, de concisión y verborrea.

Para conseguir esto hay que asimilar algo que muchos autores académicos no han entendido: la cantidad de texto no determina la densidad de información. En otras palabras, hay que ser conciso.

Pongamos como ejemplo el Women's Wire (http:// women.com/wwire/), que se muestra en la figura 12.5. He aquí un ejemplo de página Web con gráficos ligeros y llamativos. El texto es conciso, especifico y pertinente. Se trata de un *page byte*, un trozo que ocupa el espacio de una ventana HTLM y con la densidad de información adecuada. Las páginas Web compuestas por page bytes son muy táctiles, incitan a la navegación, a la exploración, a la experimentación y a la participación.

Vender sin vender

Si se quiere vender algo en la Web, es mejor hacerlo de forma sutil, incluso riéndose de uno mismo. No se vende poniendo la mercancía en las narices de los usuarios. Se consigue ofreciendo algo que es tan interesante y útil que los visitantes vuelven una y otra vez.

Amazon.com Books! (http://www.amazon.com/), una librería en la red que ofrece "un millón de títulos", obedece perfectamente a este principio (ver la figura 12.6). Nada más empezar se puede ver en primer plano un enlace con la sección "books we love" (libros que nos gustan), ¡el instrumento ideal para alguien desconcertado ante la perspectiva de tener que buscar entre un millón de libros! Un poco más abajo, hay algo irresistible: un servicio de correo electrónico que permite al usuario establecer una lista de los temas que le interesan; un dispositivo automático analiza las listas de nuevos títulos y le comunica al usuario si hay alguno disponible que coincide con sus especificaciones.

Invitar a participar

Amazon.com Books! es la perfecta nota final a la sinfonía in crescendo de este capítulo. Todos los puntos presentados en este capítulo incluyen secciones interactivas, y algunos, como Cybermom Dot Com, están en parte o completamente creados por las contribuciones de los usuarios. Los usuarios no están en la Web sólo para mirar o consumir; quieren formar parte de una comunidad, quieren participar, quieren dar algo a cambio, quieren pertenecer a la Web.

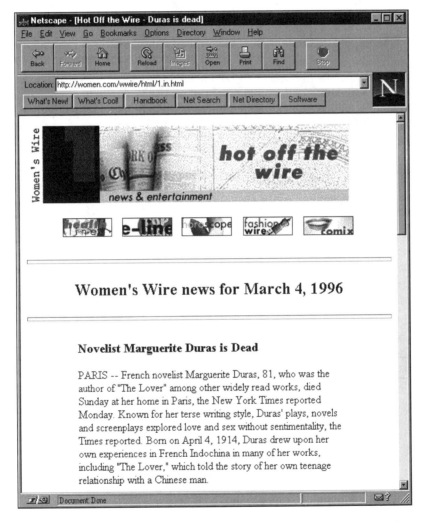

Figura 12.5. Una página de noticias de Women's Wire informa a la comunidad de la Web de la muerte de la novelista francesa Marguerite Duras.

Y esta cuestión nos lleva de nuevo a Thumper. Ahora ya se entiende porqué Thumper hace que la página Web de esta compañía tenga tanto éxito. Incluir a Thumper le añade un factor de diversión a la aburrida profesión de la abogacía y lo consigue dirigiéndose directamente a las necesidades de los usuarios: mucha gente teme a los abogados, pero el gato muestra su lado humano. Y lo que es más, esta empresa está de moda en la Red, como se ha podido comprobar con las funciones interactivas que le permiten al usuario mandar correspondencia electrónica a Thumper (y a los abogados).

Figura 12.6. Amazon.com.Books! es el maestro de vender sin vender, como en una librería normal venden al dejar a los clientes curiosear entre las publicaciones durante horas, aquí se pueden encontrar todo tipo de libros, y hay la posibilidad de comprarlos si se desea.

Como dijo uno de los corresponsales de Thumper (y potencial cliente de la firma) a un reportero del Los Angeles Time, "cualquiera que tuviera un gato en Internet me caería bien. ¡Es algo bastante gracioso!".

Trabajar con la Globalmente Local Web

Tip O'Neill, el afable político que fue durante mucho tiempo el portavoz de la Casa de Representantes de los Estados Unidos, dijo una vez: "Toda la política es local". O´Neill estaba hablando de la necesidad de sacrificarse y hacerle favores a votantes individuales en ciertos distritos, pero su sabiduría también puede aplicarse a la Web. La Web es globalmente local; es decir, que la página de cualquiera puede ser vista desde todos los rincones del mundo. Aunque los grupos demográficos citados anteriormente son importantes, es aún más esencial darse cuenta de que se puede acceder a una comunidad de información (ver el próximo capítulo) sin tener que preocuparse sobre la cantidad de personas, en una zona geográfica especifica, que están interesadas en un determinado tema, lo cual representa un gran problema para otros medios de comunicación de ámbito más amplio.

Al final, editar en la Web significa emitir para una estrecha franja o incluso hacer una emisión puntual. Es decir, se emite un contenido para un grupo muy reducido de personas, contrariamente a otros medios que emiten para absorber a toda una población. Los noticiarios difunden la información a las masas; sin embargo, la publicidad, los mailings y las suscripciones a revistas se dirigen a grupos muy reducidos. En la Web es fácil limitarse a un grupo de personas en particular, pues se transmite información hecha a medida para cada persona que la requiere.

Esta capacidad de enfocarse en un segmento de la población es fundamental a la hora de lanzarse a cualquier aventura de edición en la Web. ¿Qué más da que la mayoría de los usuarios de Internet sean blancos si se puede hacer negocio con un punto interesante para los negros? ¿Qué más da que un programa de televisión sobre la Seguridad Social no fuera rentable? Tal vez un punto en la Web relacionado con la Seguridad Social sí lo es.

Consideremos el caso de DejaNews (tratado en el capítulo 8). Este es un claro ejemplo de un punto que ha llevado al máximo la especialización en un tipo de audiencia determinado. Alguien puede conectar con DejaNews y pedir ver todos las notas de Usenet que mencionen moldes de resinas de polieter y poliuretano. Nadie podría pensar que un tema como ese pudiera merecer un punto en la Web, y mucho menos un artículo en una revista o un programa en la radio. Sin embargo, esta persona que consulta a DejaNews es en sí misma una audiencia. Si DejaNews transmite la información a esta persona, habrá ganado un usuario satisfecho. Si multiplicamos esta extraña petición por mil, cada día, entendemos por qué DejaNews sigue con éxito en el negocio. Infoseek Guide, Yahoo (tratado en el capítulo 2), Excite y otros instrumentos de búsqueda, hacen lo mismo, y obtienen el mismo éxito.

La lección: Hay tres audiencias que considerar. Éstas son:

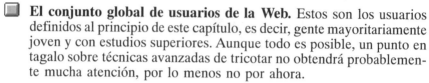

El conjunto global de usuarios de la Web. Estos son los usuarios definidos al principio de este capítulo, es decir, gente mayoritariamente joven y con estudios superiores. Aunque todo es posible, un punto en tagalo sobre técnicas avanzadas de tricotar no obtendrá probablemente mucha atención, por lo menos no por ahora.

La gente a la que realmente se quiere ofrecer los servicios. Maquetadores, pediatras, profesores de inglés, fontaneros, cualquier sector al que va dirigido el punto. Esta clase de gente tiene que ser un subgrupo de la población global.

El individuo que visita el punto. ¿Qué quiere ver esta persona? Aunque no se trate de un punto de búsqueda, hay que saber exactamente qué es lo que quiere ver el visitante. El American Reporter, por ejemplo, no es un punto de búsqueda, pero Joe Shea conoce a su audiencia. Cuando se planea y se construye un punto, hay que tener siempre en mente para quién se está trabajando.

¿Quiere esto decir que hay que realizar estudios de grupos, tal como hacen las agencias publicitarias, antes de crear un punto? No, no en absoluto. Sería muy difícil, de todas formas, conseguir una muestra representativa de la población de usuarios de la Web en una sola habitación. Hay que confiar en la intuición, delimitar la audiencia, y construir un punto que se centre en esta visión.

Lo que sigue

¿Qué se obtiene cuando un punto atrae a mucha gente con un interés común? Una comunidad, si se juegan bien las cartas. Los mejores puntos de la Web, incluyendo los que se presentan en este libro, tienen un rasgo en común, todos han formado una comunidad de información. En el próximo capítulo se estudian más de cerca dichas comunidades, cómo se crean, y cómo utilizarlas para darle vida al contenido.

13
Capítulo

Construir comunidades
de información

La Web no es una calle de sentido único, en la cual los editores de Internet crean el contenido y los navegantes apoltronados en un sillón absorben información. Los mejores maestros de la Web saben que un punto con éxito se convierte en una *comunidad de información*, una comunidad virtual en la cual la gente colabora a desarrollar un rico tesoro de información benéfica para todas las partes.

La palabra "virtual", en la jerga informática, quiere decir que la comunidad no existe físicamente, sólo existe en la red. (Claro que hay gente que después de conectar en la red lo hacen en la vida real, como se ve por la avalancha de bodas nacidas en Internet.)

El hecho de que estas comunidades sean virtuales no quiere decir que no sean valiosas y que no merezcan ser creadas y fomentadas. Los expertos de la Web saben que la mejor manera de tener un grupo leal de visitantes es hacer que se sientan parte de un club, que se sientan como en casa, entre amigos. Los gestores de los puntos de la Web hacen que sus visitantes se sientan especiales, ya que así siempre vuelven; como hacen los vendedores de coches de lujo cuando para hacer que los clientes se sientan queridos les mandan tarjetas de Navidad o les ayudan a planear viajes.

El sentimiento de pertenencia a un club es un factor clave de la edición en la Web. Va a la par con la identificación de la audiencia con el punto (ver capítulo 12), para lo cual hay que averiguar a qué clase de club les gustaría pertenecer a los miembros de esta audiencia. También se trata de romper los límites establecidos (de los cuales se habla en el capítulo 16) pues para darle al punto una atmósfera atractiva y acogedora habrá tal vez que utilizar presentaciones multimedia, enlaces de correo electrónico, o miles de otros dispositivos para hacer que la gente se involucre.

Para facilitar la creación de comunidades virtuales, no se necesita alta tecnología. En este capítulo se verá que una cuenta de correo electrónico basta, como muestra claramente el ejemplo de Mark Torrance (capítulo 9). Muchos puntos de la Web hacen buen uso de las etiquetas HTLM que procesan formularios para construir comunidades, como veremos. AlphaWorld (capítulo 7) lleva este concepto al extremo y para encarnar las aspiraciones más íntimas de la Web bajo la forma de una comunidad gráfica en la red, sería bueno saber lo que los habitantes de Alphaworld quieren expresar.

El StockMaster como comunidad

Al mencionar la construcción de comunidades como una clave importante para el éxito, los fanáticos de la tecnología pensarán enseguida en técnicas de vanguardia, salas de tertulia, o tablones de anuncios incrustados en las páginas Web. Pero la alta tecnología no es necesaria.

Mark Torrance, creador del StockMaster, describe su servicio como una comunidad de información, a pesar de la falta de secciones interactivas claras (ver la figura 13.1). Pero es que la mayor parte de las interacciones se hacen vía correo electrónico. La comunidad de StockMaster se materializó cuando dos niños de 10 años escribieron a Torrance, pidiéndole que les explicara en términos simples lo que son los valores, los mercados, los índices y las cotizaciones para escribir un trabajo sobre los mercados de valores para el colegio.

Lo que hace de StockMaster el foco de una comunidad de información es la voluntad de Torrance de responder personalmente a las peticiones de ayuda. Por este motivo, StockMaster ha ido más allá de su contenido aparentemente aburrido y utilitario y se ha convertido en una comunidad. Torrance se interesa por el servicio que ofrece en la Web. Otras personas con intereses similares, en este caso inversores amateurs, también se enganchan al servicio y se toman la molestia de escribir a Torrance para hacerle llegar sugerencias e ideas.

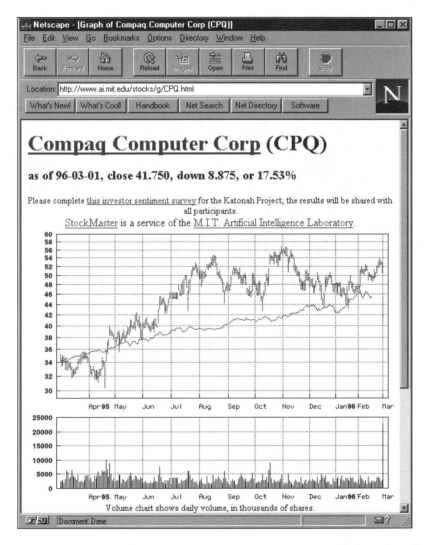

Figura 13.1. Esta página, que es el centro de una comunidad, está aquí representada con un gráfico de la evolución del precio de las acciones de la Compaq Computer Corporation.

La información facilitada por el StockMaster es el eje de una comunidad. Es un motivo para que la gente tenga algo en común y, dado que comparten algo, si se les da la oportunidad se comunicarán entre ellos.

¿Qué medios emplea StockMaster para fomentar la interacción de la comunidad sin la intervención de Torrance? La respuesta es la página Top Stocks que facilita al usuario información sobre lo que otros visitantes han hecho con los datos, mostrando una lista de los gráficos de valores más consultados. Se puede ver esta lista en la figura 13.2.

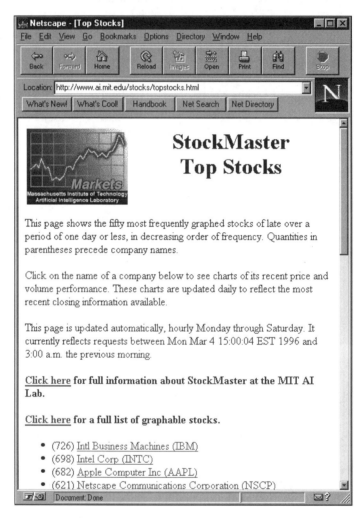

Figura 13.2. La página Top Stocks de StockMaster informa a los visitantes qué gráficos son los más consultados y también informa de lo que ha estado haciendo el resto de la comunidad.

En un punto dedicado a la inversión como es StockMaster, la actividad del resto de la comunidad tiene una trascendencia financiera real. Al estudiar la página de Top Stocks y descubrir que un gran número de gente ha consultado el gráfico de un determinado valor, el visitante querrá ver el motivo de tanta expectación y, de esta forma, contribuirá a aumentar la popularidad de esas determinadas acciones. Si se llevan a cabo transacciones bursátiles guiándose por el Top Stocks, y esto de hecho ocurre, las implicaciones de la comunidad de StockMaster van más allá de Internet si se traducen en cambios reales en el mercado, que representa a su vez otra comunidad de información.

Como lo demuestra StockMaster no es necesario utilizar tecnología punta para fomentar la creación de una comunidad de información. Sólo se necesitan dos cosas: una dirección de correo electrónico y la voluntad de aceptar las sugerencias de los lectores.

Aunque el servidor no tenga capacidad de procesar formularios, se puede incluir de todas formas una sección interactiva de correo electrónico en la página Web. El secreto está en la etiqueta de "Mailto" (mandar a). Esta tiene el siguiente aspecto:

<A HREF="mailto: nombrecompañía.com">nombrecompañía.com</A>

En la pantalla lo único que se ve es la dirección de correo electrónico "nombrecompañía.com" en formato de hiperenlace. Cuando se hace clic en este enlace, el servidor muestra una ventana para componer un mensaje electrónico, y permite enviarlo automáticamente a esa dirección. Obsérvese que no todos los servidores pueden manejar correo electrónico, pero los más populares sí lo hacen (incluyendo Netscape Navigator y Microsoft Internet Explorer).

Construir comunidades mediante formularios

Entre las muchas opciones del HTLM están las etiquetas de formularios, que permiten a los autores de la Web crear páginas interactivas. Dichas páginas pueden incluir largos marcos de texto, a través de los cuales se puede avanzar línea a línea, también se pueden encontrar cuadros de listas desplegables y botones de selección. Con estos instrumentos, un autor puede crear una página Web muy interactiva, que incite fuertemente a los lectores a contribuir con material propio. En muchos de los puntos más populares, los formularios permiten transformar una presentación Web en una comunidad de información.

El ejemplo por excelencia es Yahoo, que basa gran parte de su contenido en las propuestas de los usuarios. Cuando se hace clic en el botón Add URL (añadir URL) en la página principal de Yahoo, se puede ver la página Add to Yahoo (añadir a Yahoo), mostrada en la figura 13.3. Llegado aquí, el usuario puede añadir su propia página Web, o añadir cualquier otra página que considere adecuada para Yahoo. La aparición no es automática, Yahoo se reserva el derecho de determinar si la propuesta será añadida; este mecanismo es principalmente para evitar las corrientes bromas de mal gusto.

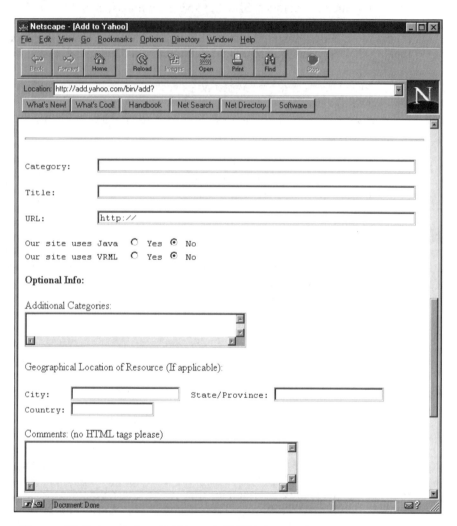

Figura 13.3. La página de Yahoo Add URL le permite a los lectores añadir nuevas URL a la base de datos de Yahoo.

Las etiquetas de formularios tienen también su lado malo. Como saben los estudiantes de HTLM, se puede crear una página Web llena de fantásticas formas interactivas, pero éstas no hacen nada. En efecto, en una página Web los formularios no tienen ningún sentido si no se ha escrito previamente un script (guión) ubicado en el servidor (un pequeño programa informático) para recibir y procesar la información.

No hay que abandonar los formularios sólo por no ser informático. El punto de la Web O'Reilly & Associates'Windows 95 Web trabaja con multitud de instrumentos (entre ellos Mark Bracewell's Polyform) que permiten crear la capacidad de procesar formularios sin tener que hacer ningún programa informático.

Los sistemas de conferencias basados en la Web, ya son una realidad gracias a WebBoard

WebBoard es un avanzado sistema de conferencias integrado perfectamente en la página del usuario, que le añade al punto una sección de tablón de anuncios. Al acceder a una página equipada con WebBoard, unos enlaces invitan al visitante a participar en una conferencia. Para ello, el usuario debe rellenar un formulario de inscripción incluyendo un nombre de usuario y una contraseña. Una vez hecho esto se muestra una lista que enumera las conferencias disponibles. Después de seleccionar una conferencia, aparece una página Web en la cual se muestran como hiperenlaces varios artículos y respuestas. Se puede hacer clic en cualquiera de ellos para leerlos. Se puede, a su vez mandar un mensaje electrónico o un artículo como respuesta, así como un artículo sobre un nuevo tema. El WebBoard proporciona a los autores de la Web un nuevo método para crear comunidades de información en torno a un punto. Dado que es muy fácil de instalar, de configurar y de utilizar, se puede prever que en los próximos meses se multiplicará el número de páginas que lo incluyan.

AlphaWorld es una comunidad

¿Qué será de la construcción de comunidades en la Web una vez que se instalen las poderosas tecnologías interactivas? Alphaworld muestra el camino.

Ron Britvich, el creador de AlphaWorld, y más de 30.000 ciudadanos constituyen uno de los ejemplos más vívidos de lo que es una comunidad de información (ver el capítulo 7). Su comunidad, de hecho ellos mismos cuando están en AlphaWorld, es información. Las personas y lugares que forman AlphaWorld no son más que trozos de información en una enorme base de datos y, sin embargo, en este punto se desarrollan temas como el amor, el crimen, el estado y la rebelión.

¿Por qué ocurre esto? En gran parte esta comunidad se ha desarrollado gracias a que Alphaworld, que técnicamente no es un punto, pues utiliza un protocolo no estándar de comunicación y un software especial en vez de un servidor, tiene un interfaz "realista". La gente de AlphaWorld parecen realmente personas, o por lo menos parecen maniquíes de pruebas de seguridad. Y lo que es más, las representaciones de personas se pueden comunicar entre ellas con palabras que flotan por encima de sus cabezas. La figura 13.4 muestra personas comunicándose en AlphaWorld.

Figura 13.4. El interfaz semirrealista de AlphaWorld muestra a personas comunicándose entre ellas, lo cual contribuye a crear un sentimiento de comunidad que domina el mundo virtual.

AlphaWorld no es perfecto, ni mucho menos; de hecho, como precursor de las futuras comunidades de realidad virtual, tiene bastante baja resolución, pero el punto representa las aspiraciones de la comunidad Web. Si incluso un punto de baja tecnología como StockMaster es el ejemplo más aparente de una comunidad vibrante, AlphaWorld muestra lo que ocurre cuando se combinan una buena y una comunidad.

Todo el mundo se pregunta si en el futuro los interfaces de la Web se parecerán de alguna forma a AlphaWorld, pero AlphaWorld confirma ampliamente lo que los maestros ya saben: es decir, que la gente no considera a la Web como una fuente pasiva de información. Lo que realmente les fascina es la posibilidad de contribuir a crear algo impresionante y socialmente útil.

¿Cómo se puede conseguir que el punto se parezca a AlphaWorld, sin tener que pasar años desarrollando un sistema no estándar? Los principiantes pueden crear un punto con presencia en Alphaworld. Britvich dice que está planeando incluir zonas temáticas para que la gente y las compañías las utilicen como base para sus contenidos. Otra opción es hacer algo como lo que ha hecho Beach (ver capítulo 5), en el punto de su compañía I-Storm, en el cual ha fraccionado el contenido y lo ha agrupado de forma parecida a las áreas de atracciones de un parque temático.

Otras comunidades de información

La Web está viva con las comunidades de información. Unas de las mejores:

LuckyTown (http://www.mcs.net/~kvk/luckytown.htlm): este punto, mantenido por Kevin Kinder, es básicamente un centro de información para todo lo que concierne a Bruce Springsteen. Aquí se pueden encontrar detalles sobre sus giras, sus nuevos discos, las letras de sus canciones y, lo que es más importante, el visitante puede pedir que su dirección sea incluida en la lista de mailing del punto. La página de presentación se puede ver en la figura 13.5.

Figura 13.5. El punto LuckyTown construye una comunidad de información invitando a los usuarios a incluirse en la lista de mailing.

HotWired (http://www.hotwired.com): sea cual sea la opinión que se tenga del estilo de la revista *HotWired* y de su versión impresa *Wired*, los artículos tienen un estilo hiperbólico y se repite muchas veces el prefijo "ciber", *HotWired* representa uno de los mejores ejemplos de comunidad virtual que hay en la Web. Con charlas frecuentes y una larga lista de mailing, *HotWired* mantiene a su comunidad unida. La figura 13.6 muestra su página principal.

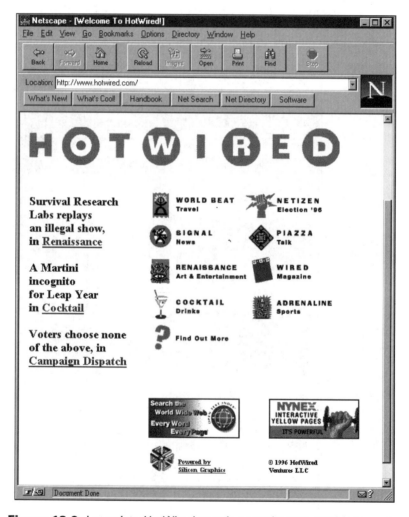

Figura 13.6. La revista HotWired consigue realmente establecer entre los usuarios el sentimiento de pertenecer a un club. Es reconfortante navegar por el HotWired, siempre y cuando, de tanto curiosear, ya se entiendan los a veces oscuros nombres de las secciones.

🖳 **La Background Home Page** (http://io.datasys.swri.edu/Over-view.htlm): en esta página, que se puede observar en la figura 13.7, la gente que se encuentre interesada en hacer senderismo en la Web consigue intercambiar mucha información que resulta muy útil, la cual va desde la utilidad de las polainas hasta los tratamientos a seguir contra la mordedura de una serpiente. Este punto de la Web sirve de centro para el newsgroup rec.backcountry de Usenet, pero la mayor parte de la información de este grupo, que ellos denominan sabiduría "destilada", aparece en este punto, ofreciendo una lectura fascinante.

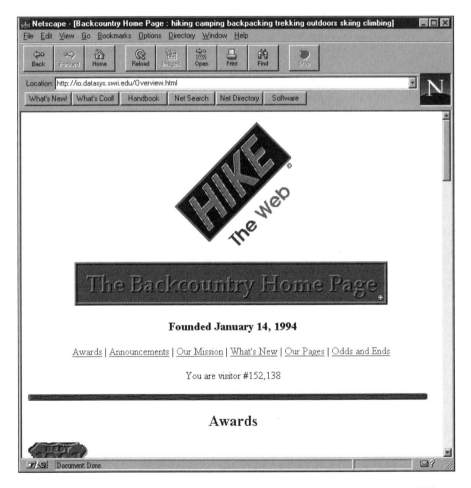

Figura 13.7. La página principal de Backcountry es un centro en la Web para la gente a la que le gustan las actividades al aire libre.

Lo que sigue

Al crear una comunidad de información en torno a un punto, la gente se involucra en ella y se reciben muchas sugerencias. Como se muestra en el próximo capítulo, hay también otra importante forma de beneficiarse. En muchos de los mejores puntos de la Web, gran parte del material que se ofrece ha sido aportado por los usuarios.

14 Capítulo

La importancia del sector público y de la contribución de los usuarios al contenido

En el capítulo 11 se mostró la importancia de ofrecer un buen contenido y varios ejemplos de ello han sido tratados en la primera parte de este libro. ¿Qué ocurre cuando se toma información pública y se ofrece presentada de forma atractiva? Se obtiene un fantástico punto en la Web.

Hay un montón de información disponible, gran parte de la cual es gratis. Si la información pública se presenta bien, hay muchas posibilidades de éxito sin tener que tomarse la molestia de generar contenido nuevo.

Otra alternativa es beneficiarse de la buena voluntad de los usuarios del punto. La gente que utiliza y edita en la Web es tremendamente generosa, y se puede utilizar su generosidad como ayuda para proporcionar recursos útiles. No hay que dudar en pedirle a los visitantes del punto que contribuyan a su contenido. De esta forma, no sólo se añade calidad a los recursos de información ofrecidos, sino que también se fomenta la creación de una comunidad de información basada en el interés común.

En este capítulo, se presentarán puntos que combinan información del ámbito público con contribuciones de los usuarios, y a los que les ha salido muy bien la mezcla.

Soy del gobierno

Los gobiernos son fuentes excelentes de información. En efecto, la administración produce toneladas de información al día, desde datos sobre el censo, hasta formularios fiscales, pasando por fotografías de satélites desclasificadas. Y aunque bien es verdad que la mayor parte es completamente inútil para algunas personas u organizaciones, cualquier trozo de información es valioso para alguien en alguna parte. Y como en los Estados Unidos, en teoría, el gobierno es el sirviente de todos, cualquier producto del trabajo de los funcionarios es de todo el mundo. Entonces hay que utilizarlo.

El punto de la IRS

Se puede ofrecer un buen servicio tomando información del gobierno y arreglándola de forma útil. A menudo, es el propio gobierno el que facilita esta información.

La figura 14.1 muestra el punto de la Internal Revenue Service (http://www.irs.ustreas.gov/prod/cover.htlm), del que se pueden extraer formularios fiscales. Antes de que se creara este punto, para conseguir un formulario para deducir los intereses de un préstamo había que llamar a un teléfono y explicarle a alguien lo que se necesitaba.

Ahora ya no. Ahora sólo hay que cargar con el servidor la página del IRS y extraer los formularios. Estos vienen en formato Adobe Acrobat, lo cual quiere decir que retienen su fuente y su formato en cualquier ordenador con Acrobat Reader (nadie quiere que la línea 5 se intercambie con la línea 14). Estos formularios se pueden imprimir, rellenar y enviar, para que Hacienda devuelva dinero, por supuesto...

La lección que hay que aprender del punto de la IRS es que la información del ámbito público puede ser extremadamente útil si se organiza y se presenta adecuadamente. En esta página, es la misma organización la que genera el contenido y la que crea el punto, pero éste no tiene por qué ser el caso. Alguien podría hacer un punto incluyendo esos mismos formularios fiscales.

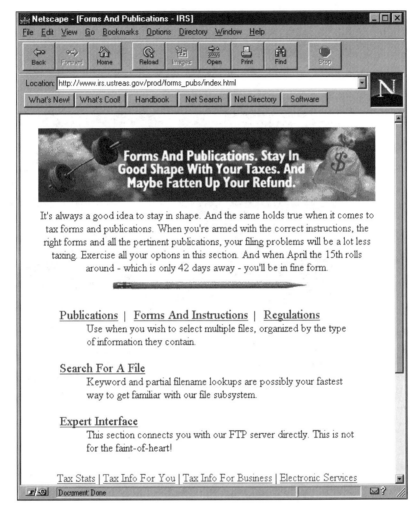

Figura 14.1. En el punto de la IRS se pueden extraer formularios fiscales en formato Adobe Acrobat.

Otros puntos que ofrecen información interesante del gobierno

Hay al menos una docena de puntos del gobierno que ofrecen contenido muy interesante. He aquí algunos de ellos:

- **National Space Science Data Center Photo Gallery** (http://nssdc. gsfc.nasa.gov/photo_gallery/): Aquí se pueden ver cientos de imágenes relacionadas con el espacio y el programa espacial norteamericano Planetas, asteroides, naves espaciales, está todo aquí, y las imágenes son todas del dominio público. La figura 14.2 muestra una imagen típica.

Figura 14.2. Esta fotografía del Viking Orbiter fue tomada del archivo de ámbito público del programa espacial National Space Science Data Center.

- **Census Bureau** (http://www.census.gov:70): No es que la información sobre el censo sea muy excitante, pero puede ser útil saber cuántas familias viven en Iowa o cuántos indios viven en Maine. Este punto contiene información de ámbito público, como puede verse en la figura 14.3.

- **SEC EDGAR Database** (http://www.sec.gov/edgarhp.htm): EDGAR proporciona más de 10 gigaoctetos de información de empresas, archivada en la U.S. Securities and Exchange Commission. Esta información siempre ha sido pública, pero EDGAR la hace ahora accesible. La figura 14.4 muestra un archivo típico de EDGAR.

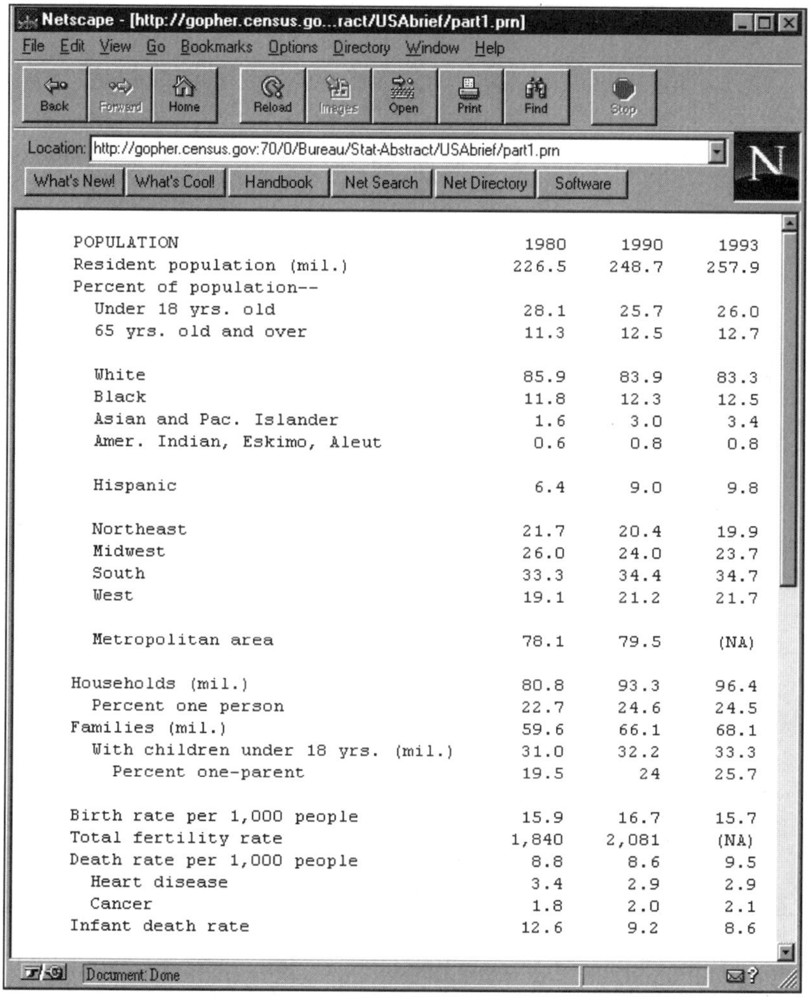

```
Netscape - [http://gopher.census.go...ract/USAbrief/part1.prn]          _□×
File  Edit  View  Go  Bookmarks  Options  Directory  Window  Help

  ⇦        ⇨        🏠        ◎        📇        ⇄°       🖨        🔍         ⏹
 Back    Forward    Home    Reload    Images    Open    Print    Find       Stop

Location: http://gopher.census.gov:70/0/Bureau/Stat-Abstract/USAbrief/part1.prn        N

What's New!   What's Cool!   Handbook   Net Search   Net Directory   Software
```

	1980	1990	1993
POPULATION			
Resident population (mil.)	226.5	248.7	257.9
Percent of population--			
Under 18 yrs. old	28.1	25.7	26.0
65 yrs. old and over	11.3	12.5	12.7
White	85.9	83.9	83.3
Black	11.8	12.3	12.5
Asian and Pac. Islander	1.6	3.0	3.4
Amer. Indian, Eskimo, Aleut	0.6	0.8	0.8
Hispanic	6.4	9.0	9.8
Northeast	21.7	20.4	19.9
Midwest	26.0	24.0	23.7
South	33.3	34.4	34.7
West	19.1	21.2	21.7
Metropolitan area	78.1	79.5	(NA)
Households (mil.)	80.8	93.3	96.4
Percent one person	22.7	24.6	24.5
Families (mil.)	59.6	66.1	68.1
With children under 18 yrs. (mil.)	31.0	32.2	33.3
Percent one-parent	19.5	24	25.7
Birth rate per 1,000 people	15.9	16.7	15.7
Total fertility rate	1,840	2,081	(NA)
Death rate per 1,000 people	8.8	8.6	9.5
Heart disease	3.4	2.9	2.9
Cancer	1.8	2.0	2.1
Infant death rate	12.6	9.2	8.6

```
□/□  Document: Done                                                  ✉?
```

Figura 14.3. Este pequeño informe estadístico sobre la población de los Estados Unidos está confeccionado con información tomada del punto Census Bureau de la Web.

🖳 **Thomas** (http://thomas.loc.gov/): Al igual que SEC EDGAR, Thomas hace fácilmente accesible una gran cantidad de información pública. Se puede usar Thomas, llamado así por Thomas Jefferson, para conocer el texto completo de decretos de ley antes que el Congreso, o decretos que ya han sido aprobados por el Congreso y que han sido enviados al presidente para su aprobación. La figura 14.5 muestra el texto de un decreto del Senado extraído de Thomas.

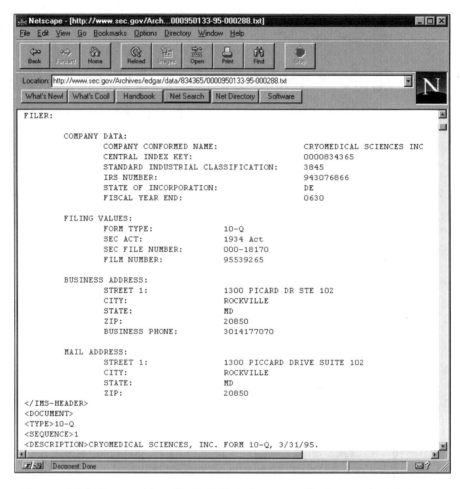

Figura 14.4. Este archivo 10- Q SEC de la compañía Cryomedical Sciences fue tomado de la base de datos de EDGAR. Se puede obtener información de cualquier empresa pública norteamericana utilizando el punto EDGAR.

Hay que poner a los visitantes a trabajar

Es como si a los niños, al visitar a un pariente, éste aprovecha y les hace limpiar el patio, bajar cosas al trastero, u ocuparse de otros niños más pequeños. Pero a estos niños no les importa hacer estas tareas, pues se sienten parte de la familia, de la comunidad y les entusiasma ayudar.

El mismo sentimiento se puede aplicar a la Web. Hay muchos puntos de la Web que cuentan con sus visitantes para crear el contenido que ofrecen.

No hay más que mirar los dispositivos de búsqueda y los ramales de temas. Casi todos ellos tienen un formulario, o al menos una dirección de correo electrónico, a la cual se pueden remitir nuevas URL para incluir en el catálogo de búsqueda. A la gente le encanta ver incluidas sus sugerencias en este catálogo, por lo cual proporcionan con sumo gusto la información requerida. Esta situación ocurre miles de veces al día.

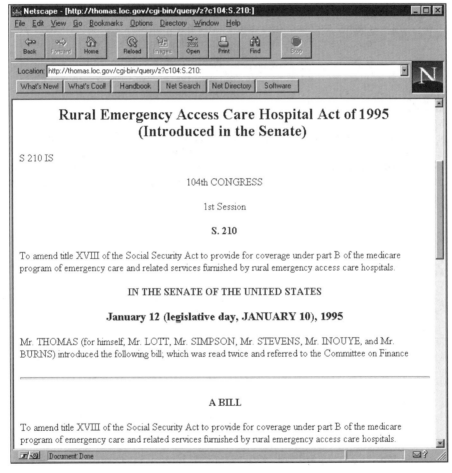

Figura 14.5. El texto de este decreto ley está siendo debatido en el Senado. Fue extraído de Thomas, otro recurso del gobierno que ofrece información pública de forma agradable y útil.

Los visitantes que contribuyen con información no reciben otra compensación, aparte de la satisfacción de ver incluidos los puntos que han sugerido; sin embargo, los creadores del punto se benefician de la información aportada por los usuarios. Este es un excelente ejemplo de lo que los expertos llaman "gift economy", es decir, el sistema por el que los usuarios proporcionan información gratis a la red sólo por buena voluntad y por ayudar a la comunidad, y no por motivos económicos. Pero claro, aunque tampoco se puede pagar la conexión a Internet sólo con la buena voluntad de los usuarios, sirve para conseguir parte del contenido sin tener que pagar nada.

Siempre hay que pedirle a los lectores su contribución, pero dejando claro que el creador del punto es el responsable de juzgar lo que se incluye en él. No hay que olvidarse nunca de agradecer las contribuciones y reconocer el mérito de quien lo merece.

Yahoo

Los administradores de Yahoo (capítulo 2) son verdaderos expertos en esclavizar a la comunidad de la Web. La figura 14.6 muestra el formulario al que se accede desde la página principal; rellenándolo se puede añadir información al ramal de temas. La URL del formulario es http://add.yahoo.com/bin/add?

En este formulario se puede observar una casilla para escribir la nueva URL, una casilla para el título del punto (como, por ejemplo, "Ricky's Clothing Barn"), unos cuantos botones de selección que indican si el punto utiliza Java o VRML, algunas casillas para información geográfica, una casilla de comentarios y una casilla para el nombre del usuario y su dirección de correo electrónico. Sólo lleva unos segundos rellenar este formulario. Lo más difícil es saber cómo se puede incluir el punto en el esquema de clasificación de Yahoo.

¿Cuál es el resultado de este formulario? Yahoo no tiene a ningún empleado navegando por la red buscando nuevos puntos. Casi todos, hasta el 90% incluso, de los puntos de su base de datos, son sugeridos por los usuarios a través del formulario. Los usuarios hacen todo el trabajo, incluido el de organizar los puntos según los titulares de Yahoo, aunque los empleados de Yahoo verifican posteriormente las contribuciones y se aseguran de que los titulares utilizados son adecuados. Yahoo ha impulsado con éxito la generosidad de la comunidad, y su punto se beneficia de ello.

Otros puntos que utilizan a los navegantes

Yahoo no es el único punto que pone a trabajar a sus usuarios. Muchos de los buscadores y otros puntos de la Web basan parte de su contenido en las contribuciones de los visitantes.

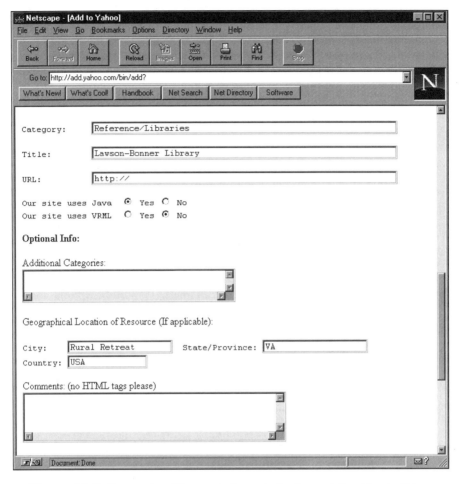

Figura 14.6. Se puede utilizar este formulario de contribución de Yahoo para añadir algún recurso en el ramal de temas. El equipo de Yahoo lo utiliza para ahorrarse tiempo, esfuerzo y dinero.

He aquí dos ejemplos:

- **A Parent's Guide to Anime** (http://watt.seas.virginia.edu/~bp/ parents.htlm): Creado por Bryan Pfaffenberger, que es uno de los autores del libro A Parent's Guide to Anime, este punto proporciona a los padres que poseen hijos pequeños información sobre el contenido violento o bien sexual de los dibujos animados japoneses. Los fans de este tipo de dibujos envían reseñas a este punto (véase la figura 14.7).

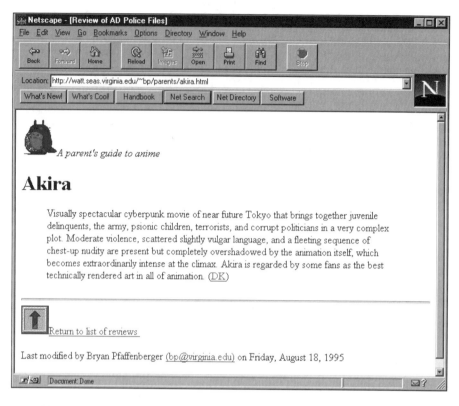

Figura 14.7. A Parent's Guide to Anime recopila reseñas de dibujos animados japoneses y las pone a disposición del usuario.

☐ **The Wine Page** (http://www.speakeasy.org/~winepage/wine.htlm): Este punto incluye un archivo de degustación, al que pueden contribuir los usuarios con sus impresiones sobre distintos vinos. La figura 14.8 muestra el formulario para contribuir.

Lo que sigue

Algunos de los puntos más calientes de la Web son los que se cuestionan las formas de pensar convencionales.

En el siguiente capítulo, se podrá comprobar por qué algunos de los mejores autores actuales de la Web se podrían describir como soldados de una cruzada.

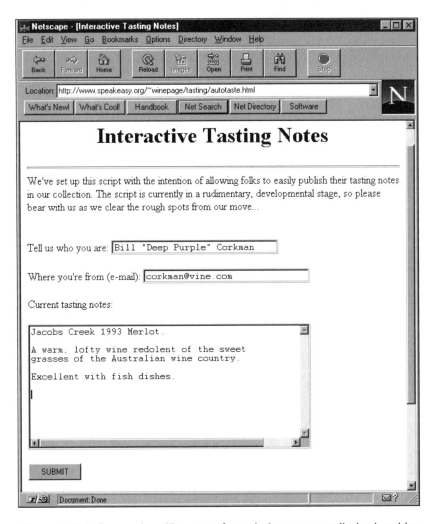

Figura 14.8. Se puede utilizar este formulario para contribuir al archivo de degustaciones del punto Wine Page. Mucha gente, expertos y amateurs, contribuyen a este esfuerzo comunitario.

Cuestionar las formas de pensar convencionales

En la Web, aplicar un método de eficacia probada es, básicamente, un billete para la oscuridad.

Ciñéndose a los modos de pensar convencionales, y a las formas tradicionales de hacer las cosas, se puede tener cierta seguridad de no fracasar, pero no se puede tener un éxito fulgurante. Si no se tiene interés por explorar nuevas rutas, es mejor dedicarse a escribir boletines informativos de empresas con el Page Maker 4. Para tener éxito editando en la Web, hay que enfrentarse a las convenciones e intentar buscar una nueva fórmula que no se le haya ocurrido a nadie todavía.

Eso no se puede aprender en un libro, el lector no tiene que esperar que este capítulo le convierta en un iconoclasta. Eso se tiene que llevar dentro, hay que tener una predisposición a cuestionar las convenciones y a crear nuevos cánones. Lo máximo que puede hacer este libro es mostrar lo que otros editores de la Web han hecho y esperar que los lectores encuentren en ellos una fuente de inspiración que les permita a su vez crear algo nuevo y fantástico en la red.

Dicho esto, este capítulo sí que proporciona una buena pista para saber por qué estos puntos tienen tanto éxito: ayuda mucho verse como soldado de una cruzada.

Preservar las voces de los escritores y defender la democracia

Recordemos al American Reporter, el periódico de la red que fue presentado en el capítulo 10. Joe Shea, el editor jefe y fundador del periódico, es un buen ejemplo de iconoclasta. Su caso es aún más conmovedor porque no es el típico joven contestatario que intenta hacer temblar las bases de una industria tan madura como la prensa.

Sin embargo, como hemos visto, está estableciendo un nuevo modelo para las publicaciones, sin apenas ningún recurso más que un grupo de voluntarios.

¿Qué llevó a Shea a romper con una profesión en la que trabajó durante tanto tiempo? En parte la frustración; Shea veía cómo muchos periódicos prescindían de miles de reporteros y quería crear una vía de expresión para las voces de todos ellos. También contribuyó el idealismo, pues él mantiene que la democracia se ve dañada por la tendencia actual de crear grandes gigantes de la comunicación que controlan el mensaje de cientos de periódicos, revistas, cadenas de radio, canales de televisión. Shea sintió que tenía que hacer algo, y no le asustaba correr riesgos en el intento.

Shea podría arruinarse persiguiendo su idea, e incluso ir a la cárcel ahora que se ha enfrentado al recurso de decencia en la nueva ley de telecomunicaciones, aunque esto último no es muy probable.

Vive de forma muy sencilla, mucho más sencilla de lo que lo haría si tuviera un trabajo más convencional. Pero Shea ha elegido cuestionar la forma tradicional de pensar dirigiendo un periódico en Internet y, por ello, el mundo será mejor gracias a sus esfuerzos, aunque sus planes no se realicen.

CONSEJO

¿Qué es lo que le motiva a uno? Es importante plantearse esto antes de crear páginas en la Web, por una razón muy sencilla: cuesta mucho más trabajo del que se piensa mantener una página Web. Los cruzados tienen aquí una gran ventaja: les apasiona lo que hacen, por lo cual para ellos es un placer visitar el directorio de su punto y hacer todo el aburrido trabajo que conlleva conseguir que todo funcione en una página Web. Hay que enfocar la página en un tema en el que se está y se estará muy interesado.

Enfrentarse al establecimiento de la industria discográfica

El Internet Underground Music archive (capítulo 6) también rompe bruscamente con las convenciones. El planteamiento de IUMA es sortear el tradicional camino seguido por de la industria discográfica a la hora de publicar y de crear estrellas, un camino asfaltado con mucho dinero, muchos egos y algo de corrupción. IUMA, arriesgándose y estableciendo medios alternativos para que los músicos distribuyan y difundan su música, le ha hecho un gran favor al mundo y en el proceso se ha hecho un hueco en ese mundillo.

¿Qué movió a Rob Lord y a Jeff Patterson, los fundadores del IUMA, a separarse de la norma? Principalmente, el amor por el contenido; a ambos les gusta la música alternativa. Contrataron a una serie de empleados que sienten lo mismo y, movidos en parte por el afán de acabar con las ilógicas e injustas normas de la industria discográfica, crearon un servicio en la Web que es ahora uno de los más populares de la Red.

También hay que decir que los fundadores de IUMA no tenían nada que perder al empezar su aventura en la Web. Ésta es una situación recurrente entre la gente presentada en este libro y, en general, los pioneros de cualquier campo. Aunque Patterson y Lord eran buenos estudiantes en la universidad de California de Santa Cruz, sabían que podían consagrarle algún tiempo a IUMA y, si no salía bien, podían encontrar otros trabajos y salir beneficiados por la experiencia. Estaban más dispuestos a apostar, dado que podían vivir de forma muy sencilla y dedicarle largas horas de trabajo.

IUMA representa también la típica actitud americana de desafiar a los "grandes". De la misma forma que Apple desafió al gigante IBM con su línea de ordenadores Macintosh e incluso emitió un anuncio durante el descanso del Super Bowl comparando a IBM con el "Gran Hermano", la autoritaria fuerza del libro de George Orwell en 1.984, IUMA desafía a Sony, Warner y Virgin. Aunque tendrá que pasar mucho tiempo antes de que los ingresos de IUMA igualen a los de estas compañías, la docena de empleados de IUMA que trabajan en un antiguo aserradero de Santa Cruz, California, han probado que no es necesario pensar en términos de producción en masa y de distribución en un medio físico como puede ser un Compact Disc.

Otros cruzados

A continuación, se presentan otros puntos que representan brillantemente algún tipo de cruzada.

■ **Teen Movie Critic** (http://www.dreamagic.com/roger/teencritic.htlm): Roger Davidson, que tiene 17 años a la hora de escribir este libro, es un fanático del cine que vive en Minnesota, y cuyas críticas merecen ser leídas (ver figura 15.1).

¿Quién dice que hay que ser un adulto para ofrecer algo que merezca la pena en la Web?

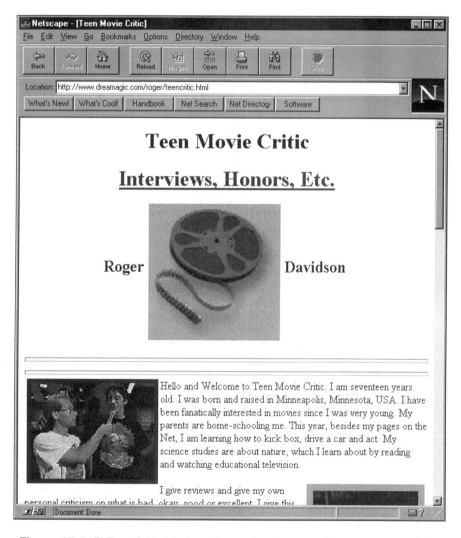

Figura 15.1. El Teen Critic Movie es la prueba de que no hay que ser un adulto para contribuir de forma valiosa al contenido de la Web.

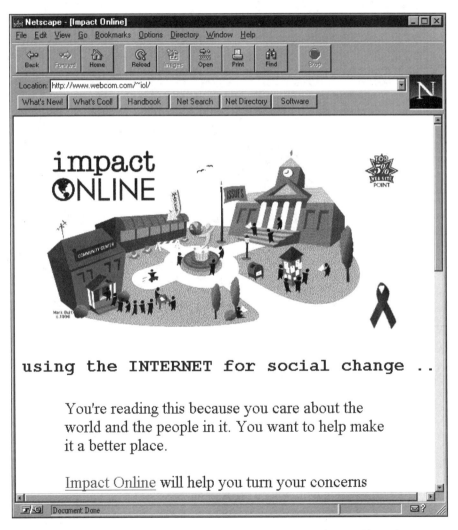 **Impact Online** (http://www.webcom.com/~iol/): Se trata de una ONG de la Web que se dedica a un objetivo muy claro: hacer accesible en la red información sobre otras Organizaciones no gubernamentales. Impact Online trabaja con esas otras organizaciones para mejorar el acceso a la información que ofrecen. ¿El objetivo de Impact Online? Facilitar que los usuarios se involucren en estas organizaciones y hagan algo por el mundo.

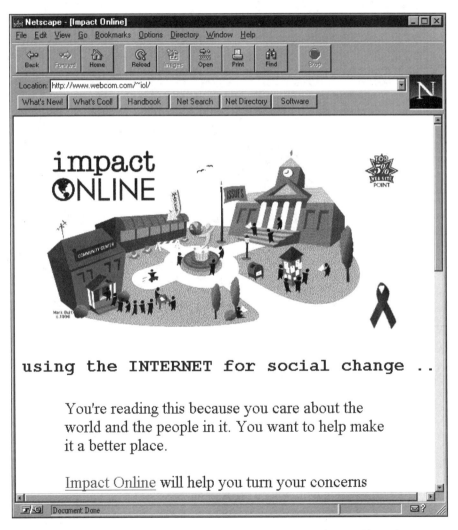

Figura 15.2. Impact Online facilita el acceso a información sobre Organizaciones no gubernamentales.

■ **Jonathan Tward's Multimedia Medical Reference Library** (http: //www.tiac.net/users/jtward/index.htlm): Tward, un estudiante de medicina de la universidad Johns Hopkins, está motivado por una visión: un punto en la Web repleto de recursos de información multimedia para médicos, estudiantes de medicina y pacientes. Hasta ahora es un logro impresionante. (Ver figura 15.3.)

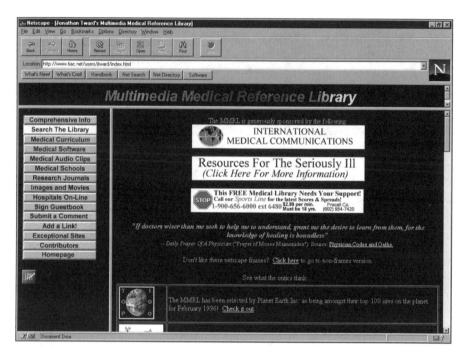

Figura 15.3. El punto Multimedia Medical Reference Library de Jonathan Tward está inspirado en una visión de los beneficios que pueden producirse por la circulación de información médica públicamente accesible.

■ **The WebMuseum Network** (http://mistral.enst.fr/): Al igual que los otros cruzados presentados anteriormente, el autor del WebMuseum, Nicholas Pioch, cree firmemente en el potencial democratizador de la Web. Para Pioch, el compromiso de la Web consiste en sacar el arte de los museos elitistas y llevarlo a las pantallas de millones de personas (véase la figura 15.4).

Pioch piensa que para apreciar el arte y la historia del arte no se necesita una gran educación, ni una sensibilidad de rico, ni mucho dinero. Sólo hace falta amor por el arte.

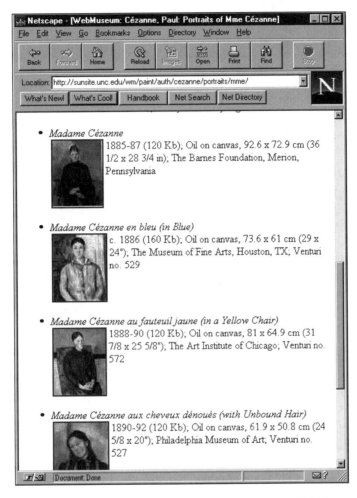

Figura 15.4. Puede que Nicholas Pioch, creador del punto WebMuseum, haya sacado de contexto estas pinturas de Paul Cezanne, fuera de su marcos, pero ¿quién puede decir que está haciendo algo malo?

Lo que sigue

Actualmente los mejores puntos de la Web no sólo combaten las formas convencionales de pensar en términos sociales e intelectuales; también atacan los límites preconcebidos que antes separaban las comunicaciones personales de los medios de comunicación de amplia difusión. En el próximo capítulo, se explicará cómo los magos de la Web están rompiendo límites en los medios de comunicación.

16

Capítulo

Romper con los límites establecidos de los medios de comunicación

Lo que tiene lugar en la Web es una tendencia a la convergencia, la fusión de varios medios de comunicación que antes eran entidades separadas y ahora forman una amalgama cuyas reglas aún no están definidas. La gente que considera que la prensa impresa y los medios audiovisuales son medios distintos y separados, no tiene la perspectiva adecuada para triunfar en la Web. Para tener éxito en un nuevo medio hay que promover activamente la supresión de los límites que tradicionalmente han separado a los diferentes medios de comunicación.

¿Qué significa esto? La Radio HK (capítulo 4) nos proporciona un ejemplo muy pertinente. Utilizando la Web como un nuevo medio de distribución libre de regulaciones, libre de gastos y lleno de capacidades multimedia, Radio HK muestra que la Web es un terreno muy fértil para la exploración. La Web no es solamente un medio de hipertexto, representa potencialmente a todos los medios de comunicación, e incluso a cualquier combinación de ellos.

Esa es una de las razones por la cual la Web es tan excitante. Pero su capacidad para mezclar varios métodos de comunicación, puede tener además consecuencias más profundas. Pudiera ser que los medios de comunicación convencionales hubieran puesto una camisa de fuerza a nuestro entendimiento y a nuestra creatividad, y que la Web nos permita liberarnos de ella. En los puntos más calientes de la Web, se puede ver un marcado interés por explorar los límites de la expresión artística, cuestionando las reglas impuestas por medios más restrictivos.

La Web: ¿El renacimiento del arte?

¿Es realmente bueno romper los límites establecidos por los medios de comunicación? Es muy esclarecedor, desde luego, ver lo que ocurre cuando se rompen sistemática y deliberadamente los límites. Por otra parte, la supresión de límites es bastante desconcertante, puesto que hasta hace nada vivíamos en una era donde los medios de comunicación estaban muy diferenciados. Hay músicos que no pueden pintar, pintores que no pueden bailar, bailarines que no saben hacer diseño gráfico, y diseñadores gráficos que no pueden escribir. La gente que triunfará en esta nueva era de la comunicación será capaz de destacar artísticamente en más de un campo simultáneamente.

Para la parte derecha del cerebro, la parte responsable de la creatividad, el hábitat perfecto es un mundo sin límites entre los medios de comunicación. A William McDonough, rector de la facultad de arquitectura de la universidad de Virginia, le encanta mostrar a sus alumnos la creciente separación de los diferentes medios de expresión del cerebro a medida que se desarrolla.

"Si en el aula de una guardería", dice McDonough, "preguntáramos quién sabe dibujar, todos los niños levantarían la mano. Si después preguntáramos quién sabe cantar, otra vez todos los niños levantarían la mano". Los niños se consideran capaces de expresarse de cualquier forma. Su cerebro creativo salta del terreno verbal al terreno gráfico y al terreno musical una y otra vez, continúa McDounough.

"Sin embargo, si se hicieran las mismas preguntas en un aula de la universidad", declara McDonough, "nadie levantaría la mano". Su conclusión es que el sistema educativo apaga la creatividad. También sostiene que el proceso de crecimiento en nuestra sociedad nos convierte en especialistas, de ahí que los estudiantes de universidad que han admitido tener aptitudes para escribir o para el diseño gráfico, no creen tener aptitudes para otros campos, aunque sean complementarios.

Las personas que quieren sobresalir en la Web tienen que olvidar el entrenamiento al que han sido sometidos y que les ha convertido en artistas especializados. Tienen que volver a esa época de la infancia en la que cantar y dibujar iban unidos, en la que era normal bailar un poema.

Entender la Web como un medio en el que hay que aprender a expresarse es parte de un renacimiento artístico. Y los mejores puntos de la Web nos invitan a que les acompañemos en este viaje.

"Artículos" que son verdaderas experiencias multimedia

Volviendo a *Word* (capítulo 1) y recordando el artículo que incluye ese capítulo ("Anatomía de un artículo de *Word*"), se puede ver que los artículos en esta revista no son sólo una recopilación de textos relacionados con un tema, como es el caso de las revistas tradicionales, o una colección de palabras con gráficos estáticos. En cambio, los artículos de *Word* son auténticas experiencias multimedia, con sonidos, gráficos y tipografías que complementan el tema tratado en la parte de texto. Los diferentes componentes de los artículos se refuerzan los unos a los otros, haciendo del resultado una experiencia más divertida y más convincente.

La figura 16.1 muestra un artículo típico de *Word*. El texto es bueno, pero no se basta solo. En esta página hay un icono, que una vez pulsado, produce sonidos que complementan el tema del artículo. Obsérvese también que la tipografía ha sido diseñada para resaltar los pasajes importantes del texto y contribuye al carácter general del punto.

La música, la literatura, la tipografía y la maquetación están relacionadas; una persona con capacidad para alguno de estos campos probablemente tendrá aptitudes para otro, pero la creación de presentaciones multimedia, en cantidad suficiente para llevar una revista, necesita de un equipo de personas. En el caso de *Word*, diferentes personas, la mayoría con un contrato por obra, hacen diferentes partes de la presentación multimedia.

Podría parecer que esto contradice la idea que hemos desarrollado antes sobre la necesidad de personas con varios talentos y no tan especializados. En parte es así, pero no completamente, porque al final es una sola persona, *Word* la llama el editor, pero podría llamarse "director" o "coordinador", la que revisa y recopila el trabajo de todos los especialistas para hacer el producto final. El editor tiene que entender de música, de textos, de gráficos, de maquetación y combinar todo perfectamente para provocar un gran impacto en el visitante. En el capítulo 18 se explica cómo coordinar un equipo de personas con diversos talentos técnicos y artísticos complementarios.

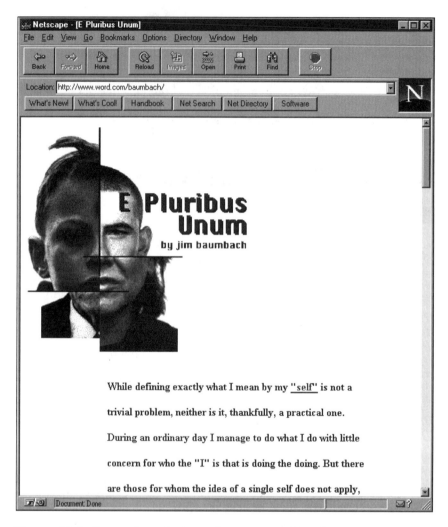

Figura 16.1. Este artículo incluye elementos multimedia complementarios. La parte audio complementa el texto, que incluye tipografía que resalta algunos pasajes y el resultado es una completa presentación multimedia.

Puntos de la Web que son como conglomerados de contenido

David Beach de LVL Interactive tiene una idea ligeramente diferente sobre la naturaleza del contenido y de los medios de comunicación. Beach diseñó su proyecto I-Storm (ver capítulo 5) combinando el talento de varios grupos de personas para crear el contenido de un punto. Este hombre previó que juntando un montón de contenidos diferentes se podía construir un punto con éxito. Aunque todavía está por comprobar la teoría de Beach, su idea tiene mucho sentido, pues cruza los límites entre medios de expresión. La figura 16.2 muestra un mapa de las diferentes partes del punto I-Storm.

I-Storm no sólo cruza los límites entre medios de expresión, sino también los límites entre contenidos. Beach juega con el concepto de convergencia de medios y de contenido. ¿Qué ocurre cuando se mezclan un punto de música con un punto de poesía, o un juego en Java con una galería de arte virtual? ¿Y qué ocurre cuando se conservan los sonidos del punto de música mientras se visita la galería o mientras se juega al juego en Java? I-Storm explora la naturaleza del contenido y de los medios de expresión. ¿Quién sería el autor de esta experiencia multimedia, teniendo en cuenta que varios componentes de la misma vienen de páginas cuya única relación entre ellas es su afiliación a I-Storm?

Nadie lo sabe, ni siquiera Beach. Lo que hay que aprender de él, en este caso, es que la voluntad de experimentar con los medios de expresión bien merece la pena. Aunque este punto no tenga tanto éxito como querría LVL Interactive, el equipo de I-Storm habrá extendido los límites de la convergencia entre medios de expresión y esta es la tendencia general que muestra la Web y puede que también la televisión, la radio y la realidad virtual.

 ¿En busca de ideas para un punto en la Web? Hay que pensar cómo lo hacen los maestros de la Web: hay que juntar medios de expresión que antes estaban separados y ver qué pasa. Como en un ejercicio de brainstorming, hay que intentar formar parejas entre medios de comunicación y conceptos de la Red y, después, observar los contrastes: revista virtual, un poema interactivo, una carta en colaboración, conocimiento distribuido, citas aleatorias, etc.

Otros puntos que exploran la convergencia

Word y I-Storm no están solos. Casi todos los puntos presentados en este libro juegan de alguna forma con la convergencia de medios de expresión. Otros muchos puntos lo hacen también. He aquí unos cuantos ejemplos:

A Day in the Life of Cyberspace (http://www.1010.org./): En el Laboratorio de Medios de Comunicación del Instituto de Tecnología de Massachusetts, esta exhibición conmemora el 10 de octubre de 1995, un día en el que el mundo de la red fue grabado para la posteridad. Además de muchos gráficos, sonidos y texto, este punto ofrece gran interactividad, incluyendo un curioso libro de invitados. La figura 16.3 muestra la página de presentación.

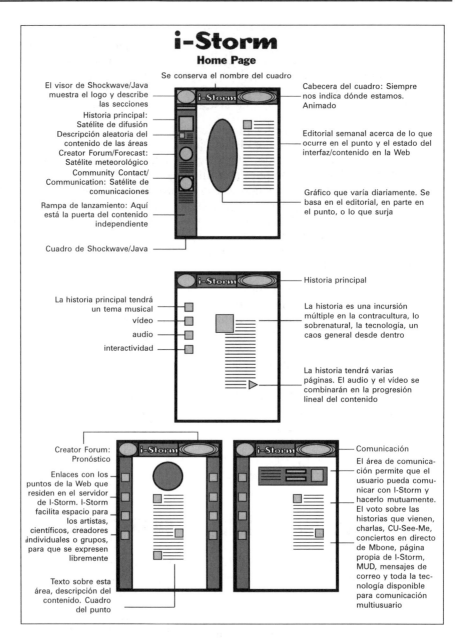

Figura 16.2. Combinando diferentes tipos de contenido en un solo punto, en este esquema de I-Storm, LVL Interactive demuestra un nuevo principio para conseguir triunfar en la Web: integrar un contenido múltiple (con múltiples medios de expresión) en una sola presentación.

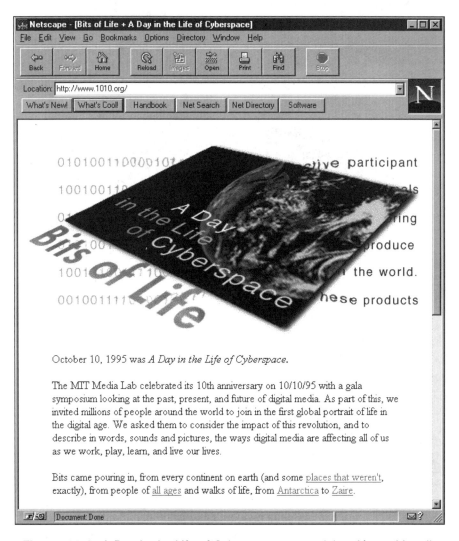

Figura 16.3. A Day in the Life of Cyberspace: una celebración multimedia del mundo de la red, como existía el 10 de octubre de 1995.

CNN Interactive (http://www.cnn.com/): Este singular punto prueba que la presencia en la Web de grandes compañías no tiene por qué ser pesada (ver figura 16.4). El punto de la CNN muestra las operaciones normales de televisión por cable, pero además ofrece una excelente presentación multimedia de las noticias de la comunidad de la Web. En este punto hay un montón de películas QuickTime y de audio en tiempo real.

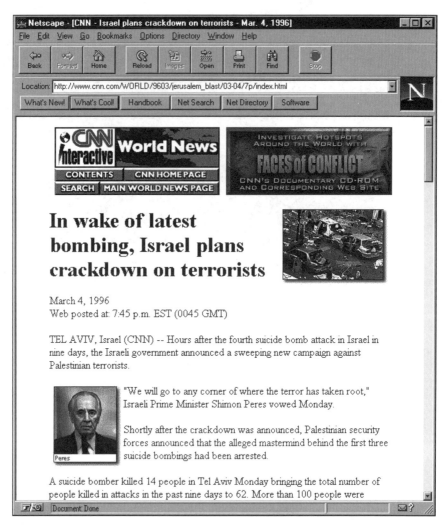

Figure 16.4. En el punto de la CNN Interactive, se puede obtener una dosis multimedia de las noticias del mundo entero presentadas por la mejor cadena de noticias. Este punto es también un ejemplo de las posibilidades que presenta la convergencia de la televisión y la Web.

MapQuest (http://www.mapquest.com/): Este es un punto que ayuda a los visitantes a planear sus viajes por carretera en los Estados Unidos, proporcionando las mejores rutas, por ejemplo desde San Francisco hasta Cleveland. MapQuest no sólo utiliza fantásticos applets en Java, sino que también muestra cómo los mapas ayudan al usuario a hacer converger lo real y lo abstracto (ver figura 16.5).

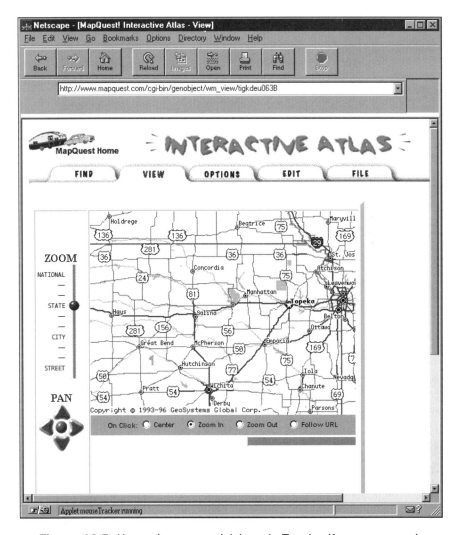

Figura 16.5. He aquí un mapa del área de Topeka, Kansas, generado por MapQuest. El punto utiliza un ingenioso, aunque lento, applet en Java, que permite a los usuarios manejar los mapas.

Lo que sigue

El nuevo mundo que se está creando puede llevar a la gente a cimas majestuosas, pero siempre hay un riesgo de vértigo. Para disminuir la desorientación, los mejores maestros de la Web proporcionan mapas sencillos de los nuevos reinos cibernéticos, como se explica en el siguiente capítulo.

17
Capítulo

Proporcionar mapas de los nuevos reinos cibernéticos que resulten familiares

Varios de los genios de la Web que se han conocido en este libro hablan de darle dimensión. Ron Britvich, el creador de AlphaWorld (capítulo 7) y Mark Pesce, el creador y la conciencia de Virtual Reality Modeling Language (capítulo 3), son los ejemplos más obvios. Estos hombres se pasan el día proporcionando más dimensión a lo que son básicamente trozos de información de una base de datos. También el equipo de la revista Word le confiere cierta dimensión a la información, pues ofrecen el contenido bajo la familiar forma de una revista. Yahoo facilita la navegación al usuario al organizar enlaces con páginas Web dejando un espacio, espacio lógico, no físico, entre las diferentes clases de páginas. Una parte del ramal de temas de Yahoo se muestra en la figura 17.1.

Incluso el Internet Underground Music Archive experimenta con interfaces tridimensionales en la habitación basada en el código VRML que aparece en la figura 17.2.

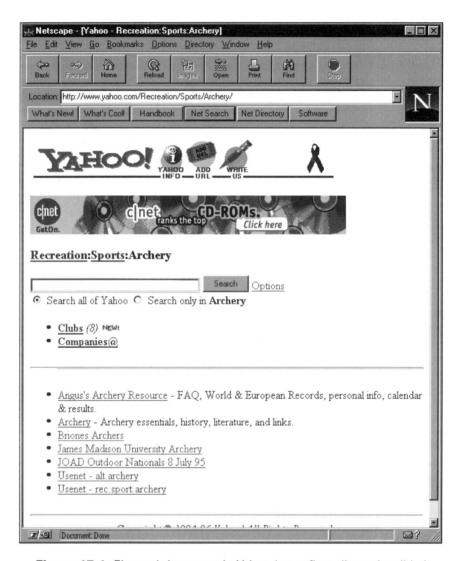

Figura 17.1. El ramal de temas de Yahoo le confiere dimensionalidad
a la información abstracta, bajo la forma de puntos de la Web
extensamente distribuidos.

Para crear excelentes páginas Web hay que tener en cuenta el modo en que
el cerebro humano absorbe, procesa y almacena la información. Se puede
entrenar al cerebro para que comprenda símbolos escritos, tales como palabras y números, pero dichas tareas son de una gran complejidad. La información contenida en las palabras tiene que atravesar varias etapas de proceso

mental antes de registrase en las neuronas. Es como un sistema operativo de 32 bits ejecutando aplicaciones de 16 bits; se puede hacer, pero se necesita una mayor capacidad de procesar (lo que los programadores llaman, utilizando uno de los neologismos más ingeniosos de la era de los ordenadores, "thunking").

Los seres humanos están mejor capacitados para absorber inmediatamente la información contenida en sonidos o imágenes, así como las relaciones espaciales. Esta información se procesa de forma inmediata.

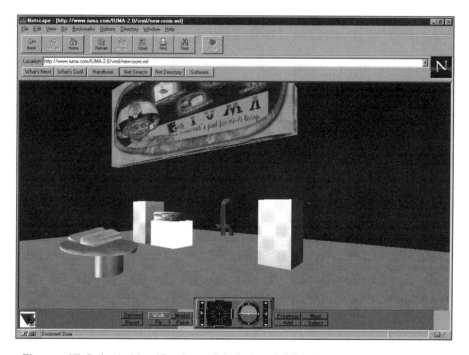

Figura 17.2. La habitación de realidad virtual (VR) de Internet Underground Music Archive es un experimento en realidad virtual.

Además del tiempo y esfuerzo suplementarios que requiere leer, hay que añadir que leer palabras en la pantalla de un ordenador es 1.000 veces más difícil que leerlas en una hoja de papel. No se puede pedir a los visitantes del punto que se queden medio ciegos mirando monitores brillantes y radiactivos, solamente para captar el contenido del punto, porque pronto abandonarán frustrados y con dolor de cabeza, e irán a otra parte. Hay que presentarle la información al usuario de forma agradable, especialmente si se proporciona información de carácter muy emocional o muy visceral.

Pero para comunicar información no basta con tecnologías multimedia, como se ve en el capítulo 19. Esta información no sólo tiene que contener ideas, hechos y emociones, también tiene que estar organizada de forma instintiva. Esto puede traducirse en presentar las cifras bajo la forma de gráficos, como es el caso del servicio StockMaster de Mark Torrance, o en desarrollar una analogía instintiva para transmitir información compleja, como se vio en Word y en I-Storm. Antes de todo hay que examinar la información que se quiere ofrecer en la Web y considerar cuál es la mejor forma de expresarla y, después, organizarla lógicamente.

Los puntos que lo han entendido

Una de las claves para triunfar en la Web que parece evidente en casi todos los puntos es el hecho de que sus creadores han entendido cómo organizar la información. A continuación, se presentan algunos ejemplos que muestran cómo se pueden convertir los mapas de estos reinos de información, en estructuras de razonamiento y analogías de organización con las que está familiarizado el usuario:

- **BigBook** (http://www.bigbook.com): Este punto utiliza dos métodos, una analogía instintiva, una guía telefónica y un interfaz entre el mundo real y el mundo electrónico en forma de mapas de carretera. Utilizando el directorio BigBook, en el que trabaja ahora Mark Pesce, se puede encontrar fácilmente el camino de una empresa a otra en el mundo real. La figura 17.3 muestra el resultado de una consulta formulada en el punto de BigBook.

- **Friends of the Earth Chemical Release Inventory** (http://www.foe. co.uk/cri/htlm/postcode.htlm): En este punto, si el usuario introduce su código postal (en el Reino Unido), le facilitan un mapa de las empresas que contaminan su zona de residencia. Haciendo clic en los puntos que representan a las compañías contaminantes, se obtiene una lista de los compuestos que emite a la atmósfera esa determinada empresa. Para los que viven en Inglaterra, Gales o Irlanda del Norte, este punto puede ser de gran utilidad. Los usuarios que no viven en estas zonas deberían, de todas formas, mirar este fantástico y claro interfaz. La figura 17.4 muestra un mapa típico del punto FOE.

- **La página principal de Meat Loaf** (http://www.meatloaf.mca.com/ crypt/index.htlm): En el más puro estilo de Meat Loaf, el creador de "Bat of Hell" (murciélago del infierno) y de "Bat of Hell II" ofrece un punto que al mismo tiempo es misterioso y fácil de entender (ver figura 17.5). No es un interfaz basado en el código VRML, pero los gráficos están bien hechos y dan una sensación de profundidad. Igual que la música de Meat Loaf.

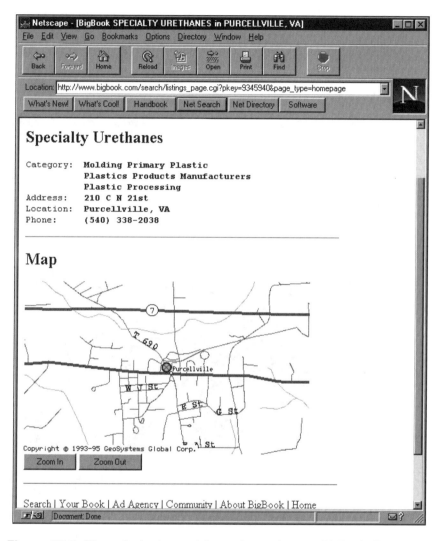

Figura 17.3. El resultado de una búsqueda en el punto BigBook. Este punto utiliza un sistema de comunicar la información que le es familiar al usuario, un mapa de carretera.

Lo que se puede hacer

El creador de un punto tiene que examinarlo, ver su objetivo y pensar en lo que se supone que puede hacer. ¿Se prevé que los usuarios vayan a utilizar este punto sólo para conseguir una o dos informaciones de una enorme base de datos? Esto es lo que ocurre, por ejemplo, con los usuarios que consultan los servicios de cotizaciones de bolsa. ¿O, por el contrario, se prevé que los usuarios se queden vagueando bajo un sol virtual, curioseando en el punto, buscando juguetes nuevos y divertidos con los que jugar?

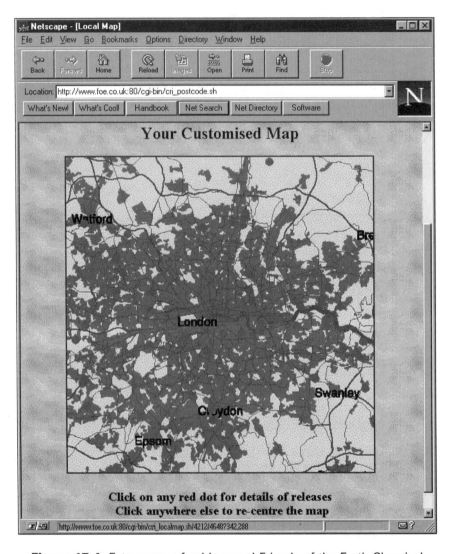

Figura 17.4. Este mapa, ofrecido por el Friends of the Earth Chemical Release Inventory, en el Reino Unido, muestra los puntos contaminantes alrededor de Londres, en el código postal EC4V 3B para ser más exactos.

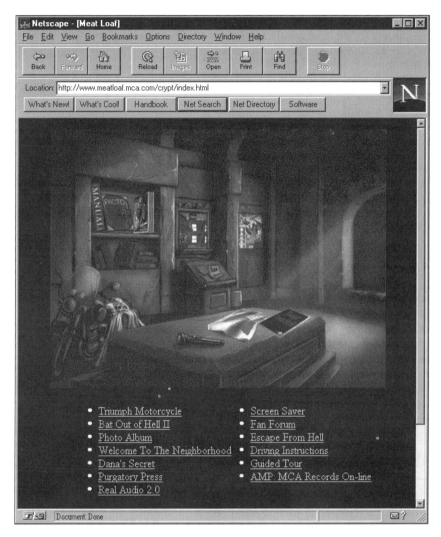

Figura 17.5. En la página principal de Meat Loaf en el punto de MCA Records,
el gráfico es un mapa en el que se puede hacer clic en sus elementos.
Se recomienda hacer clic en la mesa y en los cuadros de la pared.

Un consejo: no hay que esperar que el usuario pase mucho tiempo en un
mismo punto, aunque el contenido de éste sea fantástico. Y claro, si ni siquiera hay un buen contenido, no hay ni que esperar que el usuario vuelva. La
mayor parte de los usuarios de la Web son profesionales de una u otra rama
y el resto de los usuarios tiene su conexión contratada con America Online
o AT&T, que van acumulando el precio de las horas de uso. Por lo que

ninguno de los grupos va a perder su tiempo buscando el contenido que quieren. Hay que ofrecer la información de forma instintiva, con un sistema de navegación lógico para los usuarios.

 La función de un interfaz es la de describir las relaciones entre los diferentes trozos de información. La gente piensa en términos de "aquí" y "allá", por lo que es conveniente dividir el punto en secciones lógicas, con algunas informaciones en una sección y otras en otra sección. Algunos de los mejores puntos, incluyendo Yahoo (capítulo 2) y DejaNews (capítulo 8), asumen la tarea de organizar el contenido de todos los demás usuarios. Estos puntos proporcionan un verdadero servicio al organizar varios miles de volúmenes de información y son recompensados con uno de los tráficos más masivos de la Web, lo que les convierte en un espacio publicitario ideal.

Interfaces instintivos versus interfaces idiomáticos

Ron Britvich, el creador de AlphaWorld, en su entrevista para este libro, declaró que empezaba a alejarse de los interfaces metafóricos y que ahora utiliza interfaces idiomáticos. Por ejemplo, en vez de utilizar un icono de un libro en una mesa en AlphaWorld, esperando que el usuario haga la asociación de que el libro es un enlace hacia otras páginas Web (el libro tiene páginas, la Web tiene páginas...), él utilizaría una conexión menos instintiva, un candelabro por ejemplo, o un cuervo, como hiperenlace. Él lo llama "interfaces idiomáticos". La idea es que una vez que el usuario aprende que el cuervo representa un hiperenlace, nunca lo olvida. El usuario desarrolla un proceso mnemotécnico para recordar la función de cada símbolo. Por ejemplo, el usuario puede recordar la función del cuervo al pensar que éste le recoge y le lleva a una página Web, o que a los cuervos les gusta recoger objetos brillantes y, ¿qué otra cosa es una página Web sino una colección de objetos brillantes? Parece una tontería, pero la idea es que el usuario recuerde lo que hace el interfaz idiomático.

El problema es que lo que puede parecer intuitivo para una persona, puede no serlo para otra. La intuición de una persona puede contradecir la lógica de otra. La respuesta son los interfaces idiomáticos.

El interfaz del usuario del Windows 95 de Microsoft, y otras versiones anteriores de este interfaz, es un buen ejemplo de interfaz idiomático. A pesar de todos los desvaríos de Microsoft sobre lo instintivo que es el interfaz del sistema operativo, la verdad es que es sólo fácil de aprender (por lo menos en teoría). No es instintivo. La gente no nace sabiendo que cuando el cursor se convierte en un reloj de arena quiere decir que hay que esperar, o que si se hace clic correctamente en la barra de tareas se pueden ajustar sus funciones. Mover un cursor o ajustar una barra de tareas son funciones muy alejadas de lo se supone que hacen los seres humanos; por lo que dichas tareas no pueden ser tratadas de forma intuitiva.

Por el contrario, utilizar un interfaz de Windows es una tarea idiomática. Una vez que se ha aprendido a manejar una barra de desplazamiento y se comprenden las funciones de ésta, nunca se olvida cómo utilizarla. Una vez que se aprende a maximizar una ventana, no se olvida nunca en la vida. Teniendo conocimientos del interfaz, se puede pasar el día arrancando programas, pegando bloques de texto, maximizando ventanas y ajustando números en un folio, sin pararse a pensar en el interfaz de Windows. El usuario habla de forma fluida su idioma, y lo que hace con este idioma parece muy fácil para los no iniciados. Es como saber pedir una cerveza en alemán. Suena muy raro al principio para los que no hablan alemán, pero una vez que se ha aprendido a decir "Ich möchte ein Bier, bitte", y se es recompensado con una jarra de cerveza, nunca se olvida.

Se pueden sacar varias conclusiones de las teorías de Britvich sobre los interfaces idiomáticos. Hay que crear un punto que sea fácil de entender, así los visitantes no necesitarán un largo seminario para aprovechar su contenido. Hay que utilizar interfaces idiomáticos, interfaces que sean únicos para ese punto o para puntos del mismo estilo.

El interfaz del Internet Underground Music Archive es un buen ejemplo, ver la figura 17.6. Utilizan un interfaz que se inspira en otro interfaz idiomático conocido por todo el mundo, el de un lector de compact disc. Si se reflexiona sobre ello, no es realmente intuitivo saber que una flecha señalando a la derecha significa poner esa canción. Aún así, todo el mundo conoce el significado de ese botón. Es, pues, un interfaz idiomático con el que todos los usuarios están familiarizados. Saber el significado del botón play es el resultado de 50 años de consumismo de aparatos audio y IUMA aprovecha este conocimiento.

Tampoco hay que olvidar la dimensionalidad, en el sentido literal de la palabra. Las especificaciones de los diseños en VRML y AlphaWorld están concebidas para hacer cambiar las formas en que se presentan las cosas en la Web. La realidad virtual permite volar de un segmento de información al siguiente, favoreciendo que el cerebro, un órgano muy centrado en nociones espaciales, obtenga una idea clara de cómo pasar de un trozo de información a otro y cómo están éstos conectados entre sí. Sin embargo, la realidad virtual sigue estando en fase de experimentación y de novedad, aunque rápidamente se está volviendo más concreta, por lo que tal vez todavía no sea una forma práctica de organizar la información.

Por ahora, es mejor sólo aprender lecciones de ella y utilizar páginas Web tradicionales para organizar la información de forma lógica.

Figura 17.6. Con estos paneles de control, el punto Internet Underground Music Archive aprovecha el conocimiento globalmente difundido de cómo se utiliza un lector de CD, al utilizar los mismos iconos en sus botones.

Lo que sigue

Triunfar editando en la Web requiere ser un poco como esos artistas/científicos, maestros en todo, del Renacimiento, pero hay límites. En el próximo capítulo se muestra algo que se observa en los puntos líderes de la Web: conviene dividir la labor, de esta forma cada parte del equipo creador se puede concentrar en sus puntos fuertes.

18
Capítulo

Resaltar los puntos fuertes propios y conseguir ayuda para el resto

Este libro trata de la gente que ha triunfado editando en la Web, con gran énfasis en la palabra "gente". Una característica de esta gente es que está bastante especializada y tienen un tiempo limitado al día para consagrar al trabajo. Para triunfar editando en la Web, hay que hacer lo que mejor se sabe hacer y contratar a otros, o conseguir que otros hagan el resto de las tareas en las que ellos son buenos.

Normalmente conseguir gente para que ayude, significa dividir el equipo de edición en distintos grupos, cada uno encargado de manejar un determinado ciclo. Los distintos grupos están todos familiarizados con los objetivos del punto y tienen en común la orientación hacia el público. En la Web, los elementos más importantes de la operación son generalmente los siguientes, y no necesariamente en este orden:

- **El equipo técnico**, que mantiene el servidor y que le dice a los visitantes lo que tienen que hacer si su servidor les da el mensaje "404 Not Found" cuando introducen el URL del punto. Los que trabajan con el código HTML son gente técnica, aunque con frecuencia tienen también una vena creativa. La gente técnica sabe lo que la audiencia quiere y sabe cómo comunicar el contenido.

■ **El equipo que crea el contenido**, incluye material en el punto, que hace que éste merezca ser visitado. Pueden ser escritores, diseñadores gráficos, músicos, o especialistas en maquetación. También pueden ser médicos, analistas bursátiles, repartidores o, en definitiva, cualquier tipo de profesional necesario para aportar el contenido que la audiencia busca en el punto.

■ **El equipo de gestión**, que maneja el meollo de la administración, tal como las nóminas y los impuestos. También manejan lo que permite subsistir a los puntos de la Web, la publicidad. Normalmente, esta gente tiene menos relación con los otros grupos de edición, porque se ocupan casi exclusivamente de temas económicos y no se involucran en detalles técnicos o de contenido. Aún así, son ellos lo que pagan la mercancía de los otros y tienen que estar familiarizados con el contenido del punto si quieren promocionarlo frente a posibles anunciantes.

■ **El equipo de relaciones públicas**, que es cada vez más importante a medida que el número de usuarios de Internet aumenta. Desde el equipo de ayuda al usuario, hasta el que trata con la prensa, un buen departamento de relaciones públicas es esencial para tener éxito. Se necesita gente dedicada a promocionar el servicio si se quiere triunfar. La gente del equipo de relaciones públicas tiene que estar tan íntimamente involucrada como el resto en los objetivos del punto, dado que su trabajo consiste en promocionarlo frente a la audiencia a la que se dirige y al público en general.

NOTA

¿Qué pasa con el éxito personal?

Antes de que nos bombardeen con mensajes electrónicos indignados, hay que dejar claro que hay muchos puntos de la Web, muchos de ellos con éxito, que no tienen varios equipos de colaboradores o el dinero suficiente para crearlos. Se puede conseguir un buen punto trabajando sólo, si se está dispuesto a trabajar muy duro. Un par de puntos presentados en este libro, incluyendo el American Reporter y el StockMaster, están manejados por una sola persona que hace casi todo el trabajo (aunque también estos puntos delegan ciertas tareas en empleados o voluntarios).

Pero la era de la Web como hobby está desapareciendo. Pronto los puntos de la Web manejados individualmente, o por socios en su tiempo libre, serán como el canal de televisión por cable de acceso público, interesante a veces, pero desde luego no comparable con los "Grandes" que cuentan con estudios, editores y efectos espectaculares (¡El punto de Wayne! ¡Fiesta! ¡Excelente!). Dentro de poco la Web pasará a ser un juego de ricos, dadas las aptitudes altamente especializadas que se requieren para crear elementos tan atractivos como un contenido en Java o una impresionante presentación multimedia.

Efectivamente, hay mucha gente que maneja un buen punto en la Web sin ayuda de todo un ejército de colaboradores. Sin embargo, esta gente tendrá muchas dificultades para estar a la altura de los cánones de excelencia de la Web cuando muchos equipos de edición con talento se establezcan en la red en los próximos meses y años.

Equipo técnico

Hace tiempo la Web era una empresa técnica. Si se quería editar algo en ella había que entender el Hyper Text Transport Protocol (HTTP) y los programas de los servidores que la hacían funcionar. Había que tener conocimientos de cómo estaba construida la red y de cómo conectar el servidor al sistema telefónico enlazado con Internet. No se podía realmente editar en la Web si no se poseían los conocimientos de un ingeniero de redes.

En parte, esto sigue siendo cierto. La tecnología de la Web no ha cambiado tanto como para volver obsoletos e inútiles a los geniecillos técnicos. La mayoría de la gente presentada en este libro está en cierta forma orientada hacia la parte técnica y un buen número de las personas aquí descritas son principalmente técnicos.

Editar en la Web sigue necesitando una gran infraestructura en máquinas, conexiones, protocolos y reglas técnicas, por lo que hay que incluir a uno o dos geniecillos técnicos en el equipo.

De hecho, este capítulo y una de las claves del éxito tratan de la inclusión de estas personas en el equipo. La Web se ha vuelto tan popular que es posible encontrar gente dispuesta a ocuparse exclusivamente de los aspectos técnicos de la edición. Hoy en día, hay tanta gente involucrada en el mundo de la Web, que ya han empezado a especializarse y el diseñador gráfico no tiene que preocuparse de cuánto espacio ocupan en el disco los gráficos de su interfaz. Un técnico puede ocuparse de este problema y dejar que el diseñador gráfico se ocupe únicamente del diseño. El equipo unido, puede trabajar para satisfacer al público, que es el objetivo principal de cualquier punto.

La otra cara de la moneda es tener en el equipo demasiada gente técnica. A veces los expertos técnicos insisten en añadir una función más a un applet en Java, o le dan una vuelta más de tuerca a un servidor para conseguir un mejor rendimiento de un sistema. La gente técnica necesita la moderación que les proporciona el equipo de gestión y los creadores del contenido. Aunque sea, esta moderación siempre llega cuando los de los demás equipos les piden a los técnicos que dejen lo que están haciendo para solucionarles un problema.

Los creadores del contenido

El capítulo 11 trata de la importancia del contenido a la hora de triunfar, y todos y cada uno de los puntos explorados en la primera parte de este libro ofrecen un contenido que lo hace digno de ser visitado (el contenido es probablemente el componente más básico para triunfar en la edición, si no se tiene nada que decir es mejor quedarse callado). ¿Pero quién pone el contenido en el punto? Los creadores del contenido, por supuesto.

Un equipo de creadores de contenido incluye a escritores, diseñadores gráficos, músicos, y otras personas que elaboran lo que el público viene a ver al punto. Este equipo también incluye lo que se podría llamar "la infraestructura del contenido", la maquetación y los marcos en los que encaja el contenido que cambia con frecuencia, como historias o ilustraciones.

Los creadores del contenido no tienen por qué ser artistas de jersey negro de cuello alto. De hecho, gran parte del contenido de la Web no tiene nada de artístico. En efecto, también forman parte del contenido las cotizaciones de la bolsa, las condiciones de compra de los coches de la marca Acura o la información sobre el cuidado de los niños. El contenido puede ser material muy pesado y, por otra parte, muchos de los mejores puntos de la Web ofrecen jugosa información. Toda una clase de puntos, como Yahoo (capítulo 2), Infoseek Guide y Excite ofrecen lo que se llama "Metadata", es decir, información sobre información. La metadata tiene, y siempre ha tenido, una gran demanda en la Web.

Sea cual sea el contenido que se incluya en el punto, hay que asegurarse de que se contrata a personas que lo comprenden y que saben cómo mantenerlo actualizado, preciso y apropiado para el público al que se dirige. A veces, incluso no hay ni que contratarles, como es el caso del American Reporter en el capítulo 10.

El equipo de gestión

Hay que enfrentarse a los hechos: la Web ya no es un medio de amateurs, no más de lo que puede serlo la radio. Es verdad que se puede editar en la Web con poquísimo dinero y se podría tener más suerte que con una cadena de radio amateur, pero realmente no se puede llegar muy lejos sin un capital inicial importante. Emplear a todas las personas de las que hemos hablado anteriormente no es nada barato.

Se puede dividir al equipo de gestión en dos categorías (o reconocer en su caso que la gente de gestión tiene más de una tarea). Primero, y más importante, es que la gente del equipo de gestión debe ser ante todo gente comercial. Tienen que salir y vender el producto que ofrece el punto, aportando así dinero para financiar el resto de las operaciones. Pueden vender espacios publicitarios o suscripciones a los usuarios, o pueden asegurar algún tipo de contrato de financiación con la perspectiva de obtener un capital (como ha hecho Yahoo, ver capítulo 2) o una compañía como LVL Interactive (capítulo 5), que esperan afianzar el crecimiento de los proveedores de contenidos reducidos, afiliándolos a puntos más grandes que ofrecen a su vez un contenido inteligente.

En segundo lugar, el equipo de gestión tiene que manejar los asuntos inherentes a la buena marcha de la empresa. Tiene que pagar los alquileres, las conexiones a Internet y asegurarse de que todos los empleados cobran su sueldo.

Así mismo, tienen que calcular lo que la empresa y el equipo de creadores se pueden permitir. Los gestores deben ayudar a resolver los problemas que invariablemente se presentan cuando grupos de personas brillantes y creativas se juntan para trabajar en un proyecto. Los geniecillos tienen el ego muy frágil. Gran parte de la gestión no tiene nada de excitante, pero es absolutamente necesaria para el buen funcionamiento de cualquier organización ya sea en la red o fuera de ella.

Se puede estar tentado a llevar todo el negocio sólo, o por lo menos la parte administrativa. Y, de hecho, esta puede ser al principio la única opción hasta conseguir suficiente capital y atención para poder emplear a alguien más, pero es importante contratar a otra persona en cuanto se pueda. A la larga se agradece, pues todo el tiempo que ya no se pasa pagando facturas u ocupándose de asuntos de gestión se podrá emplear en lo que realmente interesa, como es escribiendo, haciendo gráficos, codificando información, diseñando interfaces, o lo que sea. De esta forma se es más feliz y el negocio funciona mejor.

El equipo de relaciones públicas

Las relaciones públicas son cada vez más importantes a la hora de dirigir un punto en la Web. A medida que la Web se vuelve más popular como sistema de distribución de información y como medio de entretenimiento, imitando a la televisión, los equipos de la Web se están pareciendo cada vez más a los equipos de actores, productores y técnicos que crean los programas de televisión.

Cuando un equipo incluye a algunas celebridades, David Filo y Jerry Yang han salido en la portada de la revista People o, si se quiere convertir al equipo en una celebridad, se necesita a alguien que esté muy capacitado para la publicidad.

Tanto *Word* (capítulo 1) como Yahoo (capítulo 2) emplean relaciones públicas externos para manejar su conexión con la prensa y en menor medida con el público. El equipo de relaciones públicas evita que los principales responsables del punto se vean acosados por periodistas preguntando "¿Pueden explicarnos con palabras simples lo que es este World Wide Web?". O por estudiantes que buscan algún trabajillo mejor que un empleo en la tienda GAP. Este equipo sirve entonces de capa aislante entre la percepción que tiene el mundo exterior sobre la Web y la necesidad de tiempo y dedicación para ocuparse realmente de los deseos de la audiencia.

Nunca hay que subestimar tampoco lo importante que puede ser estar de moda. Si se quiere comprobar, no hay más que contratar a un relaciones publicas experto que promocione el punto como el Mick Jagger de la Web, como si se fuera el célebre genio que ideó todo esto de la Web. Hay que utilizar el prefijo "ciber" muy a menudo. Se puede incluso triunfar del modo típicamente americano, es decir, promocionando la apariencia más que el contenido. Pero no se debe contar mucho con esto último, pues la comunidad de la Web es muy inteligente y muy cínica.

Si no se tiene un buen contenido, unos geniecillos técnicos, y gran parte de las 10 claves para triunfar presentadas en la primera parte de este libro, y recalcadas en la segunda, el punto no aguantará ni 10 minutos, aunque tenga el mejor equipo de promoción del planeta.

Puntos que han dividido con éxito el volumen de trabajo

Hay muchos ejemplos de equipos de edición que merecen ser imitados. Las secciones siguientes describen a dos de los mejores ejemplos: *Word* y Yahoo. Estos puntos dividen el volumen de trabajo, sin olvidar que cada parte del equipo tiene unos objetivos en común con las demás.

Word

Word (capítulo 1) es un buen ejemplo de los beneficios que reporta dividir las diferentes funciones necesarias para llevar una empresa entre varios equipos especializados. Para empezar, *Word* es una división de Icon CMT, que es una compañía de integración de sistemas con sede en Nueva York, que trabaja mucho con bancos e inversores de Wall Street. La afiliación de esta revista con Icon significa que el equipo tiene acceso a un grupo de ingenieros dedicados a manejar los aspectos técnicos de editar en la Web.

Word tiene además un excelente equipo de gestión, encabezado por Dan Pelson, uno de los fundadores de la revista. El equipo de Pelson se ocupa de conseguir el dinero para los creadores que generan el contenido del punto. Tom Livaracci, otro de los fundadores, dirige este último grupo y la mayoría de los colaboradores de *Word* están involucrados en la creación del contenido. Carey Earle es, entre otras cosas, la relaciones publicas de la revista. *Word* muestra que un par de pequeños equipos, de gestión y de contenido, pueden ser el soporte de un grupo más grande que atraiga a un mayor tráfico de visitantes (ver la figura 18.1).

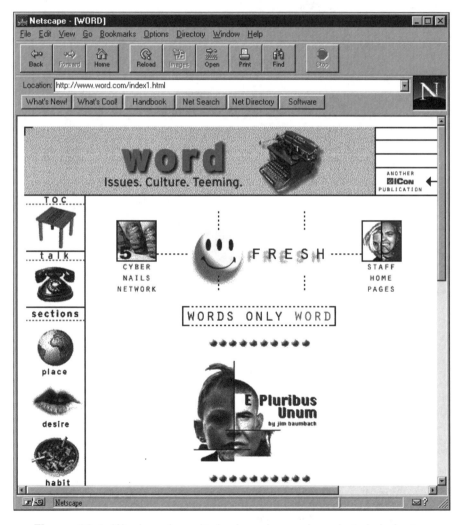

Figura 18.1. Word es el resultado de varios equipos de trabajo juntos.

Yahoo

Hay gente que piensa que los buenos socios y los buenos matrimonios se basan en los contrastes. Los puntos débiles de uno se compensan con las virtudes del otro y lo que a un socio le parece una tarea pesada, para el otro es una diversión.

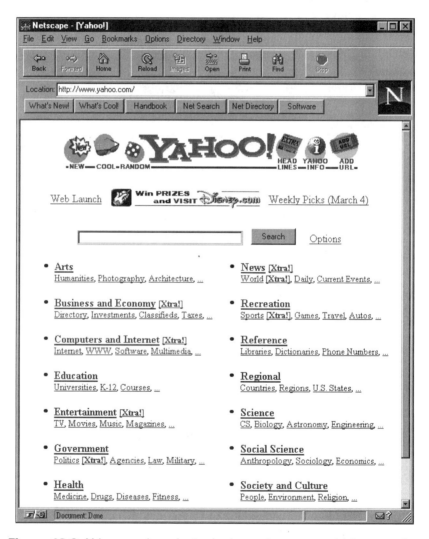

Figura 18.2. Yahoo es el producto de dos amigos que se hicieron socios, lo que prueba que personalidades complementarias pueden conducir al éxito en la Web.

Jerry Yang y David Filo de Yahoo (capítulo 2) encajan en esta descripción. Yang es un hombre sociable al que le gusta ser el centro de atención; sin embargo, Filo es muy callado y le gusta más hacer pequeños ajustes en sistemas complejos, tanto de ordenadores como de negocios, que cerrar tratos y estrechar manos. Los dos se complementan de forma brillante, como confirma el hecho de que son amigos además de socios.

Lo que sigue

Una parte importante de cualquier punto con éxito de la Web es la gente dedicada a la tecnología, los geniecillos que pueden juguetear durante horas con un dispositivo de búsqueda o que ajustan un servidor hasta que grita. Hay que dejar que estas personas ofrezcan lo mejor de sí mismos, permitiéndoles jugar con las nuevas tecnologías. Hay que llevar al límite el envoltorio tecnológico del punto, como se muestra en el siguiente capítulo.

19
Capítulo

Llevar el envoltorio tecnológico al límite

En una de las compañías de desarrollo de puntos líderes, se puede leer este cartel: "Un año de la Web = 2.5 meses".

Cualquiera que haya trabajado en la Web, estará de acuerdo. La velocidad a la que se desarrolla la tecnología es impresionante. Y no es sorprendente. Netscape Communications Corporation hace grandes avances tecnológicos para poder aventajar a sus competidores más directos (que incluyen el gigante Microsoft Corporation).

Pero estar al tanto de las últimas tecnologías, no sólo consiste en demostrar una cierta pericia en el campo tecnológico. Con cada avance, la Web se vuelve más capaz de realizar las tareas que la hacen tan popular: es decir, proporcionar contenido, conectar con una audiencia, involucrarla en una comunidad y romper los límites y fronteras. Los creadores de los mejores puntos de la Web perciben rápidamente las oportunidades que presentan las nuevas tecnologías. *Word* (capítulo 1), los pioneros del VRML (capítulo 3), IUMA (capítulo 6), AlphaWorld (capítulo 7) y, de hecho, todo el mundo en este libro, usa tecnología que nadie más posee o que nadie más comprende.

Los cerebros de la edición en la Web no pierden el tiempo desarrollando nuevas tecnologías.

Intentar crear un flujo

Un psicólogo de la universidad de Chicago con un nombre impronunciable, Mihalyi Csikszentmihalyi ("Chik,zent,mil,hall,yi" se le parece bastante) considera el hecho de que el público se involucre en la Web como *una experiencia de flujo*. Eso es lo que quiere el publico.

Csikszentmihalyi se hizo una pregunta, "¿Dónde está la diversión?". Para conocer la respuesta llevó a cabo una encuesta entre gente que realmente disfrutaba de su trabajo y de su vida y obtuvo una respuesta consistente: el *proceso* y no el resultado. Cuando se presenta la combinación adecuada de factores, se experimenta un *flujo*, lo cual es una de las experiencias más agradables que una persona puede vivir.

¿Qué es el flujo? Según la definición de Csikszentmihalyi, no se trata de la agradable sensación de estar sentado sobre su trasero y ser entretenido. Se trata más bien de meterse muy en serio en algo que estimula, algo que expande los límites personales y sentir de repente que se ha sido arrastrado por una corriente en la que todo *fluye suavemente y sin esfuerzo*. La atención se centra en la tarea que se está llevando a cabo. Se tiene una increíble sensación de control, de trascendencia, de ser una misma cosa con el medio con el que se trabaja (para más información sobre el flujo, remitirse al libro *Optimal Experience* de Mihalyi Csikszentmihalyi e Isabella Selega Csikszentmihalyi, publicado por la editorial Cambridge University Press).

Se pueden obtener experiencias de flujo navegando en el mar, corriendo, haciendo programas informáticos, con juegos. Y, desde luego, también se puede conseguir en la Web.

Algunas tecnologías son propicias para dejarse llevar por este flujo y otras no lo son. Csikszentmihalyi sostiene que la televisión es particularmente contraria a estos flujos. La gente se siente más deprimida y enfadada después de haber estado mirándola. Un tecnología que arrastra con su poder a la gente, estimula, engrandece a la persona, la eleva a un nivel de competencia, de control y de compromiso, que libera una deliciosa experiencia de flujo y, una vez que se ha experimentado, ésto se vuelve una y otra vez.

Una tecnología capaz de producir este flujo tiene que darle un amplío margen al usuario para que éste encuentre su propia forma de interaccionar con las herramientas y los tesoros que encuentra, para que mejore sus capacidades y para que se sienta más involucrado. Y ésta es la tendencia que siguen las tecnologías de la Web.

Utilizar los guiones al máximo

Utilizando tecnologías tradicionales (es decir, de mediados de 1994), los autores de la Web pueden incorporar una gran interactividad en sus puntos de la Web. El secreto consiste en *hacer guiones*, lo cual permite al usuario rellenar formularios interactivos en la pantalla. Una vez que el usuario hace clic en el botón Send (mandar), el servidor manda esta información a un programa diseñado para recibir estos datos, procesarlos y generar así instantáneamente una nueva página Web personalizada.

Para asimilar realmente todas las posibilidades que ofrece el uso de los guiones, obsérvese el caso del punto Turner Classic Movies Chat en http://www.turner.com/cgi-bin/nph-tcm-chat mostrado en la figura 19.1. En este punto se puede charlar con grandes cinéfilos con sólo introducir comentarios en la casilla de texto de la parte inferior de la página y haciendo clic en un botón para que estos comentarios se muestren y todo el mundo los pueda leer. Gracias al guión se pueden pasar horas en el TCM Chat Forum.

El TCM Chat puede producir o no una experiencia de flujo; si no lo hace, probablemente es porque la Web es todavía demasiado lenta. En una línea de 14.4 kbps, a veces se demora la conversación por retrasos en la comunicación. Hay que imaginarse lo que llegarán a ser el TCM Chat y otros servicios de la Web cuando se utilicen los módem con cables de 40 mbps de los que tanto se oye hablar.

Añadir acción al punto con el Java

El Guión permite a los autores incorporar la interactividad en sus puntos, pero a un precio muy caro: los guiones residen en los servidores, y las páginas tienen que ser generadas por el servidor y luego enviadas byte a byte a las líneas de la red hasta el ordenador del usuario. ¿Por qué no transferir todo el resto al ordenador del usuario?

Ésta es precisamente la idea detrás del Java, el nuevo lenguaje de programación ejecutable en múltiples plataformas creado por Sun Microsystems. Con el Java, un programador puede crear un pequeño programa, llamado applet, que puede ser incorporado en una página Web. Cuando el usuario transfiere la página a su ordenador, está transfiriendo también el applet y, si está utilizando un servidor compatible con Java, el applet empezará a ejecutarse.

Se pueden ver las implicaciones de este lenguaje mirando la versión experimental de MapQuest en Java, accesible a través de un icono de la página principal de MapQuest. La versión en Java tarda un poco más en cargarse, pues se están cargando los códigos del Java al mismo tiempo que los gráficos y los textos. Una vez cargada, empiezan a suceder muchas cosas. Se ven animaciones vivas, claro, pues ésta es una de las cosas a las que no saben resistirse los programadores en Java. Pero MapQuest ofrece otras muchas cosas interesantes de ver.

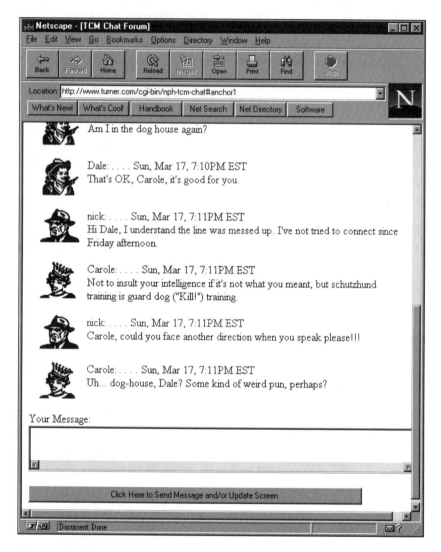

Figura 19.1. Una conversación en la página de diálogo del Turner Classic Movies. Se puede mantener una conversación casi en tiempo real sin tener que utilizar el torpe y obsoleto Internet Relay Chat Interface, que era necesario antes para dialogar simultáneamente.

Después de hacer clic en el icono de Java Atlas, se puede ver la misma presentación de MapQuest, pero esta versión incluye unas funciones interactivas fantásticas. Entre ellas, hay un indicador de latitud y longitud; y a medida que se mueve el ratón por el mapa, se puede ver la localización exacta en un panel bajo éste. No hay necesidad de enviar un comando al servidor y transferir una nueva página, pues el código ya se encuentra en el ordenador del usuario.

La Web se mueve en esta dirección, lo cual es muy bueno para el futuro del flujo.

Invitar a los visitantes utilizando el VRML

Si se ha jugado un poco con puntos de VRML en la Web, uno se pregunta por qué hay tanto revuelo. Como se vio en el capítulo 3, VRML son las siglas de Virtual Reality Modeling Language. Hasta ahora sólo se ha utilizado para crear mundos de demostración, en los que se puede sobrevolar un paisaje o entrar en un palacio. Tal vez se puede disfrutar así de una experiencia de flujo, pero por el mismo dinero muchos preferirán jugar al Doom, es más rápido.

Dicho ésto, también hay que añadir que llegará el día del VRML. Lo que se ve ahora son mundos de demostración, creaciones de VRML que muestran las posibilidades técnicas del lenguaje (pero rara vez las posibilidades comerciales o de presentación).

Afortunadamente, hay algunas excepciones que sí muestran hacia dónde se dirige este lenguaje. En la universidad de Virginia, el Instituto de Tecnología Avanzada y Humanidades (IATH) permite construir su propia exhibición tridimensional mostrando obras del pintor Dante Rosseti, antecesor de Rafael (ver figura 19.2). Creado en la universidad de Virginia por el genio Dan Ancona, el punto es accesible en http://jefferson.village.virginia.edu/~dfa4y/dgr/.

Como se puede ver, los temas principales son la interactividad y el control. Se seleccionan los cuadros que se quiere colgar en las paredes. Se puede señalar cada cuadro y obtener archivos relevantes extraídos del archivo de Dante Rossetti, por el cual ha sido galardonado este instituto. De esta forma, se obtiene toda la información deseada sobre la obra específica que se está observando.

Aunque este punto de VRML es bastante básico, muestra lo que se necesita saber para defenderse con el VRML: es decir, hay que darle al visitante poder para crear lo que hay en el punto y proporcionar medios para que interaccione con lo que hay en él.

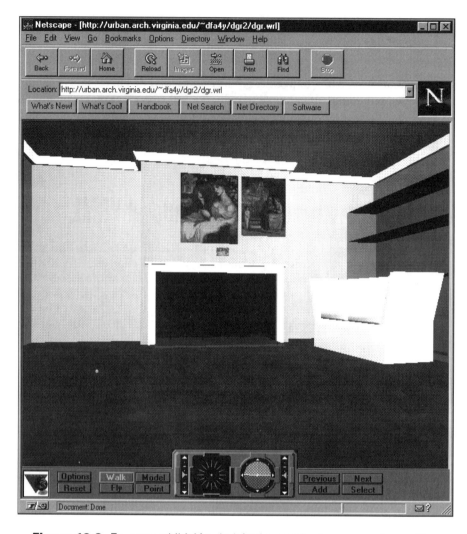

Figura 19.2. En esta exhibición de hágalo usted mismo, creada por Dan Ancona, se pueden elegir los cuadros que se quiere ver colgados en las paredes de esta habitación virtual.

Unir a los usuarios a través de conferencias

Los entendidos de la industria mantienen que la Web va a acabar con los servicios en la red, tales como America Online y CompuServe; sin embargo, estos servicios siguen atrayendo un enorme número de suscriptores y baten récords de beneficios. ¿Qué pasa? Ésto se debe en parte a que estos servicios proporcionan acceso a Internet en zonas donde otros proveedores independientes todavía no están actuando. Pero hay algo más: proporcionan servicios de diálogo fáciles de usar, entre dos personas o entre una persona y un grupo. La única cosa remotamente similar que hay en Internet es el Internet Relay Chat (IRC), que es considerado por la mayoría de la gente como un sitio donde pululan los técnicos sociópatas ávidos de sexo. También está el Usenet, que se ve constantemente acosado por publicidad no deseada, por batallas de improperios y oleadas de verborrea fuera de tono.

Hay que señalar este aspecto: la gente quiere charlar y formar conferencias, en un medio fácil de usar y controlado. Hasta ahora, la falta de espacios para dialogar y para llevar a cabo conferencias ha sido la gran asignatura pendiente de la Web.

WebBoard (http://website.ora.com/usercenter wbwelcome.htlm), un nuevo servicio de conferencias basado en un servidor, creado por O'Reilly y Asociados, puede cambiar la mala opinión que se tiene de estos servicios en Internet. Diseñado para actuar con el impresionante servidor de O'Reilly, WebBoard, proporciona una versión civilizada de Usenet; no hay odios, ni publicidad no deseada, sólo discusiones bien enfocadas (ver la figura 19.3).

El diálogo civilizado y ponderado está llegando a la Web de la mano de WebChat, un servicio de la WebChat Communications. Este servicio cuenta con 44 millones de accesos por semana, probando de esta forma el ilimitado potencial de esta tecnología. En el WebChat Broadcasting System (WBS), se pueden encontrar cientos de temas de conversación sobre una gran variedad de áreas, afortunadamente libres de extraños fetichismos y sexo. Se puede comprar una versión del WebChat para instalar servicios de conversación en el servidor personal. Préstese atención a todos los ofertas de WebChat en el http://www.irsociety.com/wbs.htlm (ver figura 19.4).

Proporcionar señales de navegación con marcos

Para promocionar la parte de un punto que invita al flujo, hay que proporcionar herramientas de uso fácil para la navegación. No es suficiente con poner una fila de enlaces o botones, ya que éstos desaparecen a medida que se avanza en la página.

Una tecnología introducida por Netscape Communications, llamada *marcos* (que consisten en ventanas que se hacen avanzar de forma independiente), permite a los autores de la Web crear ayudas a la navegación que pueden quedar estáticas. Dado que es muy probable que otros servidores de otras compañías imiten en el futuro estos marcos de Netscape, se puede prever que éstos se verán cada vez con más frecuencia en la Web.

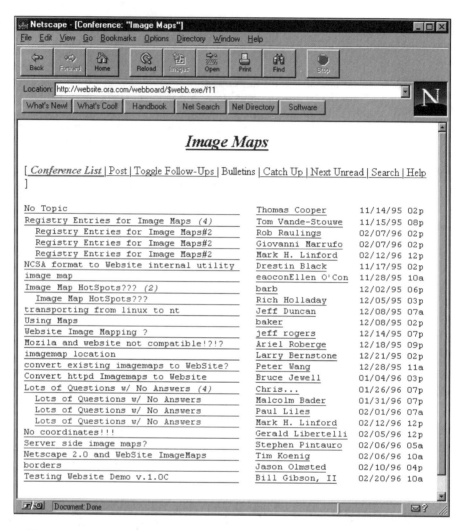

Figura 19.3. Esta conferencia del WebBoard sobre Image Maps, muestra que la Web puede ser interactiva.

Cuando se accede a un punto con marcos, se reconoce enseguida, pues la pantalla está dividida en dos o más paneles.

Si el punto contiene más texto del que puede ser incluido en un panel, se muestra una barra de desplazamiento.

Sin una planificación coherente de interfaz de usuario, los marcos pueden confundir a los visitantes. Pero hay una forma correcta de utilizar estos marcos, que se puede ver en el boston.com Winter Action Index (http://www.boston.com/sports/wintact/winguide/winpoframe.htm), tal como se muestra en la figura 19.5.

En el marco de la derecha se puede ver una lista de estaciones de esquí; cuando se hace clic en una de ellas, el panel adyacente muestra información sobre dicha estación.

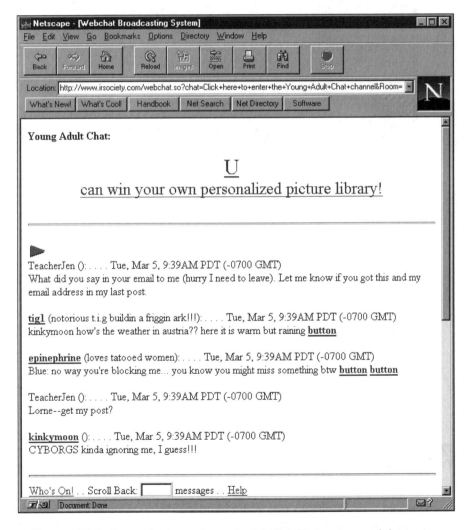

Figura 19.4. Esta sala de conferencia del WebChat es para adolescentes. Se asemeja un poco al Internet Relay Chat.

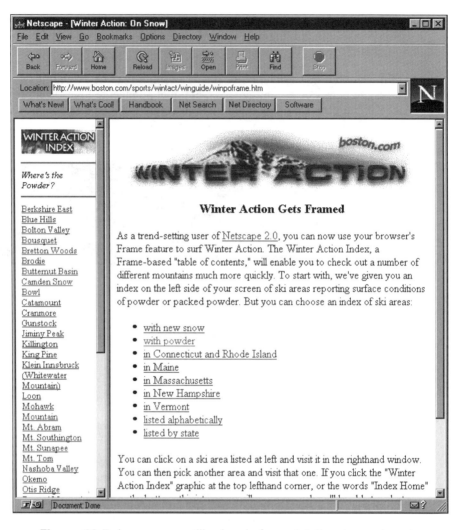

Figura 19.5. Los marcos utilizados de forma inteligente en el punto boston.com muestran dónde está la nieve.

Hacia un compromiso total

Hay que admitir que lo que se está viendo por ahora en la Web es bastante primitivo y se ve aún más reducido por la lentitud de los módem. Pero hay que considerar las posibilidades que se presentarán, una vez que los problemas de ancho de banda se hayan solucionado, y no cabe duda de que se resolverán. La tecnología esta ahí, el mercado está ahí, los planes y proyectos están ahí. Tendremos billones de megabytes por segundo en nuestros hogares, en los colegios, en las oficinas y una vez que lleguemos a eso, el potencial interactivo de la Web ya no será cuestión de risa.

Para captar realmente lo que va a ocurrir, solo hay que recordar la frase esencial de este libro: la Web no es un medio, la Web es todos los medios.

Lo que sigue

Hasta ahora se han visto las características que tienen en común los mejores puntos de la Web, pero si se tiene el empuje de muchas de las personas entrevistadas en este libro, se deducirá que se necesita algo más para triunfar. Así es, se trata del aspecto más difícil de alcanzar de todos. En efecto, los editores con éxito de la Web viven el medio. En el siguiente capítulo se desarrolla más este tema.

20
Capítulo

Vivir el medio

Éste es el último capítulo de este libro. En él se presenta la décima y última clave para triunfar en la Web: vivir el medio. Es, probablemente, la clave más importante.

Suena como un cliché decir que hay que vivir el medio para crear un punto en la Web con éxito. Antes de visitar a los maestros de las nuevas tecnologías, nosotros hubiéramos dicho lo mismo. Pero después de haber conocido a personas como David Filo o Steve Madere, se empieza a captar algo. *Esta gente no está viviendo en el mismo mundo que nosotros.* Ellos viven en la Web.

Parte de vivir el medio viene de trabajar y jugar mucho con él. En las salas de ordenadores y de edición de los puntos que aquí se han presentado, la gente pasa un número de horas que sería impensable en otras profesiones.

Pero pasar muchas horas en un cuarto lleno de máquinas no es la clave. Los maestros de la Web ven el mundo como un medio de hipertexto. A menudo, para ellos, las líneas entre el ciberespacio y el "mundo real" se desdibujan, sobre todo porque ellos extienden los conceptos y modelos de hipertexto al mundo real. Para los artistas de este nuevo medio, la excitación de la creatividad consiste en crear flujos e intercambios entre la Web y el mundo.

◻ **David Beach** vive el medio. Vio en Disneyland, más que en ningún otro sitio, un magnífico interfaz para el usuario y utiliza las ideas que le impresionaron en la tierra de los patos y los dólares como base para el proyecto I-Storm de LVL Interactive (descrito anteriormente en el capítulo 5).

◻ **Jaime Levy** de la revista *Word* (tratada en el capítulo 1) vive el medio. Ella, en vez de despotricar con sus amigos diciendo que San Francisco es un lugar de mala muerte, ha elaborado una narración multimedia de su viaje a esa ciudad y lo ha mostrado en el punto de *Word*.

◻ **Mark Pesce**, uno de los inventores del Virtual Reality Modeling Language, vive el medio. Él, de alguna forma, adora literalmente el medio. En el capítulo 3 se habla de Pesce y el VRML.

Esta gente *piensa en términos de Web*. Pero no piensan en ella como en un HTLM, ni como un medio hipertexto, ni como red informática, ni como medio multimedia. La consideran más bien como un *sistema de comunicación* que combina el Yang de los medios de difusión con el Yin de la comunicación personal.

Guía del autoestopista de la Web

Saber que la Web es un sistema de comunicación es una cosa, pero lo que también saben los maestros es que tiene unas características únicas. La Web es un sistema multimedia, o si se prefiere, un sistema hipermedia y ésto es algo obvio incluso para los no iniciados, pero los maestros saben que eso no es lo esencial. Abundan los recursos multimedia (tales como las producciones de CD ROM) que ninguno presenta las revolucionarias implicaciones de la Web.

Lo que hace que la Web sea tan especial no es sólo que es un sistema multimedia, sino que se puede utilizar para orientar un medio a través de la red global que surge como una forma de desarrollar comunidades.

Se han visto en este libro muchos ejemplos de autores de la Web que la han usado para conducir a otros medios de comunicación a través de Internet, la radio (Radio HK), los periódicos (el American Reporter), la industria discográfica (IUMA), las revistas (*Word*). Pero los bajos costes de distribución no son la única ventaja: para estos maestros de la Web, estas vías de comunicación son de dos sentidos, permitiendo la comunicación entre uno y uno, entre uno y varios y entre varios grupos. Éste es el más alto nivel de percepción de la Web, el momento de la visión en el que uno se da cuenta de que ha arrasado totalmente los modelos de los medios de comunicación tradicionales.

Los grandes autores de la Web saben que no es suficiente conducir a los otros medios de comunicación a través de Internet: están combinando la cultura de los medios de difusión con la cultura de las comunicaciones personales de forma convincente y original.

No se puede iniciar algo en la Web pensando que es como una cadena de radio, hay que seguir el ejemplo de Norman Hajjar y Steve Proffitt de Radio HK y planificar cómo se puede adaptar la radio a la Web. En vez de pensar en la Web como si fuera un medio barato de distribuir prensa, hay que pensar como Joe Shea y considerar las formas en que la Web y la comunidad de Internet pueden ser utilizadas para crear un periódico electrónico y hacerlo florecer.

En las salas de edición y las salas de ordenadores de los editores de la Web de todo el mundo, están sucediendo cosas apasionantes. Grandes compañías de comunicación establecidas desde hace tiempo están empezando a ceder ante competidores ágiles. Las voces de grupos de personas que durante un tiempo fueron acalladas por la infraestructura de las comunicaciones de la era industrial empiezan, ahora y por primera vez, a hacerse oír. Están apareciendo en vanguardia nuevos modos de expresión artística y los viejos están cambiando a la luz de un nuevo día.

Estamos siendo testigos del nacimiento de una nueva infraestructura de comunicación global, en la que las divisiones entre los productores de la información y los consumidores se van a desdibujar hasta desaparecer.

El Tao de la Web

Como se ha podido aprender en este libro, los nuevos artistas de la Web se dejan llevar por las posibilidades de convergencia, la que hay entre las viejas culturas de los medios de comunicación y las comunicaciones personales. Aquí se han explorado sus puntos, sus filosofías, incluso sus visiones. Ahora ya se puede apreciar el Tao de la Web.

En el Tao se aprende a ver el mundo como el campo de batalla de dos fuerzas antiguas y eternas: el Yin y el Yang. En el Tao de la Web, se puede ver el Yang de los medios de comunicación basados en Internet y el Yin de las comunicaciones personales. Fuerzas opuestas, cada una siempre amenazando con dominar y eliminar a la otra. Pero en las manos del maestro, las dos fuerzas encuentran su equilibrio.

En efecto, los maestros de la Web tienen la capacidad de encontrar este equilibrio y no se dejan seducir ni abrumar por el Yin o el Yang, logrando así que sus puntos destaquen. No son los gráficos, ni el oropel, ni el llamativo HTML, ni los guiones de programas, ni siquiera la promoción. Encontrar el equilibrio perfecto entre la difusión a nivel global y la comunidad, calibrar con precisión estas fuerzas, crear una unión de objetivos, de audiencia y de arte, ésto es lo que define un punto de la Web de forma extraordinariamente clara.

Éste es el camino a seguir.

Índice alfabético

Otras obras afines publicadas por

Guía de Internet para Windows 95. *Weinhgardn.*

Ibertex. El videotex español. *Chamorro/González.*

Internet. *Jarabo y Elortegui.*

Internet para Dummies. *Levine.*

Internet. Redes de Computadores y Sistemas de Información. *Sergio Talens y José Hernández Orallo.*

Internet. Telnet, FTP, Correo electrónico, News, Gopher, World Wide Web. *Contreras.*

Nestcape Navigator 2.0. *Phill James.*

Publicar con HTML en Internet. *Heslop y Budwick.*

Seguridad en Unix. Sistemas abiertos e Internet. *Calvo, Ribagorza y Gallardo.*

Servicios de información electrónica. Internet. Compuserve. Saranet y Servicom. *González, Chamorro y Arnáez.*